HANDBÜCHER FÜR DAS
STUDIUM DER ROMANISTIK

GERHARD ROHLFS

Romanische Sprachgeographie

Geschichte und Grundlagen, Aspekte und Probleme
mit dem Versuch eines Sprachatlas
der romanischen Sprachen

C.H.BECK'SCHE VERLAGSBUCHHANDLUNG
MÜNCHEN 1971

ISBN 3 406 03396 2

© C. H. Beck'sche Verlagsbuchhandlung (Oscar Beck) München 1971
Druck C. H. Beck'sche Buchdruckerei Nördlingen
Printed in Germany

INHALTSVERZEICHNIS

I. Die Entwicklung der Sprachgeographie

II. Die Differenzierung der romanischen Sprachen

III. Ältere und jüngere Latinität

IV. Oskische Latinität?

V. Die Gliederung der romanischen Sprachen

VI. Morphologische Wandlungen

VII. Syntaktische Neuerungen

VIII. Hypokoristische Wortschöpfung (Diminutiva)

IX. Andere lexikalische Neuerungen

X. Les aires latérales

XI. Griechische Einflüsse

XII. Die Nachwirkung ethnischer Substrate

XIII. Die germanische Durchdringung der Romania

XIV. Französische Zivilisation

XV. Sprache und Gesellschaft

XVI. Lautsymbolische Wortschöpfung
(creación expresiva)

XVII. Onomasiologische Abundanz

XVIII. Grobe Volkssprache (Langage populaire)

XIX. Homonymie

XX. Phonetischer Notstand (Détresse phonétique)

XXI. Semantische Differenzierung (Polysemie)

XXII. Kirche und Christentum

XXIII. Zusammenfassung

Wortregister

VORWORT

*La Romania che ha vissuto mille e mille
vite, è oggi ben viva anche nella scienza.*
P. Savj-Lopez (1920)

Dies Buch setzt sich zwei verschiedene Aufgaben.
Es will einmal einen kritischen Überblick geben über den heutigen Stand der sprachgeographischen Forschung in den romanischen Ländern, über ihre Vorgeschichte, die angewendeten Methoden und die verschiedenen Formen, in denen die Sprachatlanten der romanischen Länder organisiert und realisiert worden sind.
Es will andererseits an praktischen Beispielen zeigen, wie sprachliche Situationen in einem großräumigen Verbande durch geographische Betrachtung eine neue oder vertiefte historische Deutung finden können. So besteht der Hauptteil dieses Buches in dem Versuch eines makroskopisch orientierten Sprachatlasses (bestehend aus 100 Karten), der die ganze Romania (von Portugal bis Rumänien) zu einem geographischen Gesamtbilde zusammenfassen will. Als eine gewisse Reaktion auf die heute zu einer Mode gewordenen sprachgeographischen Regionalatlanten (deren wissenschaftliche Aufgabe und Bedeutung nicht bezweifelt werden soll), will unser Versuch die große Einheit der romanischen Sprachfamilie betonen, zugleich aber auch die vielfältigen Kräfte und Strömungen aufzeigen, welche die Spaltung des Vulgärlateins in viele Einzelsprachen und dialektische Abweichungen bedingt haben. Als Hauptaufgabe dieser Studien ist also gedacht, die Differenzierung der romantischen Sprachen in gewissen großen Zusammenhängen darzustellen.
Die Einbeziehung der gesamten europäischen Romania in ihrer Ausdehnung von Lissabon bis zur Donaumündung erlaubte es nicht, die Bezeichnungsgeschichte eines Begriffes in allen ihren vielfältigen Einzelergebnissen zu beschreiben. Es werden daher in unseren Karten im allgemeinen nur die lautlichen und lexikalischen Haupttypen vertreten sein, die für die Schriftsprachen eine Bedeutung haben oder für größere Gebiete charakteristisch sind.[1] Aus der mundartlichen Entwicklung

[1] Da unsere Karten keiner phonetischen Spezialforschung dienen wollen, wurden die sprachlichen Formen im allgemeinen in der offiziellen nationalen Orthographie gegeben. Wo phonetische Unklarheiten bestehen können, erfolgt im kommentierten Text eine genauere phonetische Präzisierung.

mußte vieles ausgeschieden werden, was entweder zu sporadisch sich darbietet oder für eine makroskopische Betrachtung ohne besonderem Interesse ist. Wo es angebracht und notwendig erschien, wurde das Kartenbild in unserem Kommentar oder in den Anmerkungen durch Zusätze oder bibliographische Hinweise ergänzt.

Die in unseren Karten angeführten Formen beruhen zum großen Teil auf den zur Zeit (1969) vorhandenen Sprachatlanten. Wo z. T. neben den großen Nationalatlanten (ALF, AIS, ALPI, ALR) Regionalatlanten vorhanden sind (Frankreich, Spanien, Italien, Rumänien), sind diese mitberücksichtigt worden, soweit sie im Rahmen unseres Programms neue oder wichtige Erkenntnisse lieferten. Infolge Fehlens eines portugiesischen Sprachatlasses, zumal auch der iberoromanische und rumänische Sprachatlas unvollständig geblieben sind, mußten die benötigten Materialien z. T. aus Wörterbüchern, z. T. durch persönliche Recherchen (besonders in Spanien) ergänzt werden. Auch für Süditalien, Sardinien, Corsica und die Gascogne konnte der Verfasser Formen und Erkenntnisse verwerten, die aus eigener Forschung resultieren. Für Portugal und Rumänien habe ich mich oft damit begnügen müssen, den geläufigen Ausdruck der Schriftsprache in die Karten einzutragen. Für Portugal konnte der Verfasser einige Auskünfte verwenden, die ihm Manuel de Paiva Boléo aus dem von ihm organisierten 'Inquérito lingüístico' (ILB) zur Verfügung gestellt hat (s. § 13).

Viele der hier behandelten Themen sind in früheren Abhandlungen des Verfassers bereits behandelt worden: vor allem in *Lexikalische Differenzierung der romanischen Sprachen* (SBAW 1954, Heft 4), anderes in *Germanisches Spracherbe in der Romania* (SBAW 1946, Heft 8), *Sprachgeographische Streifzüge durch Italien* (SBAW, 1946 Heft 3). Andere Themen wurden behandelt in Vorträgen anläßlich der internationalen Kongresse in Barcelona (1953), Bordeaux (1961), Straßburg (1962), Bukarest (1968), oder in anderen Vorträgen (Madrid, Lissabon, Rom, Palermo, Turin, Venedig, Athen, Zagreb, Tirana). Alle diese Themen, die z. T. als Vorstudien für dieses Buch gedient haben, sind auf den heutigen Stand der Forschung gebracht worden. Andere Themen werden hier zum ersten Mal diskutiert.[1]

---

[1] In der Auswahl der Themen und Probleme hat der Autor versucht, sich vorzugsweise an klare und konkrete Begriffe zu halten: Körperteile, Verwandtschaftsnamen, Pflanzen und Tiere, Adjektive wie 'klein' und 'link', Verben wie 'bitten' und 'essen', Adverbia wie *demain* und *alors*. Begriffe mit verschwimmenden Grenzen (z. B. 'schön' und 'hübsch': *beau* und *joli*, span.

Für Auskünfte und spezielle Information fühle ich mich folgenden Fachgenossen verpflichtet: J. Allières (Toulouse), M. Alvar (Madrid), Aramon i Serra (Barcelona), G. Bonfante (Torino), E. Çabej (Tirana), E. Coseriu (Tübingen), M. Deanović (Zagreb), R. Flora (Zrenjanin), T. Franceschi (Urbino), C. Grassi (Torino), Maria Iliescu (Bukarest), A. Karanastasis (Athen), I. Mării (Cluj), L. Michelena (Salamanca), Fr. de B. Moll (Palma de Mallorca), M. de Paiva Boléo (Coimbra), G. B. Pellegrini (Padova), A. Schorta (Chur), A. Tovar (Tübingen), R. Udler (Kischinew). Besonderen Dank schulde ich den vielen Rezensenten meiner 'Lexikalischen Differenzierung', insbesondere G. Colón (Basel), A. Niculescu (Bukarest), J. M. Piel (Köln) und H. W. Klein (Aachen), deren Verbesserungen und Ergänzungen mir für die neue Behandlung älterer Themen von großem Nutzen gewesen sind. Ebenso waren mir wertvoll die vielen 'notas', mit denen Manuel Alvar die spanische Edition meiner Akademie-Abhandlung (1954) 'Diferenciación léxica de las lenguas románicas' (Madrid 1960) versehen hat. – Last not least verdankt der Verfasser viele fördernde Einsichten den drei großen lexikographischen Unternehmungen, die in der Zwischenzeit zum Abschluß gekommen sind: den großen etymologischen Wörterbüchern von Wartburg (FEW) und Corominas (DELC) sowie dem katalanischen Wörterbuch von Alcover-Moll (AM).

---

hermoso, bonito, lindo, guapo) sind mit Absicht nicht berücksichtigt worden. Auch abstrakte Begriffe (courage, angoisse, jalousie, richesse) waren für unsere Zwecke wenig geeignet.

ALLGEMEINE BIBLIOGRAPHIE[1]
(eine Auswahl)

M. Alvar, Estructuralismo, geografía lingüística y dialectología actual. Madrid 1969.

M. Bartoli, Saggi di linguistica spaziale. Torino 1945.

E. Coseriu, La geografía lingüística. Montevideo 1956.

A. Dauzat, La géographie linguistique. Paris, 1948.

E. Gamillscheg, Die Sprachgeographie und ihre Ergebnisse für die allgemeine Sprachwissenschaft. Bielefeld-Leipzig 1928.

J. Gilliéron et M. Roques, Études de géographie linguistique d'après l'Atlas linguistique de la France. Paris 1912.[2]

J. Goossens, Strukturelle Sprachgeographie. Eine Einführung in Methotik und Ergebnisse. Mit 30 Karten. Heidelberg 1969 [Betrifft den deutschen und niederländischen Sprachraum].

C. Grassi, La geografia linguistica: problemi e metodi. Torino 1966.

K. Jaberg, Aspects géographiques du langage. Paris 1936.

K. Jaberg, Sprachgeographie: Beitrag zum Verständnis des Atlas linguistique de la France. Aarau 1908. – In spanischer Übersetzung: Geografía lingüística: Ensayo de interpretación del Atlas lingüístico de Francia, trad. de A. Llorente y M. Alvar. Granada 1959.

H. Kuen, Die Sprachgeographie als Wissenschaft vom Menschen. In: Zeitschrift für Mundartenforschung 29, 1962, S. 193–215.

A. Kuhn, 60 Jahre Sprachgeographie in der Romania. In: Rom. Jahrbuch I, 1949, S. 25–63.

U. Leo, Dialektgeographie und romanische Sprachwissenschaft. In: AStNSp 162, 1932, S. 203–226.

S. Pop, La dialectologie: Aperçu historique et méthodes d'enquêtes linguistiques. Première partie: Dialectologie romane. Louvain 1950.

---

[1] Für spezielle Themen, s. die bibliographischen Bände 'Bibliographie' der ZRPh, für 1940–1950, S. 49–53; 1951–1955, S. 57–61; 1956–1960, S. 61–65; 1961–1962, S. 245–248; 1963–1964, S. 221–224.
[2] Über weitere Arbeiten von Gilliéron, s. Jordan, Einführung (1962), S. 185.

G. Rohlfs, Die lexikalische Differenzierung der romanischen Sprachen: Versuch einer romanischen Wortgeographie. In: SBAW, 1954, Heft/4. – In spanischer Übersetzung: Diferenciación léxica de las lenguas románicas. Traducción y notas de Manuel Alvar. Madrid 1960.

W. von Wartburg, Die Ausgliederung der romanischen Sprachräume. Bern 1950; s. dazu ZRPh 56, 1936, S. 1–48. – In französischer Übersetzung: La fragmentation linguistique de la Romania. Paris 1967.

BIBLIOGRAPHISCHE ABKÜRZUNGEN

ABAW .... Abhandlungen der Bayerischen Akademie der Wissenschaften (München, Verlag C. H. Beck).

ACMa .... Actas del XI Congreso internacional de Lingüística y Filología románica (Madrid 1965), publ. por A. Quilis, vol. I–IV, Madrid 1968 (= Anejo 86 de la RFE).

AGI .... Archivio glottologico italiano. Torino 1873 ff.

AIS .... K. Jaberg und J. Jud, Sprach- und Sachatlas Italiens und der Südschweiz. 1928 ff.

ALC .... A. Griera, Atlas lingüístic de Catalunya. Barcelona 1923 ff.

ALEAnd ...... M. Alvar, Atlas lingüístico y etnográfico de Andalucía. Granada 1961 ff.

ALEIC .... G. Bottiglioni, Atlante linguistico-etnografico della Corsica. Pisa 1933 ff.

ALF .... J. Gilliéron et E. Edmont, Atlas linguistique de la France. Paris 1903 ff.

ALG .... J. Séguy, Atlas linguistique et ethnographique de la Gascogne. Toulouse 1954 ff.

ALI .... Atlante linguistico italiano (Torino, in Vorbereitung).

ALL .... P. Gardette, Atlas linguistique et ethnographique du Lyonnais. Lyon 1950 ff.

ALPI .... Atlas lingüístico de la Península ibérica, t. I, 1962.

ALPR .... Atti del Convegno intern. sul tema Gli Atlanti Linguistici: Problemi e risultati (ottobre 1967). Roma, Accademia Nazionale dei Lincei, 1969: quaderno 111.

ALR .... S. Puşcariu, Atlasul linguistic român. Cluj 1938 ff.

ALRM .... S. Puşcariu, Micul atlas linguistic român. Cluj 1938 ff.

ALRu (S. N.) s. § 15.

ALSa s. SALS.

Alvar DL ..... Notas de M. Alvar a G. Rohlfs, Diferenciación léxica de las lenguas románicas; v. S. XIII.

AM .... Alcover-Moll, Diccionari català-valenciá-balear. Palma de Mallorca 1930 ff.

Arch. Rom. ..... Archivum Romanicum. Genf 1917 ff.

AStNSp .... Archiv für das Studium der neueren Sprachen. Braunschweig 1846 ff.

BALM .... Bollettino dell'Atlante linguistico mediterraneo. Venezia 1959 ff.

Bartoli .... M. Bartoli, Das Dalmatische. Wien (Akademie der Wissenschaften) 1906.

BCSic .... Bollettino del Centro di studi filologici e linguistici siciliani. Palermo 1953 ff.

BDC .... Butlletí de dialectología catalana. Barcelona 1913 ff.

BF .... Boletim de filologia. Lisboa 1932 ff.

BL .... Bulletin linguistique. Bukarest 1933 ff.

Bonfante ...... G. Bonfante, L'Iberia nelle norme areali di Matteo Bartoli. In: Quaderni ibero-americani, Pubbl. della Facoltà di Magistero dell'Università di Torino, no. 31. Torino 1965.

Bonfante LG .. G. Bonfante, Latini e Germani in Italia. Brescia 1963.

Brüch .... J. Brüch, Der Einfluß der germanischen Sprachen auf das Vulgärlatein. Heidelberg 1913.

BW .... O. Bloch et W. von Wartburg, Dictionnaire étymologique de la langue française. Paris 1964.

Camproux ..... Ch. Camproux, Essai de géographie linguistique du Gévaudan. Montpellier 1962.

Candrea .... I.-Aurel Candrea, Dicţionarul enciclopedic ilustrat 'Cartea Românească': Dicţionarul limbii române din trecut şi de astazi. Bukarest 1931.

CGlL .... Corpus glossariorum Latinorum, ed. G. Götz. Leipzig 1888 ff.

CIL .... Corpus inscriptionum Latinarum. Berlin 1863 ff.

Cioranescu .... Al. Cioranescu, Diccionario etimológico rumano. Madrid 1958–1960.

Cortelazzo ..... M. Cortelazzo, Avviamento critico allo studio della dialettologia italiana. Vol. I: Problemi e metodi. Pisa 1969.

CL .... Cercetări de lingvistică. Cluj 1956 ff.

DELC .... J. Corominas, Diccionario crítico etimológico de la lengua castellana. Bern 1954–1956.

DES .... M. L. Wagner, Dizionario etimologico sardo. Heidelberg 1960–1962.

DRG .... Dicziunari rumantsch grischun (red. Andrea Schorta). Cuoira 1939 ff.

DTC .... G. Rohlfs, Dizionario dialettale delle Tre Calabrie. Halle-Milano 1932–1939 (ristampa: Cosenza 1968).

EWFS .... E. Gamillscheg, Etymologisches Wörterbuch der französischen Sprache. Heidelberg 1966–1970.

EWRS .... S. Puşcariu, Etymologisches Wörterbuch der rumänischen Sprache. Heidelberg 1905.

FEW .... W. von Wartburg, Französisches etymologisches Wörterbuch. Bonn 1922 ff.

FM .... Le Français Moderne. Paris 1933 ff.

Frings .... Th. Frings, Germania Romana. Halle 1932.

Gamillschegs, RG E. Gamillscheg, Romania Germanica. Berlin 1934–1936 (2. Auflage: Bd. I, 1970).

GRM .... Germanisch-romanische Monatsschrift. Heidelberg 1909 ff.

GSR .... Glossaire des patois de la Suisse Romande. Neuchâtel 1924 ff.

HGI .... G. Rohlfs, Historische Grammatik der italienischen Sprache und ihrer Mundarten. Bern 1949–1954; edizione italiana aggiornata: Grammatica storica della lingua italiana e dei suoi dialetti. Torino 1966–1969.

Hubschmid Pyr. J. Hubschmid, Pyrenäenwörter vorromanischen Ursprungs und das vorromanische Substrat der Alpen. Salamanca 1954.

ID .... Italia dialettale. Pisa 1924 ff.

IF .... Indogermanische Forschungen. 1892 ff.

II*

Jaberg .... K. Jaberg, Aspects géographiques du langage. Paris 1936.

Jordan .... J. Jordan, Einführung in die Geschichte und die Methoden der romanischen Sprachen, ins Deutsche übertragen, ergänzt und teilweise neubearbeitet von Werner Bahner. Berlin 1962. – Spanische Ausgabe, besorgt von M. Alvar (Madrid 1967).

Kluge-Mitzka,.. Etymologisches Wörterbuch der deutschen Sprache. Berlin 1957.

Kuen s. Allgemeine Bibliographie.

Lafont .... Robert Lafont, La phrase occitane. Essai d'analyse systématique. Montpellier 1967.

LexGr .... G. Rohlfs, Lexicon Graecanicum Italiae Inferioris, Etymologisches Wörterbuch der unteritalienischen Gräzität. Tübingen 1964.

Michel .... L. Michel, Le français de Carcassonne. Dans: Annales de l'Institut d'Etudes Occitanes, t. I (1949), S. 196–208; t. II, S. 80–93.

Mihăescu ...... H. Mihăescu, Limba latină in provinciile dunărene ale imperiului roman. Bucureşti 1960.

Moll, GHC .... Franc. de B. Moll, Gramática histórica catalana. Madrid 1952.

Moll, GCB .... Franc. de B. Moll, Gramática catalana, referida especialment a les Illes Balears. Palma de Mallorca 1968.

Niculescu ...... Al. Niculescu, Rezension von G. Rohlfs, Die lexikalische Differenzierung der romanischen Sprachen. In: RRL 2, 1957, S. 123–133.

Orbis .... Orbis, Bull, intern. de documentation linguistique. Louvain 1952 ff.

Pop s. Allgemeine Bibliographie.

Pop, ALE ..... R. D. Pop et S. Pop, Atlas linguistiques européens. Première partie: Domaine roman. Répertoire systématique des cartes: A–B. Louvain 1960.

Puşcariu ...... S. Puşcariu, Die rumänische Sprache, übersetzt und bearbeitet von H. Kuen. Leipzig 1943.

RDiR .... Revue de dialectologie romane. Brüssel 1909 ff.

RDTP .... Revista de dialectología y tradiciones populares. Madrid 1944 ff.

Reichenkron ... G. Reichenkron, Das Dakische (rekonstruiert aus dem Rumänischen). Heidelberg 1966.

RF .... Romanische Forschungen. Erlangen 1886 ff.

RFE .... Revista de filología española. Madrid 1914 ff.

RJb .... Romanistisches Jahrbuch. Hamburg 1949 ff.

RLiR .... Revue de linguistique romane. Paris 1925 ff.

Rohlfs, Gascon . G. Rohlfs, Le Gascon. Études de philologie pyrénéenne (Halle 1935). Nouv. édit. Tübingen-Pau 1970.

Rohlfs, Neue Beiträge = G. Rohlfs, Neue Beiträge zur Kenntnis der unteritalienischen Gräzität. In: SBAW 1962, Heft 5.

Rohlfs s. auch DTC, HGI, LexGr, VDS, VTC.

Rom. .... Romania. Paris 1872 ff.

RP .... Revista de Portugal. Serie A: Lingua portuguesa. Lisboa 1942 ff.

RPF .... Revista portuguesa de filología. Coimbra 1947 ff.

RPhil .... Romance Philology. Berkeley 1947 ff.

RRL .... Revue roumaine de linguistique. Bucureşti 1956 ff.

Russu .... J. J. Russu, Elemente autohtone în limba română. Substratul comun româno-albanez. Bucureşti 1970.

Sainéan .... L. Sainéan, Les sources indigènes de l'étymologie française. Paris 1925–1930.

SALS .... Saggio di un Atlante linguistico della Sardegna, a cura di B. Terracini e T. Franceschi. Parte I: Carte, Parte II: Testo. Torino 1964.

Sandfeld ...... Kr. Sandfeld, Linguistique balkanique. Paris 1930.

SBAW .... Sitzungsberichte der Bayerischen Akademie der Wissenschaften. München, Verlag C. H. Beck.

SCL .... Studii şi Cercetări lingvistice. Bucureşti 1950 ff.

SLI .... Studi linguistici italiani. Fribourg 1960 ff.

Tagliavini ..... C. Tagliavini, Le origini delle lingue neolatine. Introduzione alla filologia romanza. Bologna 1964. – Quinta edizione interamente rielaborata ed aggiornata: 1969.

Terracini ...... Commento al SALS, parte II: testo (Torino 1964).

TLL .... Thesaurus linguae Latinae.

ToLo .... Tobler-Lommatzsch, Altfranzösisches Wörterbuch. Berlin 1925 ff.

VDS .... G. Rohlfs, Vocabolario dei dialetti salentini (Terra d'Otranto). In: ABAW, Heft 41, 48, 53, 1956–1961.

Vidos .... B. E. Vidos, Manuale di linguistica romanza. Firenze 1959. – Spanische Ausgabe: Madrid 1963; deutsche Ausgabe: München 1968.

Vox Rom. ..... Vox Romanica. Zürich 1936 ff.

VTC .... G. Rohlfs, Vocabolario supplementare dei dialetti delle Tre Calabrie. In: ABAW, Heft 64 und 66, 1966–1967.

Wagner s. DES.

Wandruszka ... M. Wandruszka, Sprachen vergleichbar und unvergleichlich. München 1969.

Wartburg, Ausglied. s. Allgemeine Bibliographie.

WS .... Wörter und Sachen. Heidelberg 1909 ff.

ZB .... Zeitschrift für Balkanologie. Wiesbaden 1962 ff.

ZFSL .... Zeitschrift für französische Sprache und Literatur. Jena 1879 ff.

ZRPh .... Zeitschrift für romanische Philologie. Halle 1877 ff.

SPRACHGEOGRAPHISCHE ABKÜRZUNGEN
(SPRACHEN UND DIALEKTE)

abruzz. . . . . Abruzzen
alb. . . . . Albanien
andal. . . . . Andalusien
apul . . . . Apulien
arag. . . . . Aragonien
astur. . . . . Asturien
auv. . . . . Auvergne
balear. . . . . Balearen
bov. . . . . griech. Dialekt der Zone von Bova (Kalabrien)
campid. . . . . . . Campidano (südl. Sardinien)
dauph. . . . . Dauphiné
dolom. . . . . Dolomiten
emil. . . . . Emilia
eng. . . . . Engadin
friaul. . . . . Friaul
gal. . . . . Galizien (Spanien)
gasc. . . . . Gascogne
kal. . . . . Kalabrien
kat. . . . . Katalonien
langued. . . . . . . Languedoc
lig. . . . . Ligurien
lim. . . . . Limonsin
log. . . . . Logudoro (Zentralsardinien)
lomb. . . . . Lombardei
lucch. . . . . Lucchese (Lucca)
luk. . . . . Lukanien
ngr. . . . . neugriechisch
norm. . . . . Normandie
occit. . . . . neuprovenzalisch, occitanien
otr. . . . . griech. Dialekt der Terra d'Otranto
périg. . . . . Périgord
piem. . . . . Piemont
pik. . . . . Picardie
pis. . . . . Pisa
poit. . . . . Poitou
prov. . . . . provenzalisch

pyr. . . . . Pyrenäen
rätor. . . . . rätoromanisch
rum. . . . . rumänisch
senes. . . . . Siena
siz. . . . . Sizilien
tess. . . . . Tessin
tosk. . . . . Toscana
umbr. . . . . Umbrien
ven. . . . . venezianisch
wall. . . . . wallonisch

I. DIE ENTWICKLUNG DER SPRACHGEOGRAPHIE

Einleitung: Historischer Überblick

§ 1. Unter den verschiedenen Methoden, die dem Sprachforscher für seine linguistischen Untersuchungen zur Verfügung stehen, hat die sprachgeographische Betrachtung sich ein besonderes Ansehen erworben, das seit Jahrzehnten nicht gemindert ist. In ihrer einfachsten Form steht sie in einem markanten Gegensatz zu der historischen Methode, indem sie ihre Erkenntnisse nicht aus früheren Jahrhunderten und aus alten Dokumenten bezieht, sondern aus der Zusammenschau eines Phänomens in seinen Beziehungen zur lokalen und regionalen Umwelt. Gegenüber den älteren linguistischen Methoden hat sie das besondere Verdienst, das sprachliche Untersuchungsfeld durch Materialien aus lebendigen und primären Quellen in einem Reichtum und in einer Mannigfaltigkeit zu erweitern, wie dies bisher nicht denkbar war.

Ihre geographische Orientierung berührt sich mit der älteren sprachvergleichenden Wissenschaft, wie sie von Indogermanisten, Germanisten und Romanisten schon immer betrieben worden ist. Die neue Eigenart der sprachgeographischen Betrachtung ist darin begründet, daß sie aus einer lebendigen Sprachtradition und aus der landschaftlichen Bezogenheit die intimeren Kräfte und Ursachen zu erkennen versucht, die zu den sprachlichen Veränderungen geführt haben. Anstatt die Sprache auf Grund ihrer schriftlichen Überlieferung und ihrer offiziellen und traditionellen Form zu untersuchen, richtet die neue Wissenschaft ihr besonderes Interesse auf die komplexe und konkretere linguistische Realität, wie sie in dem Nebeneinander eigenständiger Mundarten und Sprachtypen gegeben ist. Von der statischen Betrachtung dessen, was historisch geworden und zur offiziellen Gemeinsprache geworden ist, richtet sich das Interesse auf die dynamischen Kräfte.

Von den großen Zentren, die für die Ausprägung einer nationalen Schriftsprache wichtig geworden sind, hat sich die sprachwissenschaftliche Forschung, jetzt weithin und betont in der Form einer 'dialectologie', auf den gesamten Bereich einer Sprache oder einer Sprachfamilie verschoben, in einer Betrachtungsweise, die zugleich naturalistisch und soziologisch sein will. Der sprachgeographischen Betrachtung geht es um die Erkennung der 'foyers créateurs', um die 'interdépendance' der lokalen und regionalen Systeme, um die Form und Lösung der Konflikte, wie sie zu jeder Zeit zwischen der 'langue nationale ou commune' und den 'parlers populaires' bestehen. In ihrer naturwissenschaftlichen Ausrichtung will sie in biologischem oder pathologischem Sinn die Kräfte fixieren, durch die eine lautliche Veränderung, sowie das Absterben und neue Aufkommen von Formen, Wörtern und Ausdrucksweisen bedingt ist, wobei lautliche Schäden, pathologische Zustände, Konflikte oder Zusammenstöße ('accidents d'homonymie') eine Rolle spielen können. Das soziologische Interesse der neuen Sprachwissenschaft sieht die sprachliche Entwicklung als ein gesellschaftliches Produkt, in dem Vulgärsprache und Argot, individuelle und populäre Metaphorik, scherzhafte oder affektische Kraftausdrücke, die Spezialterminologie der einzelnen Berufe, Lallwörter der Kindersprache, Tierlaute und Sprachtabu ihre Bedeutung haben.

§ 2. Die kartographische Darstellung einer sprachlichen Realität in einem breiteren Felde gibt die Möglichkeit, Strömungen und Kräfte (actions et réactions) genauer zu erkennen. In der neuen geographisch ausgerichteten Sprachwissenschaft spielen folgende Fragen und Aspekte eine Rolle:

1. Action et inconstance des lois phonétiques.
2. Les réactions d'un système phonétique ou morphologique sur l'autre.
3. Centres et origine des courants linguistiques et des emprunts lexicaux.
4. Puissance et faiblesse du régionalisme linguistique.
5. L'histoire individuelle d'un mot.
6. Les rapports entre l'évolution linguistique et le mouvement culturel.
7. Les rapports entre le mot et la chose (Wörter und Sachen).
8. Les causes de l'instabilité du vocabulaire.
9. Originalité et indépendance de certaines zones.
10. La réaction des parlers vis-à-vis des innovations.

§ 3. Anstatt die Entwicklung der sprachgeographischen Forschung in ihren verschiedenen Etappen und Methoden, in ihrer

verschiedenen Anwendung und Zielsetzung genau aufzuzeigen oder die praktischen Fragen zu erörtern, die sich an die Befragung der Auskunftspersonen, an die Art eines 'questionnaire' und an die Sammlung der Materialien knüpfen, mag es für unsere Zwecke genügen, einige wichtige Grundlagen und Marksteine kurz aufzuzeigen.[5]

Für die Entwicklung der Sprachgeographie kommt dem deutschen Germanisten GEORG WENKER (1852–1911) ein besonderes Verdienst zu. Seiner Initiative ist es zu verdanken, daß beginnend mit dem Jahr 1876 durch behördliche Unterstützung Fragebogen in mehr als 30000 Ortschaften (später um weitere 9000 vermehrt) verschickt wurden, die im wesentlichen den Sinn hatten, lautliche und grammatische Unterschiede in ihrer geographischen Verbreitung festzuhalten. An Probleme der Wortgeographie hat Wenker noch nicht gedacht. Nachdem im Jahre 1881 ein erstes und einziges Heft des geplanten Großatlas erschienen war, kam die weitere Publikation ins Stocken. Erst im Jahre 1926 konnte das Werk als 'Deutscher Sprachatlas' unter der Leitung von FERDINAND WREDE, später fortgeführt durch WALTHER MITZKA mit seinem Erscheinen beginnen.[6] Der besondere Wert des Unternehmens liegt in der ungeheuren Zahl der vertretenen Ortschaften, die in den späteren Karten durch die deutschen Mundarten Österreichs, Böhmens, Südtirols und der Schweiz erweitert wurden. Ein so dichtes Netz ist bisher von keinem anderen Sprachatlas erreicht worden. Dem gegenüber

---

[5] Siehe dazu die kritische und methodologische Beurteilung in den Handbüchern von Tagliavini (1969), S. 27–39 und Vidos (ital. Ed. 84–90, span. Ed. 42–85, deutsche Ed. 63–108); dazu das Kapitel 'Dialettologia geografica' bei Cortelazzo S. 103–121. – Eine historische Bibliographie, chronologisch geordnet, angefangen von ersten systematischen Vorläufern im 15. und 16. Jahrhundert bis zum Jahre 1954, konzentriert auf mundartliche Sammlungen mittelst 'questionnaire', gibt S. Pop, Bibliographie des questionnaires linguistiques (Paris 1955), bis zum Jahre 1913 publiziert auch in der Zeitschrift Orbis 3, 1954, S. 258ff. und 548ff.; s. auch Pop, La dialectologie, Bd. I, 1950. – Von Sever Pop und R. D. Pop haben wir auch ein Generalverzeichnis aller romanischen Sprachkarten: Atlas linguistiques européens. Partie I: Domaine roman. Répertoire systématique des cartes (Louvain 1960). Durch den Tod von Sever Pop wurde die Publikation unterbrochen: sie umfaßt nur die Buchstaben A und B.

[6] Inzwischen hatte HERMANN FISCHER seinen *Atlas zur Geographie der schwäbischen Mundart* (Tübingen 1895) erscheinen lassen. Auch dieser Atlas beruht auf einer großen Fragebogen-Aktion, die auf 3000 Ortschaften sich erstreckte. Der Atlas umfaßt nur 28 Karten, von denen 23 den lautlichen Unterschieden gewidmet sind. Der Verfasser begnügt sich damit, die Ausdehnung der jeweiligen Formen durch Umrandung oder durch farbige Grenzlinien auszudrücken.

1*

stehen die organisatorischen Schwächen, die dadurch gegeben sind, daß die Antworten von unausgebildeten Laien in einer behelfsmäßigen Umschrift gegeben wurden, die eine absolute wissenschaftliche Genauigkeit nicht verbürgt.[7] Dazu kommt, daß der deutsche Atlas sich darauf beschränkt, die Grenzen der einzelnen Phänomene zu umreißen und die mundartlichen Sonderformen durch figürliche Zeichen auszudrücken, ohne daß die genauen Formen der einzelnen Wörter Ort für Ort mitgeteilt werden.[8]

Die romanische Sprachgeographie nimmt ihren Anfang mit dem 'Petit Atlas phonétique du Valais roman' von JULES GILLIÉRON (1881), noch sehr bescheiden in seinem Umfang (30 Karten) und in der Zielsetzung, die rein phonetisch bestimmt ist und nur die dialektischen Unterschiede aufzeigen will.

§ 4. In der weiteren Entwicklung lassen sich folgende Etappen und Fortschritte unterscheiden:

A. Die Aktion mittelst Fragebogen, gestützt auf eine sehr große Zahl von Korrespondenten hat auch für die romanischen Sprachen eine erste Anregung gegeben, z. B. in Rumänien durch B. P. Hasdeu (1885 ff.); s. § 14. Ähnliche Unternehmen beruhend auf einem einheitlichen Text sind in Italien und in Frankreich durchgeführt worden. So hat GIOVANNI PAPANTI auf Grund einer sehr umfangreichen Korrespondenz-Befragung in seinem Buch 'I parlari italiani in Certaldo alla festa del V centenario di Giovanni Boccaccio' (Livorno 1875) eine Novelle des Dec. (I, 9) in 706 'dialetti italiani' und 57 nichtitalienischen Sprachformen (albanisch, slawisch, griechisch, deutsch, rumänisch, provenzalisch, maltesisch, usw.) publiziert; über 'altri tentativi del genere' s. Cortelazzo 53 ff. Aus Frankreich sind zu nennen die 'Enquêtes par correspondance', die im Jahre 1895 von E. BOURCIEZ 'dans le domaine gascon' in mehr als '4000 localités' und im Jahre 1887 von JULIEN SACAZE in 146 Gemeinden des Pays basque français durchgeführt wurden. Beide beruhen auf einem einheitlichen Prosatext.[9] Beide sind bis heute unver-

---

[7] Die Fragebogen bestanden aus 339 Wörtern, die zu 40 Sätzen zusammengefaßt waren.

[8] Siehe dazu W. MITZKA, Handbuch zum deutschen Sprachatlas (Marburg 1952).

[9] Die Enquête Boureiez stützte sich auf den Text der Parabel vom 'Enfant prodigue'; die Enquête Sacaze auf zwei 'légendes pyrénéennes'. Die erstere ist ausgewertet worden durch Jean Bourciez in seiner Abhandlung 'Recherches historiques et géographiques sur le parfait en gascon' (Bordeaux 1920); die zweite durch J. Allières für seinen 'Petit atlas linguistique basque' (s. § 8).

öffentlicht. Die enquête Bourciez ist deponiert in der Universitätsbibliothek von Bordeaux, die enquête Sacaze in der Bibliothèque Municipale von Toulouse.[10] – In neuerer Zeit hat Paiva Boléo, geleitet von neueren Erkenntnissen und in modernerer Zielsetzung, als vorläufigen Ersatz für einen portugiesischen Sprachatlas einen sehr umfassenden 'Inquérito linguístico por correspondência' (1942 ff.) organisiert, der über 1200 Ortschaften berücksichtigt (s. § 13).

B. Sammlung der Materialien in loco, mittelst Normalwörter, ausgewählt nach rein phonetischen Gesichtspunkten. Beispiel: der rumänische Sprachatlas von Weigand (s. § 14).

C. Sammlung der Materialien in loco durch den Autor oder einen besonders ausgewählten einheitlichen Explorator (enquêteur). Die neue Methode greift über die Lautentwicklung hinaus, berücksichtigt weitgehend die lexikalischen Verhältnisse und versucht die verschiedenen Kräfte aufzudecken, die den Wandel der Sprache und die 'instabilité du vocabulaire' verursachen. Beispiel: der französische Sprachatlas (ALF) von GILLIERON und der katalanische Sprachatlas von GRIERA. – Der große Fortschritt der neuen Methode (z. B. des ALF) wird vermindert durch den einheitlichen Explorator (Edmont), der die andersartigen Lautsysteme und die besonderen Aspekte der ihm fremden Sprachgebiete (Provence, Gascogne, Corsica) nur unvollkommen erfaßt. Er kann auch vermindert werden durch die Bevorzugung gebildeter Auskunftspersonen und größerer Zentren (Griera), so daß konservativere und archaische Zonen nicht genügend zur Geltung kommen.

D. Sammlung der Materialien durch mehrere 'enquêteurs', die mit den regionalen Verhältnissen speziell vertraut sind. Beispiele: die italienischen Sprachatlanten (AIS und ALI), der Atlas der iberischen Halbinsel und der rumänische Sprachatlas (ALR).

E. Organisation der linguistischen Forschung in Verbindung mit der sachlichen Beschreibung ('Wörter und Sachen'). Es entsteht die lange Reihe der 'Atlas linguistiques et ethnographiques', realisiert zum ersten Mal im 'Sprach- und Sachatlas Italiens und der Südschweiz' (1928 ff.), seitdem mit z. T. erweitertem Plan in Rumänien, Frankreich und Spanien. – Über die engen Beziehungen von Sprachgeographie und 'geografia folclorica o demologica' (letteratura e tradizioni popolari), s. V. SANTOLI, ALPR, S. 231–239.

---

[10] Les résultats de l'enquête Bourciez ont été réunis en 17 volumes manuscrits.

F. Reduzierung der großen Nationalatlanten auf ein kleineres regionales Territorium, mit dem Ziel, die besonderen Verhältnisse in ihrer regionalen Eigenart (sprachlich und ethnographisch) genauer und vollständiger zu erfassen. Erstes Beispiel: der korsische Sprachatlas von Bottiglioni (1933 ff.). Dieser Gedanke ist seitdem in fruchtbarer Entwicklung mit interessanten Beispielen in Frankreich, Spanien und Rumänien.

G. Ausdehnung der Forschung auf einen größeren geographischen Rahmen, der ganz verschiedene Sprachen umfaßt (Atlas plurilingue). Erstes Beispiel (die romanischen Sprachen betreffend): der durch die Initiative von MIRKO DEANOVIĆ organisierte 'Atlante linguistico mediterraneo'. Ausgerichtet und beschränkt auf die besondere Terminologie, die den 'gens de la mer' in den Küstenzonen des gesamten Mittelmeers eigen ist (Hafen, Schiffahrt, Fischerei), bildet dieser Atlas eine interessante Kombination und Synthese eines sachlichen Spezialatlas mit großräumigem Atlas. Seine Aufgabe gilt einer 'pluralità di lingue coesistenti in unità ambientale e culturale' mit besonderer Berücksichtigung der 'tratti unitari interlinguistici'. Sein Spannungsfeld reicht von den türkischen, rumänischen und bulgarischen Häfen des Schwarzen Meeres, alle Sprachen des Mittelmeeres in 20 politischen Ländern (darunter Zypern, Syrien, Israel, Albanien, Malta) umfassend bis nach Portugal. Für die enquêtes sind 117 Küstenorte vorgesehen, mit Benutzung eines 'questionnaire', das ungefähr 800 'parole e locuzioni' umfaßt. Über den Fortgang der Arbeiten, die sich dem Abschluß nähern, orientiert das seit 1959 unter dem Patronat der Fondazione Giorgio Cini (San Giorgio Maggiore, Venezia) erscheinende (von M. Cortelazzo redigierte) *Bollettino dell'Atlante Linguistico Mediterraneo* (BALM); s. dazu den Bericht von DEANOVIĆ, L'Atlante Linguistico Mediterraneo in corso (1956–1965) in Mélanges Pierre Gardette (Strasbourg 1966), S. 115–122 und in ALPR, S. 185–192.[11]

Ein vergleichbares Forschungsunternehmen, dessen Organisation über die ersten Anregungen und Überlegungen noch nicht hinausgekommen ist, könnte ein Sprachatlas der Balkanländer werden; s. dazu M. Deanović in RLiR 25, 1961, 264 ff. und ZB 1, 1963, 1 ff. – Im Stadium einer fortschreitenden Sammlung der Materialien befindet sich auch das Projekt eines 'Atlas linguistique des Alpes' (ALAlp) unter der Leitung von G. Francescato,

---

[11] Die ersten Probekarten 'la barra del timone' und 'il pesce San Pietro', redigiert von Cortelazzo, sind publiziert in BALM VII, 1965, 7 ff.

C. Grassi und H. E. Keller. Dieser Atlas soll das deutsche, romanische und slovenische Sprachgebiet umfassen. Mit einem Questionnaire von 250 'alpinen' Fragen ist er konzentriert auf 'le vocabulaire typique du milieu montagnard'; s. RLiR 30, 1966, S. 236, vgl. auch ALPR, S. 193 und BALM, 1970, S. 80.[12]

Die Sprachatlanten

Frankreich, Belgien, Schweiz

§ 5. Die große Tradition der französischen Sprachgeographie ist geknüpft an die Anregungen, die von Jules Gilliéron ausgegangen sind.

Atlas linguistique de la France (ALF), p. p. JULES GILLIÉRON et E. EDMONT. Paris 1903–1910. Das Aufnahmenetz besteht aus 639 Gemeinden, inbegriffen die französisch sprechenden Gebiete in Belgien (23 Punkte), in der Suisse romande (26 Punkte) und jenseits der italienischen Grenze (8 Punkte). Das Hauptwerk umfaßt 1421 alphabetisch angeordnete Karten, die von *abeille* bis *vrille* gehen. Dazu kommen zwei Supplemente (Karten 1422– 1747 und 1748–1920), deren Netz auf Südfrankreich oder Teile des südlichen Frankreich beschränkt bleibt. Als Einführung dient die *Notice servant à l'intelligence des cartes* von Gilliéron (Paris 1902); sie orientiert über das Transkriptionssystem, besondere Merkmale der Aussprache, Aufnahmeorte und Auskunftspersonen (56 S.) Ein Gesamtregister der auf den Atlaskarten verzeichneten Formen ist enthalten in der *Table de l'Atlas linguistique de la France*, par J. Gilliéron et E. Edmont (Paris 1912, 519 S.). – Weitere Materialien, die außerhalb des normalen Questionnaire von Edmont gesammelt wurden, sind (nicht kartographiert) zusammengefaßt in dem *Atlas linguistique de la France*: *Supplément* (Paris, 1920).

Trotz der ungeheuren Anregungen und der neuen Aufschlüsse, die sich für die Wissenschaft aus dem Gilliéronschen Sprachatlas ergaben, konnten gewisse Schwächen, die ihm aus seiner einheitlichen Organisation anhafteten, nicht übersehen werden. Sie lagen in dem 'questionnaire trop uniforme', das den besonderen regionalen Verhältnissen zu wenig Rechnung trug. Für gewisse

---

[12] Über den ziemlich irrealen Gedanken eines europäischen Sprachatlas, s. K. Heeroma, Orbis 5, 1956, 339ff.

Zonen des Midi mit reicher dialektaler Differenzierung war das
Punktnetz des nationalen Atlas zweifellos zu weitmaschig. Andere
Schwächen waren durch die einheitliche Person des Explorators
gegeben: 'qui ne connaissait pas la plupart des régions où il a
fait son enquête, ... qui s'est trouvé en présence d'objets, de
coutumes et surtout de dialectes qu'il ignorait' (Dauzat), 'son
oreille a été surtout déconcertée par le phonétisme des dialectes
méridionaux, auquel il n'était pas habitué' (Dauzat); s.auch Pop 88.

§ 6. Aus diesen Zweifeln und relativen Unzulänglichkeiten ist
durch die Initiative von ALBERT DAUZAT seit 1939 das Projekt
eines neuen Sprachatlas hervorgegangen: *Atlas linguistique de la
France par régions*.[13] Dieser hatte ursprünglich nach dem Plan
seines Anregers die doppelte Aufgabe, das weitmaschige Netz
des großen nationalen Atlas durch vermehrte Aufnahmepunkte
enger zu gestalten, zugleich aber auch das ganze Werk im Hinblick auf die neueren Methoden, wie sie inzwischen in dem
italienischen und rumänischen Sprachatlas realisiert waren, und
mit Rücksicht auf die neueren Arbeitsziele (z. B. mit stärkerer
Berücksichtigung von Volkskunde und Ethnographie) zu moder-
nisieren. Doch die besonderen regionalen Verhältnisse und die
spezielle Konzeption der individuellen Initiatoren haben das, was
ein 'Nouvel Atlas linguistique de la France' werden sollte, in
regionale Sonderunternehmungen auseinanderfallen lassen, mit
einem Questionnaire, das nicht mehr einheitlich war, sondern in
den einzelnen Fällen den jeweiligen regionalen Verhältnissen angepaßt wurde.[14] Damit hat sich bewahrheitet, was Jaberg schon
im Jahre 1936 vorausgesehen hatte: 'Un atlas national composé
d'atlas régionaux perdrait en cohérence ce qu'il gagnerait en
authenticité et en précision dans le détail' (Aspects 16). So bleibt
der nationale Sprachatlas weiterhin (trotz inhärenter Mängel)
das grundlegende Arbeitsinstrument für großräumige Sprachbe-
trachtung.

Über die unterschiedlichen Aufgaben, die den verschiedenen
Typen von Sprachatlanten zufallen, zitieren wir das Urteil von
P. Gardette: 'Les atlas linguistiques régionaux n'ont pas le même
but que les atlas linguistiques nationaux. Ces derniers sont faits
pour révéler les traits principaux d'un pays: ses grandes divisions

---

[13] Siehe FM 7, 1939, 97ff. und 289ff., Orbis 4, 1955, 22ff.; s. dazu Pop
142–151.
[14] 'Le questionnaire général, composé par Dauzat, jugé insuffisamment
complet et peu adapte, a été abandonné' (Gardette, RLiR, 27, 483).

dialectales, les centres de rayonnement les plus importants. . . . Les atlas régionaux sont faits pour mettre en lumière les traits particuliers à chaque région: ils doivent notamment permettre d'esquisser l'histoire de termes locaux, désignant des objets ou exprimant des notions dont certains ne sont pas connus du reste du pays' (RLiR 21, 1957, S. 209).[15]

§ 7. Von dem ursprünglichen Programm, das für das fanzösische Sprachgebiet 12 regionale Atlanten vorgesehen hatte, sind bis jetzt erschienen:

P. GARDETTE, *Atlas linguistique et ethnographique du Lyonnais* (ALLy). Lyon 1950–1956: Bcruht auf der Mitarbeit von P. Durdilly, S. Escoffier, H. Girodet, M. Gonon und A. M. Vurpas. Nach sachlichen Gesichtspunkten in drei Bänden geordnet. Enthält 1320 Karten. Umfaßt in der Hauptsache den westlichen Teil des frankoprovenzalischen Sprachgebietes, gebildet von den Dép. Rhône und Loire (44 Punkte); dazu 31 Punkte der angrenzenden Départements. Siehe dazu Jaberg Vox Rom. 13, 1954, S. 380–386.

J. SÉGUY, *Atlas linguistique et ethnographique de la Gascogne* (ALG). Toulouse 1954–1966: Umfaßt das größte Regionalterritorium mit 168 Aufnahmepunkten, nach Norden über die Garonne, nach Osten in das Dép. Ariège ausgreifend. Bisher vier Bände, nach sachlichen Gesichtspunkten geordnet.[16] Die Sammlung der Materialien für die ersten drei Bände (1092 Karten) beruht auf der Mitarbeit von J. Allières, H. Bernès, J. Bouzet, M. Companys, M. Fournié, Th. Lalanne, L. Lay, B. Prat. – Mit dem 4. Band erfolgte eine Umorganisation des Werkes, indem (abweichend von dem durch Dauzat vorgesehenen Normalquestionnaire) ein spezielleres Questionnaire zu Grunde gelegt wurde, das den besonderen regionalen Verhältnissen besser Rechnung trägt: 'Supplément lexical'. Der neue Band, als dessen 'enquêteur et collaborateur principal' Xavier Ravier figuriert, umfaßt 519 Karten; er ist verbunden

---

[15] Siehe dazu K. JABERG, Großräumige und kleinräumige Sprachatlanten (Vox Rom. 14, 1954, S. 1–61). – Über die Probleme, die sich aus dem Verhältnis der beiden Atlaskategorien für die Erfassung begrifflicher Unterscheidungen ergeben, siehe besonders K. BALDINGER und LOTHAR WOLF, ZRPh 84, 1968, S. 287–300.

[16] In dem Aufnahmenetz ist auch ein Ort mit baskischer Sprache (Labastide-Clairence) enthalten.

mit einem Sonderheft, das zur allgemeinen Einführung dient.[17]
Siehe dazu P. Gardette, FM 1955, S. 145–150 und RLiR 30,
1966, S. 422–427; W. Gerster, Vox. Rom. 14, 1955, 354–364.

PIERRE NAUTON, *Atlas linguistique et ethnographique du Massif
Central* (ALMC). Paris 1957–1963. Drei Bände, sachlich ge-
ordnet: 1899 Karten. Der vierte Band enthält ein ausgezeich-
netes 'exposé general', das über die 'situation linguistique du
domaine' und die Sammelarbeit orientiert, und einen alphabeti-
schen Index. Umfaßt die Dépts. Cantal, Haute-Loire, Aveyron,
Lozère und Ardèche: 55 localités. Direkt anschließend an den
Atlas lyonnais. Hervorragend organisiert, mit sehr reicher
Bebilderung. Zur genaueren Beurteilung, s. P. Gardette,
RLiR 27, 1963, S. 481–486; K. Baldinger und Lothar Wolf,
ZRPh 84, 1968, S. 287–300.

HENRI BOURCELOT, *Atlas linguistique et ethnographique de la
Champagne et de la Brie*. Paris 1966: Bisher ein Band, sachlich
geordnet. Umfaßt die Dépts. Ardennes, Marne, Haute-Marne,
Aube, Seine-et-Marne und beträchtliche Teile von Aisne und
Yonne, 194 localités. Siehe dazu P. Gardette, RLiR 33, 1969,
S. 173.

HENRI GUITER, *Atlas linguistique des Pyrenées Orientales*
(ALPo). Paris 1966. Alphabetisch geordnet. Enthält 565 Karten und einen alphabetischen Index; ist 'exclusivement linguistique'. Umfaßt die katalanischen Mundarten des Roussillon, dazu die cantons limitrophes de l'Ariège et de l'Aude
(languedocien), Andorra und den äußersten Norden von Katalonien bis etwa zur Linie Seo de Urgel – Ripoll – Rosas. Mit
19 Mitarbeitern erstellt. Sehr dichtes Aufnahmenetz: 382
localités. Unabhängig von der Idee des allgemeinen Regional-
programms. – Siehe dazu die Anzeige von Séguy, RLiR 30,
1966, S. 427–430 und den Bericht von Guiter in ACMa, vol. III,
S. 1521–1530.

Atlas linguistique de la Wallonie (ALW), d'après les enquêtes
de JEAN HAUST, publié par L. REMACLE (tome I, Liège 1953)
et E. LEGROS (tome III, Liège 1955). Ein Werk sehr originel-
ler Prägung, in einer von den französischen Regionalatlanten
abweichenden methodischen Konzeption. Ist verbunden mit

---

[17] Zum Atlas gehört ein 'fascicule' mit 'cartes auxiliaires', die dazu bestimmt sind, die historische und geographische Orientierung zu erleichtern;
s. dazu Séguy in Via Domitia, 3, 1956, S. 36–62. Der in Kürze zu erwartende
5. Band (bearbeitet von Allières) wird eine Fülle morphologischer Materialien
enthalten.

einem Kommentar, der sich eine linguistische Interpretation des gesamten Materials zum Ziel setzt. Ist genauer ein 'Atlas de la Belgique romane': umfaßt z. T. Mundarten, die dem lothringischen und pikardischen Typus angehören, darunter einige Punkte jenseits der französischen Grenze. Band I gibt eine Darstellung der Lautverhältnisse; im übrigen nach Sachgebieten geordnet. – Siehe dazu Wartburg in ZRPh 70, S. 303 und 73, S. 171; auch Pop 64–75.

In Vorbereitung befinden sich die Regionalatlanten der Picardie (R. Loriot), Normandie et Maine (Ch. Guerlin de Guer), Atlas de l'Ouest (M. Pignon et G. Massignon), du Centre (P. Dubuisson), de l'Auvergne et du Limousin (J. Mazaleyrat), du Quercy (J. Bonnafous), du francoprovençal central (G. Tuaillon), du Languedoc méditerranéen (L. Michel), du Languedoc occidental (X. Ravier). – Über weitere 'entreprises en cours d'enquête ou en préparation', 'coordination et méthode d'enquête', s. den Bericht von P. Gardette und G. Tuaillon, in ALPR (1967), S. 79–85.

§ 8. Außerhalb des Programms der modernen Regionalatlanten stehen einige andere Sprachatlanten von begrenztem lokalen Umfang (s. auch den Nachtrag in § 151):

G. Millandet, *Petit Atlas linguistique d'une région des Landes* (Toulouse 1910). Betrifft eine Zone 'autour de Mont-de-Marsan'. Ganz phonetisch orientiert, rein linguistisch; s. Pop 322, Jordan 231.

Oscar Bloch, *Atlas linguistique des Vosges méridionales* (Paris 1917). Bezieht sich auf die arr. Remiremont und Lure; s. Pop 93, Jordan 242.

A. Terracher, *Les aires morphologiques dans les parlers populaires du nord-ouest de l'Angoumois*, vol. III: Atlas (Paris 1914); s. Pop 100, Jordan 237.

A. Duraffour et P. Gardette, *Atlas linguistique des Terres Froides* (Lyon 1935). Bildet Band 2 des Werkes von A. Devaux, Les patois du Dauphiné. Umfaßt mit 67 Punkten in 394 Karten eine kleine Gebirgszone des Dauphiné im nördlichen Teil des Dép. Isère. Als Ergänzung gedacht zum ersten Band des Werkes (œuvre posthume) 'Dictionnaire des patois des Terres Froides'; s. dazu Wartburg, ZRPh 56, S. 474 und Pop 231.

R. Hallig, *Atlas linguistique de la Lozère*. Ein handschriftlicher

Atlas von 2485 Blättern, der 22 Ortschaften umfaßt. Noch unveröffentlicht; s. Pop 332 und Hallig, ZRPh 68, 1952, S. 243–280.

Ch. Camproux, *Petit Atlas linguistique du Gévaudan* (Lozère). Manuscrit. Umfaßt 198 points d'enquêtes. Besteht aus 559 cartes: 355 phonétiques, 80 morphologiques, 124 lexicologiques.

Die nichtromanischen Sprachen Frankreichs sind vertreten mit:

P. Le Roux, *Atlas linguistique de la Basse-Bretagne* (Rennes 1944 ff.).

Jacques Allières, *Petit Atlas linguistique basque français* 'Sacaze'. Veröffentlicht in der Zeitschrift 'Domitia' (Toulouse), tome VII, 1960, S. 205–219, tome VIII (1961), S. 82–126. Beruht auf den Materialien, die um 1887 vom Julien Sacaze mittelst zwei kleiner Texte aus allen Gemeinden des Pays Basque français durch Korrespondenten gesammelt worden sind. Umfaßt 185 Punkte und besteht aus 83 Karten, die Phonetik, Morphologie und Lexikon berücksichtigen. Ein erster suggestiver Versuch, die dialektale Gliederung des baskischen Gebietes auf der französischen Seite zu erkennen. Vom Herausgeber sind alle Karten genau kommentiert. Interessant wegen der verschiedenen Durchdringung mit lateinischen und bearnesischen Elementen: *gauza* oder *gaiza* 'chose', *bortha* 'porte', *gaztaña* 'châtaigne', *praube* 'pauvre', *irus* 'heureux'.

Italien, Südschweiz, Graubünden, Corsica

§ 9. Karl Jaberg und Jakob Jud, *Sprach- und Sachatlas Italiens und der Südschweiz* (Atlante linguistico-etnografico dell'Italia e della Svizzera meridionale = AIS). Zofingen 1928–1940: acht Bände mit 1705 Karten. Umfaßt mit 416 Aufnahmepunkten ganz Italien mit den italienischen Zonen der Südschweiz (Tessin, valle di Poschiavo, Bergell, Misox) und Istriens. Dazu das ladinische Graubünden (19 Punkte). In Süditalien (82 Punkte) auch zwei Ortschaften griechischer Sprache (Kalabrien und Salento), eine albanische Mundart (der Provinz Cosenza), zwei waldensische Kolonien (in Provinz Foggia und Cosenza). Sardinien ist mit 20 Punkten vertreten. Die Aufnahmen wurden von drei Spezialforschern durchgeführt: P. Scheuermeier (Südschweiz, Graubünden, Nord- und Mittelitalien), G. Rohlfs (Süditalien), M. L. Wagner (Sardinien). Im Unterschied vom französischen Sprachatlas ist das Werk nicht nur linguistisch orientiert, sondern es versucht zum ersten Mal, die sachlich und kulturell bedingten Unterschiede im ethnographischen und folklorischen Sinne zu erfassen und darzustellen (daher sind viele Karten mit Skizzen versehen). Zum AIS gehört als Einführungsband: K. JABERG und J. JUD, *Der Sprachatlas als Forschungsinstrument, Kritische Grundlegung und Einführung in den Sprach- und Sachatlas Italiens und der Südschweiz* (Halle 1928).[18] Die sachlich und ethnographisch erfaßten Materialien sind in ausführlicher Beschreibung in zwei Illustrationsbänden enthalten, bearbeitet von PAUL SCHEUERMEIER, *Bauernwerk in Italien, der italienischen und rätoromanischen Schweiz.* Band I (Zürich 1943), Band II (Bern 1956), behandelnd das landwirtschaftliche und häusliche Leben, ausgestattet mit 922 Holzschnitten und Zeichnungen (von Paul Boesch), 873 Photographien und 13 Sachkarten. – Die in dem Atlaswerk enthaltenen Formen sind zusammengefaßt in dem *Index zum Sprach- und Sachatlas Italiens und der Südschweiz: ein propädeutisches etymologisches Wörterbuch der italienischen Mundarten* von K. Jaberg und J. Jud, endgültig redigiert von Paul Scheuermeier. (Bern 1960, XXIX, 744 Seiten).[19] Der Band will nicht nur ein alphabetisches Verzeichnis der Dialektformen sein, sondern durch eine gewisse Typisierung der Formen in konventioneller Orthographie soll ihre etymologische Identifizierung erleichtert werden. Für den Indexband gilt das Urteil: 'un poderoso vocabolario generale dei dialetti d'Italia' (T. Franceschi).

Ein zweiter italienischer Sprachatlas (ALI), angeregt durch die Initiative von MATTEO BARTOLI und GIUSEPPE VIDOSSI (promosso dalla Società Filologica Friulana), befindet sich seit 1925 in einer Entwicklung, die durch verschiedene Umstände sehr verzögert worden ist. Der neue Plan legt ein sehr erweitertes Aufnahmenetz zu Grunde und beruht auf einem sehr umfangreichen 'questionario', das jedoch aus praktischen Gründen von ursprünglich 'quasi 7000 domande' auf 'circa 2800 domande' reduziert werden mußte. Nach dem Tode von Bartoli (1946) und des ursprünglich als einzigen Explorators vorgesehenen Ugo Pellis

---

[18] Siehe dazu auch K. JABERG und J. JUD, Transkriptionsverfahren, Aussprache- und Gehörsschwankungen (Prolegomena zum Sprach- und Sachatlas Italiens und der Südschweiz), ZRPh 47, 1927, S. 171–218.

[19] Die rätoromanischen Formen sind in einem besonderen Index dieses Bandes, bearbeitet von Konrad Huber und Iso Baumer, zusammengefaßt (S. 627–691). Ein volkskundlicher Index zum AIS ist von Iso Baumer veröffentlicht in Schweiz. Archiv für Volkskunde 54, 1958, S. 101–110.

(1943) wurde nach langer Unterbrechung unter der neuen Leitung von BRUNO TERRACINI (in Verbindung mit Giuliano Bonfante) die Sammelarbeit zunächst auf mehrere esploratori verteilt: Raffaele Giacomelli, Corrado Grassi, Michele Melillo, Giovanni Tropea, Giorgio Piccitto, bis schließlich durch Temistocle
Franceschi zwischen 1957 und 1967 mit 120 Aufnahmen (verteilt über ganz Italien) die letzten großen Lücken endgültig ge-
schlossen werden konnten. Gegenüber dem AIS mit 416 Punkten besteht das Aufnahmenetz des ALI aus 951 Punkten, darunter (alle in Süditalien) 5 Ortschaften mit albanischer, 2 mit griechischer, 1 mit südslavischer Sprache (diese letzten alle von
Franceschi aufgenommen). Es fällt auf, daß der ALI die italienischen Sprachgebiete der südlichen Schweiz ausklammert, wie
auch die italienischen Mundarten Corsicas nicht berücksichtigt
sind, während Istrien und das nördliche Dalmatien mit einigen
Punkten vertreten ist; s. dazu meine 'osservazioni' ALPR, S. 327.

Nach Abschluß der letzten Aufnahmen ist das Unternehmen
nun so weit fortgeschritten, daß die ersten Probekarten *(la testa,
se mi fai il solletico)* hergestellt werden konnten und die Publikation nun ernsthaft in Angriff genommen werden kann. – Über
den Fortgang des Unternehmens orientiert das Bollettino dell'Atlante linguistico italiano (1933 ff.); s. zu den einzelnen Etappen
die Berichte von Vidossi, Cult. Neol. t. VI–VII, 1946–1947, S. 168–
177; Pop S. 601 ff.; Franceschi in RLiR 31, 1967, S. 205 ff.,
ACMa, vol. III, S. 1503 ff. und ALPR, S. 317–326.

§ 10. Wie in Frankreich sind zu dem großräumigen Atlas einige
Regionalatlanten getreten, während andere (z. B. für Friaul)
sich in Vorbereitung befinden.[20]

In direkter Fortsetzung des französischen Sprachatlas (ALF)
war von Gilliéron ein Sprachatlas 'des parlers italiens de la Corse'
geplant worden. Die Aufnahmen wurden in den Jahren 1911 bis
1912 von dem gleichen Explorator des französischen Sprachatlas
(E. Edmont) in 44 Orten durchgeführt. Leider war seine Ver-
trautheit mit der italienischen Sprache und dem besonderen korsischen Lautsystem zu mangelhaft, um eine zuverlässige Sammlung und Notierung zu verbürgen. Von dem geplanten Sonder-

---

[20] Die beiden Bände von Michele Melillo 'Atlante fonetico pugliese': Capi-
tanata, Terra die Bari (Roma 1955) und 'Atlante fonetico lucano' (Roma 1955)
beruhen nicht auf kartographischer Darstellung, sondern geben in langen Ta-
bellen die phonetischen Formen in ihren lokalen Variationen für 56 bzw.
124 Ortschaften.

atlas sind nur vier Hefte mit 799 Karten in alphabetischer Anordnung (von *abeille* bis *haïr*) erschienen (Paris 1914). Infolge der sehr kritischen und negativen Aufnahme des Werkes durch die italienischen Linguisten, die den Aufnahmen Edmonts lautliche und lexikalische Unzuverlässigkeit, 'bizzarre accentuazioni' und nicht existierende Nasalierungen vorwarfen, wurde die Publikation nicht fortgeführt.[21] Die restlichen Materialien sind bei der Nationalbibliothek in Paris deponiert; s. dazu Pop 530 ff.

Was von Gilliéron und Edmont in unbefriedigender Weise in Angriff genommen war, hat durch den italienischen Linguisten GINO BOTTIGLIONI in moderner Konzeption eine perfekte Realisierung erfahren. Auf Grund einer langjährigen linguistischen Erfahrung und einer intimen Kenntnis der korsischen Sprachsituation, angeregt von den neuen Methoden des AIS, hat er neben der sprachlichen Registrierung auch den ethnographischen Verhältnissen Rechnung getragen. Sein 'questionario' wurde der besonderen Inselkultur angepaßt. In einer Person Organisator, esploratore und Herausgeber publizierte er den *Atlante linguistico-etnografico italiano della Corsica* (ALEIC), promosso dall'Università die Cagliari, in 10 Bänden (Pisa 1933–1942). Das drucktechnisch bestens präsentierte Werk umfaßt 2001 Karten, beruhend auf Aufnahmen in 49 Orten in Corsica, dazu als Vergleichspunkte 2 Orte in Nordsardinien, 1 auf Elba und 3 in der westlichen Toscana. Die Aufnahmen wurden durchgeführt in den Jahren 1928–1932. Zu dem Werk gehört ein Einführungsband (Introduzione), erschienen in Pisa 1935 und als eine Art Index das 'Dizionario delle parlate corse' (Modena 1952) mit Hinweisen auf die jeweilige Karte des Atlas. – Über weitere Einzelheiten, s. Pop. S. 530–557.

Die Insel Sardinien, die vollständiger in dem Programm des nationalen ALI figurieren wird, hat inzwischen in dem von BENVENUTO TERRACINI (in collaborazione con TEMISTOCLE FRANCESCHI) herausgegebenen *Saggio di un Atlante linguistico della Sardegna* (Torino 1964) eine sehr interessante Präsentierung gefunden. Es ist eine Auswahl von 60 Karten, die eine vortreffliche Vorstellung geben von der sehr differenzierten und komplexen Sprachsituation; häufige Skizzen illustrieren die ethnographischen Sachen. Im Rahmen des ALI ist Sardinien mit 50 Aufnahmeorten ganz besonders dicht vertreten. Die Sammlung der

---

[21] Siehe besonders die Kritik von P. E. Guarnerio in Rendic. Ist. Lombardo 48, 1915, S. 517–532; Bottiglioni, in Introduzione all' ALEIC (Pisa 1935), S. 13.

Materialien in Sardinien wurde in den Jahren 1933–1935 durch Ugo Pellis durchgeführt. Zum Kartenband gehört ein besonderer Band *Testo* (Torino 1964), der als Einführung gedacht ist und zugleich durch Terracini einen sehr eingehenden Kommentar zu den einzelnen Karten liefert. – Der vorliegende 'Saggio' ist als eine publizistische Vorübung für die bevorstehende Edition des nationalen ALI gedacht; s. G. B. Pellegrini, BALM 7, 1965, S. 111–113.

Weit fortgeschritten in Organisation und Redigierung ist ein 'Atlante storico-linguistico-etnografico friulano' (ASLEF) unter der Leitung von G. B. PELLEGRINI. Er umfaßt die beiden 'regioni' Friuli und Venezia Giulia; s. dazu den Bericht von Pellegrini, in ALPR, S. 293–305. Einige Probekarten (aratro, lucciola, grillotalpa u. a.) in dem *Saggio di carte e di commenti dell' ASLEF* di G. B. PELLEGRINI e P. BENINCÀ FERRABOSCHI, in Studi linguistici friulani, vol. I, 1969 (Udine, Soc. Filol. Friulana).

Spanien, Katalonien, Portugal

§ 11. Für Spanien hat ANTONI GRIERA das Verdienst, den ersten Sprachatlas eines regionalen Territoriums geschaffen zu haben: *Atlas lingüístic de Catalunya*. Von ihm sind erschienen fünf Bände (Barcelona 1923–1939). Sie enthalten 858 Karten in alphabetischer Anordnung: von *abans d'ahir* bis *fregar*. Nachdem durch die Ereignisse des spanischen Bürgerkriegs die verbleibenden Materialien vernichtet worden sind, mußte die Fortsetzung des Werkes eingestellt werden; s. dazu Pop 364 ff. und Jordan 287 ff.[22]

In seiner Planung hat sich Griera sehr genau an das Vorbild des französischen Sprachatlas gehalten. Das Werk blieb rein linguistisch orientiert, in alphabetischer Anordnung der Karten. Es folgte sklavisch dem Transkriptionssystem von Gilliéron mit überflüssigen diakritischen Zeichen, die für das Katalanische nicht angebracht sind. Auch der Gedanke des einheitlichen Explorators (in diesem Fall identisch mit dem Organisator) wurde

---

[22] Eine Fortsetzung des Werkes ist 1962–64 erschienen (Band 6–8). Auch die neuen Bände, für die das Material – in großen zeitlichem Abstand – neu gesammelt werden mußte, halten sich eng an die alte Konzeption. Das Urteil über den wissenschaftlichen Wert dieser Bände ist in Spanien wenig günstig: 'valor muy escaso'. Zu dem jetzt abgeschlossenen Werk gehört ein Generalindex, zusammengestellt von C. Haesler (Barcelona 1964).

beibehalten. Der Atlas besteht aus einem Netz von 101 Punkten; davon 12 auf den balearischen Inseln, 5 im französischen Roussillon, je ein Punkt in Andorra und Sardinien (Alghero).[23] Trotz der sehr lobenden Aufnahme, die der Atlas bei seinem Erscheinen gefunden hat, haben sich mit der Zeit ernste kritische Stimmen gegen die Art der Organisation erhoben. Große Bedenken richteten sich gegen die 'extraordinaria uniformidad de los materiales reunidos'. Diese ist dadurch bedingt, daß Griera im wesentlichen gebildete Personen (meist Geistliche) als Auskunftspersonen benutzt hat und mehr die größeren Zentren (wo das literarische Katalanisch eine Rolle spielt) zu grundegelegt hat, statt der kleinen und abgelegenen ländlichen Gemeinden, die oft eine ältere und originellere Sprachsituation bewahrt haben. – Auf Grund dieser veralteten Konzeption ist das Urteil über diesen Sprachatlas von Seiten der heutigen hispanischen Linguisten ziemlich negativ.[24] Daraus erklärt sich das Projekt eines neuen katalanischen Sprachatlas *(Atlas lingüístic del domini català)*, das den modernen Forschungsmethoden besser Rechnung tragen soll.[25]

§ 12. Ein großräumiger Sprachatlas der gesamten iberischen Halbinsel beruhend auf der Initiative von Menéndez Pidal, unter der praktischen Leitung von Tomás Navarro wurde seit 1930 ernstlich vorbereitet. Bis zum Jahre 1936 war die Sammlung innerhalb des spanischen Sektors fast abgeschlossen, im katalanischen Sektor weit vorangeschritten, im portugiesischen Sektor jedoch noch kaum begonnen. Zwischen 1931 und 1936 konnte die Materialsammlung von Aurelio Espinosa, L. Rodríguez Castellano und Manuel Sanchis Guarner in 350 Orten durchgeführt werden. Der Ausbruch des spanischen Bürgerkriegs hat die Weiterarbeit für längere Zeit unmöglich gemacht. Es war ein Glück, daß die gesammelten Materialien durch Tomás Navarro nach Amerika (Columbia University) in Sicherheit gebracht werden konnten.

Erst im Jahre 1951 sind die Materialien nach Spanien zurückgekehrt. Unter dem neuen Protektorat des Consejo Superior de

---

[23] Die nördlichsten Zonen von Katalonien zusammen mit den katalanischen Mundarten des Roussillon sind vollständiger und mit reicherer Differenzierung dargestellt in dem 'Atlas linguistique des Pyrénées orientales' von Guiter (s. § 7).

[24] 'Hoy queda muy lejos de los avances de la ciencia' (Alvar, 1963).

[25] Siehe den Bericht von Badía Margarit in BF 20, 1961, 121ff.

Investigaciones Científicas, jetzt unter der Leitung von R. de Balbín Lucas, wurde ein neues Organisationskomitee gebildet, dem Rodríguez Castellano, Sanchis Guarner, Luis F. Lindley Cintra, Aníbal Otero und Francisco de B. Moll angehören. Nachdem 1954 die fehlenden Aufnahmen abgeschlossen wurden, konnte im Jahre 1962 der erste Band des *Atlas lingüístico de la Península ibérica* (ALPI), publicado por el Consejo Superior de Investigaciones Científicas (Madrid), erscheinen. Sein Aufnahmenetz umfaßt 528 Orte, davon 276 auf spanischem, 156 auf portugiesisch-galizischem, 96 auf katalanischem Sprachgebiet. Das baskische Sprachgebiet ist nicht vertreten. Der erste Band besteht aus einer Einleitung und 75 Karten in alphabetischer Anordnung, enthaltend die Wörter von *abeja* bis *eje*. Das besondere Merkmal dieses Atlas, bedingt durch das spezielle Interesse des Phonetikers Tomás Navarro, ist die ungewöhnlich minuziöse Transkription, für die 262 phonetische Zeichen verwendet werden. So ist ein Sprachatlas entstanden von einem wissenschaftlichen Wert, der nicht diskutabel ist ('sus méritos sobrepasan a sus defectos'), dessen methodisches Prinzip ('excesivo fonetismo') jedoch einer vergangenen Konzeption angehört; s. dazu Diego Catalán, ASt-NSp 201, 1964, S. 307 und Manuel Alvar, in 'Presente y Futuro de la Lengua Española' (Congreso Madrid 1964), S. 417 ff.

§ *13.* Auch in Spanien tendiert die moderne wissenschaftliche Entwicklung zur Schaffung von Regionalatlanten, die ein kleineres Territorium in seiner linguistischen und kulturellen Eigenart genauer erfassen können. Der besondere Fortschritt, der in den neuen Projekten erreicht worden ist, beruht im wesentlichen auf den Anregungen und Erkenntnissen, die aus dem italienischen Sprachatlas (AIS) bezogen werden konnten. Neben dem linguistischen Interesse kommt nunmehr der Beachtung der ethnographischen und folklorischen Aspekte eine Bedeutung zu, die nicht mehr wegzudenken ist. Bahnbrechend in dieser neuen Ausrichtung wurde der von MANUEL ALVAR (en colaboración con A. Llorente y G. Salvador) geschaffene *Atlas lingüístico y etnográfico de Andalucía* (ALEAnd), bisher vier Bände (Granada 1961–1965) mit 1175 Karten, geordnet nach sachlichen Kategorien. Er umfaßt das Gesamtgebiet der acht andalusischen Provinzen mit einem Aufnahmenetz, das aus 230 Punkten besteht. Lobenswert das sorgfältig überlegte Questionnaire und die abundante sachliche Illustrierung. Die vorzüglichen organisatorischen und methodischen Qualitäten, die das Werk auszeichnen, verleihen dem andalusischen Atlas einen hohen wissenschaftlichen Wert, nicht zuletzt wegen der vielseitigen neuen Erkenntnisse, die sich aus ihm für die spanische Sprachgeschichte ergeben. Als absolutes Novum in der Entwicklung der Sprachatlanten seien im 4. Bande die 190 Karten genannt, die sich auf die terminología marítima (pescadores y marineros) beziehen. – Siehe dazu Sala in RRL 9, 1964, S. 213 ff.

Von dem gleichen Verfasser erwarten wir einen *Atlas lingüístico de las islas Canarias*, der dicht vor dem Erscheinen ist (s. dazu Alvar, RFE 46, 1963, S. 315–328) und einen ebensolchen Atlas von Aragón.[26] In Planung befindet sich ein *Atlas lingüístico y etnográfico de Navarra y Rioja* von Antonio Llorente und ein ebensolcher von Murcia (organisiert von Alvar).[27] Andere Projekte sind in Amerika in Vorbereitung. Sie betreffen Kolumbien, organisiert durch das Instituto Caro y Cuervo (Bogotá) unter Leitung von L. Flórez (s. Thesaurus 16, 1961, S. 77–125, 19, 1964, S. 201 ff., 22, 1967, S. 94 ff.), Chile (G. Carrillo Herrera u. G. Araya) und Costa Rica. Über Puerto Rico besitzen wir einen ersten Versuch zu einem Sprachatlas (bestehend aus 75 Karten, beruhend auf 41 Punkten), der Phonetik, Morphologie, Syntax und Lexikon berücksichtigt in dem Buch von T. NAVARRO TOMÁS, *El español en Puerto Rico* (Río Piedras 1948). Über die Planung in Chile, s. den Bericht in Cuadernos de Filología (Valparaiso), I, 1968, S. 77–85.

Anstelle eines sehr erwünschten eigenen Sprachatlas des galiz.-portugiesischen Territoriums, der in einer unsicheren Planung sich befindet, kann einstweilen auf die sehr umfangreiche Materialsammlung hingewiesen werden, die seit 1942 von PAIVA BOLÉO und seinen Schülern im gesamten lusitanischen Gebiet mittelst Korrespondenten organisiert worden ist *(Inquérito lingüístico Boléo)*.[28] Diese Materialien (ILB), zugänglich im Instituto de Estudos Românicos der Universität Coimbra, sind mehrfach für sprachgeographische Untersuchungen und kartographische Darstellung verwertet worden, z. B. von K. Jaberg in seiner Studie 'Les noms de la balançoire en portugais' in RPF I, 1946,

---

[26] Siehe dazu Alvar in Archivo de Filología Aragonesa, XIV–XV, 1964 S. 7–82: interessant wegen des hier mitgeteilten 'cuestionario de 2568 palabras'.
[27] Siehe dazu den Bericht von M. Alvar, in Actas del Congr. int. de Ling. Románica (Madrid 1965), 1968, S. 151–174.
[28] Siehe den Bericht von Paiva Boléo in RPF 2, 1948, S. 474–567 und ALPR, S. 119 u. 135.

S. 1–58; s. besonders die sehr interessanten Karten in der Unter-suchung von Lúcia M. dos Santos Magno, *Áreas lexicais em Portugal e na Italia* (RPF, vol XI, 1961, S. 25–98). – Der Plan eines Sprachatlas des gesamten baskischen Sprachgebietes (un desideratum imperioso) wartet noch immer auf einen tatkräftigen Organisator.[29] Über einen ersten Versuch, beschränkt auf das französische Baskenland (durch Allières), s. § 8; s. noch § 151.

Daß die Erstellung von Regionalatlanten zu absurden Über-treibungen führen kann, zeigt der von Antoni Griera publizierte *Atlas lingüístic d'Andorra* (Andorra 1960). Er besteht aus 1232 Karten und 25 Illustrationsblättern. Was an diesem Werk gelobt werden muß, ist das vorzügliche Papier und die vornehme Aus-stattung. Doch die sprachgeographische Darstellung ist völlig sinnlos, da die dialektalen Unterschiede der winzigen Bergrepu-blik minimal sind, zumal deren Sprache innerhalb des katalani-schen Sprachgebietes in keiner Weise individuelle oder besondere Merkmale zeigt: 'un luxe tout à fait superflu'. Dazu kommen die sehr vielen methodischen Schwächen, sprachlichen Ungenauig-keiten und befremdliche Mängel der Organisation; s. dazu die sehr kritische Beurteilung durch G. Colón, ZRPh 77, 1961, S. 49–69.

Rumänien

§ 14. Die ersten Ansätze zu einer sprachgeographischen Betrach-tung des rumänischen Sprachgebietes lassen sich erkennen in einer 'enquête par correspondance', bestehend aus 206 Fragen phonetischer, grammatischer und lexikalischer Natur, die B. P. Hasdeu in den Jahren 1885 ff. mit Hilfe der lokalen Schulinspek-toren organisiert hat. Die daraus resultierten Materialien wurden von ihm in dem 'Etymologicum Magnum Romaniae' (Bukarest 1885 ff.) verwertet (s. Pop 677). Angeregt zweifellos durch das Erscheinen des französischen Sprachatlas (1902 ff.) hat GUSTAV WEIGAND seine seit 1895 in Rumänien erzielten Forschungs-ergebnisse zu dem ersten Versuch eines Sprachatlas zusammen-gefaßt: *Linguistischer Sprachatlas des dacorumänischen Sprach-gebiets* (Leipzig 1909). Das Werk besteht aus 67 Karten, basierend auf 114 Wörtern, die nach rein phonetischen Gesichtspunkten aus-gesucht wurden (Pop 697 ff., Jordan 174). Infolge seiner sehr be-

---

[29] Siehe dazu L. MICHELENA in 'Presente y Futuro de la Lengua Española' (Congreso Madrid 1964), tomo I, S. 427–442: 'el futuro Atlas lingüístico vasco no está aún maduro, ni siquiera como proyecto' (p. 441).

grenzten linguistischen Zielsetzung hat der Atlas nur ein schwaches wissenschaftliches Interesse hervorgerufen; s. A. Zauner, Literaturblatt für germ. und roman. Philologie, 1910, S. 291–294. Die durch den Gilliéron'schen Sprachatlas bedingte moderne Orientierung wurde in Rumänien erst durch SEXTIL PUȘCARIU (Schüler von Weigand) inauguriert. Seiner Initiative, gesttüzt auf das von ihm an der Universität Cluj (Klausenburg) geschaffene Forschungszentrum (Muzeul Limbii române), verdanken wir die Organisation des ersten großen und großzügig angelegten rumänischen Sprachatlas. Infolge einer besonderen sehr umfassenden Konzeption besteht er aus mehreren Teilen in verschiedenen Ausgaben, zu denen sich nach 1945 unter anderer Leitung weitere Bände und neue Editionsformen gesellten mit einer abgeänderten Begrenzung und Zielsetzung. So ist eine kuriose und bedauerliche Disparität entstanden, welche eine rasche Orientierung und die wissenschaftliche Benutzung der einzelnen Bände und Ausgaben sehr schwierig macht.[30]

Schon in seiner ersten Editionsperiode bestand das Werk aus vier verschiedenen Atlanten, deren Unterschiede einmal dadurch bedingt sind, daß zwei Exploratoren ('enquêteurs') mit verschiedenem Questionnaire die Materialien in verschiedenen Orten gesammelt haben, zweitens dadurch, daß zu dem großen Atlas eine 'petite édition' in kleinerem Format getreten ist, wo durch Typisierung mittelst farbiger symbolisierender Zeichen, unter Verzicht auf die mannigfaltigen lautlichen Varianten, die Verbreitungszonen der einzelnen Wörter oder sprachlichen Typen übersichtlicher gemacht wurden. – Die jetzt hier genannten Bände wurden veröffentlicht 'sous la direction de Sextil Pușcariu'.[31]

Atlasul linguistic román (ALR, I). Partea I, vol. I (Cluj 1938), vol. II (Sibiu 1942), beide redigiert von SEVER POP, der auch die Sammlung für diese Bände durchgeführt hat. Die beiden Bände enthalten 302 Karten. Sie beziehen sich auf 'les parties du corps humain et ses maladies' (Bd. I) und 'la famille et la vie de l'homme' (Bd. II). Dieser Teil des Werkes beruht auf

---

[30] Siehe dazu E. Lozovan, ZRPh 74, 1958, 537ff. – Wegen dieser Schwierigkeiten schien es mir nützlich, den Inhalt der einzelnen Bände wenigstens 'grosso modo' zu kennzeichnen.

[31] Zur wissenschaftlichen Bedeutung des Werkes, s. besonders K. JABERG, Der rumänische Sprachatlas und die Struktur des dakorumänischen Sprachgebiets, in Vox Rom. 5, 1940, S. 49–86; E. GAMILLSCHEG, Randbemerkungen zum rumänischen Sprachatlas, in Abhandl. der Preuß. Akad. der Wiss., Phil.-Histor. Klasse, 1941; SEVER POP in Dialectologie 709ff. und RPF 1, 1947, S. 275–339; s. auch Lozovan, ZRPh 74, 1958, 537ff. und Alvar, Historia y metodología lingüísticas del Atlas de Rumanía (Salamanca 1951).

einem 'questionnaire normal' ('notions générales'), das mit
2160 Fragen in 292 dacoromanischen, 7 mazedorumänischen,
2 ruthenischen und 2 ungarischen Orten abgefragt wurde. Dazu
kommt als Neuheit die Befragung von drei literarischen Per-
sönlichkeiten aus der großen Walachei, Moldau und Transilvanien. – Eine Fortsetzung des Werkes ist bisher nicht erschienen; s. Pop 709ff. und hier § 15.

Atlasul linguistic román (ALR, II). Partea II, vol. I (Sibiu 1940),
redigiert von EMIL PETROVICI, der mit einigen Mitarbeitern
(Capidan, Nandriş, Paşca) auch die 'enquêtes' für diesen Teil
durchgeführt hat, mit einem besonderen sehr spezialisierten
Questionnaire, das aus 4800 Fragen besteht und stark ethnographisch bestimmt ist. Der Band enthält 296 Karten mit Aufnahmen, die in 73 dacorumänischen Ortschaften (nicht identisch mit der enquête Pop) durchgeführt wurden. Dazu kommen drei Punkte für die rumänischen Mundarten in Mazedonien und Istrien und je zwei Punkte für die Minoritäten mit
serbischer, bulgarischer, ungarischer, ruthenischer und sieben-
bürgen-deutscher Sprache; s. Pop 722. Die Karten dieses Bandes beziehen sich auf den menschlichen Körper, Krankheiten,
Familie, menschliches Leben, Haus und seine Teile. – Über
die Fortsetzung, s. Atlasul lingvistic romîn, Serie nouă; s. § 15.
– Zu diesem Band existiert ein Supplement, das sich auf den
menschlichen Körper bezieht: *Termeni consideraţi obsceni*, bestehend aus 20 Karten und den nicht kartographierten Antworten auf 51 weitere Fragen, besorgt von Emil Petrovici
(Sibiu-Leipzig 1942).

Micul Atlas lingvistic román (ALRM). Partea I, vol. I, mit Einleitung und 208 Karten (Cluj 1938), vol. II, 216 Karten (Sibiu
1942): Materialien gesammelt und publiziert von SEVER POP.
Inhalt: Menschlicher Körper und Krankheiten, Familie,
menschliches Leben, religiöses Leben. – Siehe dazu Pop 731.[32]

Micul Atlas lingvistic román (ALRM). Partea II, vol. I, 416
Karten (Sibiu 1940): Materialien gesammelt und publiziert
von EMIL PETROVICI. Inhalt: Menschlicher Körper, Familie, menschliches Leben, religiöses Leben, Haus und seine
Teile.

---

[32] Unabhängig von den offiziellen Bänden des rumänischen Sprachatlas
hat POP die von ihm gesammelten Materialien in einer Neuausgabe zusammenzufassen versucht: *Atlas linguistique roumain en cinq couleurs*. Historique, méthode, commentaire linguistique. Tome I: terminologie du corps humain. Préface et introduction par Rodica Doina Pop (Gembloux 1962). Edition (104 cartes) posthume.

§ 15. Infolge der politischen und territorialen Veränderungen, die sich nach dem zweiten Weltkrieg für Rumänien ergeben haben, konnte die Publikation in dem ursprünglichen Plan nicht weitergeführt werden. Der Teil I (enquêteur Pop) hat bisher keine Fortsetzung gefunden. Die weitere Publikation von Teil II (enquêteur Petrovici) mußte den neuen territorialen Realitäten Rechnung tragen. Sie beschränkt sich auf das heutige rumänische Staatsgebiet, geht also im Osten nur bis zum Fluß Prut (ohne das einstige Bessarabien), mit anderen Reduzierungen in der Bucovina, im jugoslawischen Banat und an der bulgarischen Grenze. Das Aufnahmenetz ist jetzt auf 75 Punkte reduziert. Es besteht aus 61 dacorumänischen Ortschaften. Dazu kommen 3 Punkte mit mazedorumänischer Mundart und 11 Ortschaften mit nichtrumänischen Minoritäten.[33] Die Fortsetzung von Partea II präsentiert sich nun als

Atlasul lingvistic romîn, Serie nouă (ALR, S. N.), unter dem Patronat der rumänischen Akademie, organisiert unter der Leitung von EMIL PETROVICI, dem auch die Sammlung der Materialien zu verdanken ist, mit dem redactor principal JOAN PĂTRUȚ (und zahlreichen Mitarbeitern). Der neue Atlas besteht aus 6 Bänden mit 1850 Karten. Er gliedert sich in Band I: Landwirtschaft und ländliche Kultur (1956), Band II: Viehzucht, Hirtenkultur, Spinnen und Weben, Berufe, Waldwirtschaft (1956), Band III: Pflanzen, wilde Tiere, Wetter, Gelände usw., (1961), Band IV: Schule, Heer, Justiz, Nahrung (1965), Band V: Diverses, besonders Sätze (1966), Band VI: nach grammatischen Kategorien geordnet (1969). – Im Druck befindet sich Band VII (398 Karten), die Verbalflexion betreffend.

Auch diese neue Edition ist verbunden mit einer Kleinausgabe: *Micul Atlas lingvistic* romîn (Serie nouă). Davon sind drei Bände erschienen (vol. I, 1956, vol. II und III, 1967), unter der gleichen Leitung (Petrovici) und Redaktion (Pătruț). Er besteht aus 424 + 438 + 452 Karten. Diese entsprechen dem Inhalt der großen Edition (Band I–V); Band IV dieser Ausgabe wird demnächst erscheinen.

Was die Fortsetzung von ALR, Partea I betrifft, so befinden sich die noch nicht veröffentlichten Materialien in der Obhut des 'Institutul de Lingvistică' in Cluj (Klausenburg). Die weitere Publikation dieses Werkes ist ab 1971 in einer neuen Serie (ALR I, Serie nouă) geplant.

---

[33] Siehe dazu den kritischen Bericht von Lozovan, ZRPh 74, 1958, S. 537 ff. und Popinceanu in ACMa, vol. III, S. 1585 ff.

§ 16. Auch in Rumänien hat die neuere Entwicklung zu der Schaffung von Regionalatlanten geführt, die den regionalen Verhältnissen speziell Rechnung tragen soll. Die neue Orientierung (*Noul Atlas lingvistic român per regiuni* = NALR) legt ein dichteres Aufnahmenetz zugrunde mit einem reduzierten Questionnaire. Geplant sind für das rumänische Staatsgebiet folgende Regionalatlanten: Oltenien (Petite Valachie), Muntenien (Grande Valachie) mit Dobrudscha, Moldau, Siebenbürgen (Transilvanien), Crişana und Maramureş, Banat. Dazu kommt ein Atlas der süddanubischen Mundarten (Mazedonien, Istrien), des jugoslawischen Banats und der sowjetischen Moldau-Republik.[34] Erschienen sind bisher Band I und II eines Atlas von Oltenien unter der Leitung von Boris Cazacu (Bukarest, Rumän. Akademie, 1967 u. 1970), redigiert von (les enquêteurs) Teofil Teaha, Jon Jonică und Valeriu Rusu. Das neue Werk umfaßt ein Netz von 98 Lokalitäten, von denen einige identisch sind mit den Punkten des ALR (Teil I und II) und des Atlas von Weigand. Band I (147 Karten) bezieht sich auf den menschlichen Körper: Körperteile, Krankheiten, physische und moralische Eigenschaften. Band II (Karten 148–385) umfaßt Familie, Haus, Kleidung, Wetter, Boden, Schule. Zu beiden Bänden gehört ein wertvolles Supplement von nicht kartographierten Materialien (planşa 1–55) und eine Reihe von interpretierten Karten. In den Details der äußern Präsentierung zeigt der neue Band gegenüber den älteren Editionen beträchtliche technische und praktische Fortschritte, z. B. durch seine vergleichenden Hinweise auf andere romanische Sprachatlanten und durch die französische Übersetzung des jeweiligen Kartentitels. – Auch vom Atlas der Region Maramureş haben wir jetzt den ersten Band (Bukarest 1969), organisiert und redigiert von P. Neiescu, G. Rusu und J. Stan. Er enthält 243 Karten und bezieht sich auf den menschlichen Körper und Familie.[35]

Ein Regionalatlas 'des parlers roumains du Banat yougoslave' (ALBY), unter der Leitung von Radu Flora ist im Manuskript ziemlich abgeschlossen: er umfaßt 42 Punkte (36 rumänische, 4 serbische, je einen deutschen und ungarischen) und soll etwa 1800 Karten erhalten.[36] Ein Atlas linguistique moldave (ALM), der die rumänischen Dialekte östlich des Prut und in anderen

---

[34] Siehe den Bericht von D. Macrea in RRL 10, 1965, S. 205–211. Zur technischen Planung: B. Cazacu, ALPR (1967), S. 171, 181.

[35] Zu diesen beiden Werken s. die Besprechungen von I. Mării in CL XIII, 1968, 129ff. und von R. Todoran in CL XIV, 1969, 352ff.

[36] Die Konzeption dieses Atlas hat mehrfach gewechselt. Siehe dazu einen älteren Bericht von Flora, Orbis 5, 1956, S. 20ff.; ein neuerer Bericht bei Pop, ALE (1960), S. 48–49.

Territorien der U.R.S.S. umfassen soll, ist seit 1947 in Vorbereitung. Für diesen regionalen Atlas ist ein Aufnahmenetz von
240 Punkten (davon 163 in der sowjetischen Moldau-Republik,
61 in der Ukraine) vorgesehen; s. dazu den Bericht von R. Udler, 'Les tâches et les particularités de l'*Atlas linguistique moldave régional*' (RLiR 30, 1966, S. 134–143).[37] Von ihm ist erschienen unter dem Titel *Atlasul lingvistik moldovenesk*, vol. I,
partea I, Fonetica de R. Udler, partea II, Fonetica de R. Udler,
Morfologia de V. Melnik (Kischinev 1968): 516 Karten;[38] s. dazu
den Bericht von Udler in den Akten des intern. Romanisten-
kongresses (Bukarest 1968), Bd. II (1971).

---

[37] In der sowjetischen Terminologie versteht man unter Moldau (Moldava)
ein Territorium östlich des Prut (von den Rumänen Bessarabien genannt),
während in Rumänien Moldau (Moldova) als Name für die Landschaft zwischen den Karpathen und dem Prut gilt. – Über die angebliche Selbständigkeit der moldauschen Sprache, s. das kritische Urteil von Tagliavini (300 ff.),
Lozovan, ZRPh 71, 1955, S. 399 und besonders Kl. Heitmann, ib. 81, 1965,
S. 102–125.

[38] Die Präsentierung der Materialien in russisch-kyrillischer Schrift macht
das Werk 'di consultazione piuttosto incomoda per i romanisti' (Tagliavini,
1969, S. 39); s. dazu die Rezension von R. Todoran, in CL XV, 1970.

II. DIE DIFFERENZIERUNG
DER ROMANISCHEN SPRACHEN

Wer einmal das große Thema der Diffe-
renzierung der romanischen Sprachen in
Angriff nehmen wird, der muß sich in
allererster Linie an das Vokabular halten.
Walther von Wartburg (1928)

§ *17.* Ein vieldiskutiertes Problem der vergleichenden Sprachwissenschaft knüpft sich an die Frage: Wie ist es aus einem gemeinsamen älteren sprachlichen Urzustand innerhalb der einzelnen Sprachfamilien zu jener sprachlichen Spaltung gekommen,
die aus einer Muttersprache gelegentlich viele Tochtersprachen
hat entstehen lassen?

Im Rahmen der indoeuropäischen Sprachwissenschaft lassen
sich die dafür maßgebenden Ursachen und Bedingungen nur in
seltenen Fällen einigermaßen wahrscheinlich machen, da die entscheidenden Faktoren weit jenseits der Zeit liegen, die uns wissenschaftlich greifbar ist. Nicht viel besser liegen die Forschungsbedingungen innerhalb der germanischen, der keltischen und
slavischen Sprachwissenschaft, da auch hier die historische Tradition erst sehr spät einsetzt.

Ganz andere Möglichkeiten für die Erkennung von Ursachen,
Triebkräften und Zusammenhängen bieten uns die romanischen
Sprachen. Die reiche lateinische Überlieferung, die über ein Jahrtausend umfaßt, liefert dem Sprachforscher ein geradezu ideales
Arbeitsfeld. Hier sind uns alle jene Vorstufen greifbar, die auf
anderen Sprachgebieten mühsam und unsicher erschlossen werden müssen. Auch die überaus reiche Gliederung in nicht weniger
als neun scharf individualisierbare Sprachtypen schafft ein außerordentlich interessantes Beobachtungsmaterial, das für viele Fragen sichere Aufschlüsse liefert.[39]

§ *18.* In einer gedankenreichen Untersuchung hat vor einigen
Jahren der Schweizer Romanist WALTHER VON WARTBURG für

---

[39] Mit der lexikalischen Aufspaltung der romanischen Sprachen hat sich bereits FRIEDRICH DIEZ in der kurz vor seinem Tode erschienenen Abhandlung
Romanische Wortschöpfung (Bonn 1875) beschäftigt, doch rein registrierend
und ohne nach den Gründen der Worterneuerung zu fragen.

das Auseinanderbrechen der lateinischen Einheit hauptsächlich vom Standpunkt der lautlichen Entwicklung wertvolle neue Erkenntnisse entwickelt.[40] Der Schweizer Gelehrte sieht entscheidende Ursachen für die eingetretene Differenzierung in der Wirkung der vorrömischen ethnischen Substrate und in Einflüssen, die mit der germanischen Invasion im Zeitalter der Völkerwanderung zusammenhängen. Nicht alles, was in dieser Richtung erkannt wird, ist gleicherweise überzeugend. Die Diskussion über die neuen Anregungen ist noch im Fluß. Zu diesen Fragen soll hier nicht Stellung genommen werden.

Statt dessen soll versucht werden, von anderer Seite her neue Aufschlüsse zu gewinnen.

§ 19. Die Differenzierung der romanischen Sprachen ist nicht nur durch die lautliche Entwicklung bedingt, sondern sie betrifft in vielleicht noch entscheidenderem Maße den Wortschatz. Über die Gründe, die so oft aus der lateinischen Einheit eine Mehrheit oder eine Vielheit lexikalischer Typen haben hervorgehen lassen, hat man sich seit den Anfängen der romanischen Sprachwissenschaft immer wieder Gedanken gemacht. Es soll hier nur auf zwei Theorien hingewiesen werden. Vor 85 Jahren hat GUSTAV GRÖBER, einer der bedeutendsten damaligen Romanisten, die These entwickelt, daß wesentliche Unterschiede zwischen den romanischen Sprachen durch das verschiedene Alter der römischen Kolonisation bedingt seien, derart daß z. B. Sardinien und Spanien eine ältere Latinität empfangen hätten als Gallien und Dazien, während in Italien selbst noch jüngere Strömungen sich entfalten konnten.[41] Gröbers These der sogenannten 'vulgärlateinischen Substrate' hat sich in dem von ihm vertretenen Grundgedanken nicht halten lassen. Die enge sich über Jahrhunderte erstreckende Verbindung von Rom mit den Provinzen, die durch Beamte und Militär, durch Kaufleute und Kolonisten gegeben war, macht es nicht wahrscheinlich, daß grundlegende Unterschiede auf den Zeitpunkt der römischen Eroberung zurückgehen.

---

[40] *Die Ausgliederung der romanischen Sprachräume* (Zeitschr. für roman. Phil., Bd. 56, 1936, S. 1–48); in erweiterter Form mit gleichem Titel als Buch (Bern 1950). In spanischer Übersetzung durch Manuel Muñoz Cortés, La fragmentación lingüística de la Romania (Madrid 1952).
[41] *Vulgärlateinische Substrate romanischer Wörter.* In: Arch. für latein. Lexikographie und Grammatik, Bd. 1–6 (1883 ff.).

§ *20*.   In neuerer Zeit hat MATTEO BARTOLI, ein genialer italienischer Sprachwissenschaftler, im Rahmen eines neolinguistischen
Programms, aus geographischer Betrachtung die Grundsätze
einer 'linguistica spaziale' entwickelt, wobei es ihm gelungen ist,
manche interessanten Zusammenhänge erkennen zu lassen, indem er z. B. gewisse Übereinstimmungen der romanischen Randgebiete gegenüber der inneren Romania festgestellt hat. Leider
hat Bartoli durch allzu einseitige und schematisierende Anwendung der von ihm erkannten 'Normen' seine wertvollen Gedanken etwas um ihre Wirkung gebracht.[42]

Im Gegensatz zu Gröbers Theorie geht die heute vorherrschende Meinung dahin, daß erst mit der fortschreitenden De-
zentralisierung, d. h. ungefähr seit dem Zeitalter von Hadrian,
die lateinische Vulgärsprache angefangen hat, innerhalb der einzelnen Provinzen sich zu differenzieren. Erst nachdem der Zusammenhang mit Rom ein lockerer geworden war, war es möglich, daß das Latein Galliens, Hispaniens und Daziens eine eigene
Entwicklung nahm. Die selbständiger gewordenen Provinzen
hörten von nun an auf, dem von Rom gegebenen Vorbilde sklavisch und bedingungslos zu folgen. Die zentripetalen Kräfte ver-
lieren ihre Wirkung. Neue Formen der Ausdrucksweise können
sich ungehinderter durchsetzen, wie auch umgekehrt die von
Rom ausgehenden jüngeren Einflüsse nicht mehr in alle Provinzen gedrungen sind.[43]

§ *21*. Wichtig für das Verständnis der immer mehr auseinander-
strebenden Entwicklung ist der Begriff der sprachlichen Neuerung *(Innovatio)*.

Jede lebende Sprache befindet sich in einem ständigen Um-
formungsprozeß. Neue Redensarten kommen auf. Es erneuert
sich die Welt der metaphorischen Bilder. Flexionsformen schlei-

---

[42] Siehe dazu 'Introduzione alla neolinguistica' (Genf 1925) und die 'Saggi
di linguistica spaziale' (Torino 1945). Viele weitere Hinweise dazu gibt Jordan 314–322. Kritische Stellungnahme zu den Ideen von Bartoli bei Tagliavini 32 und Vidos 80–83, deutsche Ausgabe 99–102, spanische Ausgabe 76–
79. – Eine umfassende Würdigung des neuen Programms (in opposizione
alla scuola dei neogrammatici) in seiner allgemeinen wissenschaftlichen Bedeutung gibt G. *Bonfante* in La dottrina neolinguistica: teoria e pratica
(Univ. di Torino 1970), in älterer Fassung: Language 23 (1947), S. 344–375. –
Über die Bedeutung der von Bartoli vertretenen Ideen in ihrer Anwendung
auf die indoeuropäische Vorgeschichte, s. G. *Bonfante*, in ALPR, S. 47–58.
[43] Siehe dazu JAKOB JUD, *Problèmes de géographie linguistique romane*. In:
RLiR I, 1925, S. 181–236.

fen sich ab. Analogiebildungen verdrängen ältere Formen. Wie
weit diese Neuerungen ihre Wellen tragen, hängt ab von der
Durchschlagskraft gewisser sprachlicher Brennpunkte. Als wichtige Irradiationszentren sind, neben R o m, zu betrachten: M e-
d i o l a n u m, L u g d u n u m, B u r d i g a l a, im nördlichen Spanien
C a e s a r a u g u s t a, in der lusitanischen Hispania A u g u s t a E m e-
r i t a. Die Gründe für die regionale Differenzierung des Vulgärlateins liegen also weniger in historischen Gegebenheiten der
römischen Kolonisierung als in dem Aufkommen neuer geistiger
und wirtschaftlicher Zentren. Auch die Organisation der Kir-
chenprovinzen schuf neue Zusammenhänge. Daß in solcher Weise
gewisse Provinzen zu Hüterinnen älterer Sprachformen werden
konnten, ist bereits angedeutet. Insofern sind wir nun doch berechtigt, gewisse Schichten und regionale Formen des Vulgärlateins zu unterscheiden.[44]

Die Ablösung der vulgären Latinitas von der offiziellen und
literarischen Schriftsprache, verstärkt durch die fortschreitende
regionale Differenzierung ist ein Prozeß, der sich zunächst langsam, später in wachsender Stärke über viele Jahrhunderte erstreckt hat. Diese Entwicklung ist ohne den zunehmenden Einfluß gewisser sozialer Schichten nicht denkbar. Zu den regionalen
Unterschieden gesellt sich eine soziologische Differenziertheit.
Aber erst durch das Zusammenwirken verschiedener Kräfte und
Faktoren konnten die sich anbahnenden Neuerungen wirklich
effektiv werden. 'Dans le renouvellement des langues il faut
distinguer deux étapes: celle de la création, qui est un fait indivi-
duel, et celle de l'adoption par la communauté linguistique, qui
est un fait social. L'évolution linguistique, comme toute évolution historique, résulte de la succession et de la combinaison de
l'initiative individuelle et de l'élaboration collective' (Jaberg,
Aspects 79).

§ 22. Wichtigste Zeugnisse für Veränderungen im frühen Vulgärlatein sind die I n s c h r i f t e n. Durch ihre Lokalisierung und
ihre relativ sichere Datierung (wenigstens in vielen Fällen) geben
sie uns Aufschlüsse, die aus den literarischen Quellen in dieser
Frühzeit nur selten zu gewinnen sind.

Sehr häufig liest man auf den Inschriften des südlichen Italiens
und der Stadt Rom (Corp. inscr. Lat. Bd. VI, IX) das Kinder-

---

[44] Siehe dazu besonders V. VÄÄNÄNEN, Introduction au Latin vulgaire
(Paris 1963). – Eine vorzügliche Zusammenfassung der wichtigsten Probleme,
mit sehr nützlicher Bibliographie bei Tagliavini (1969), S. 209–266.

wort t a t a im Sinne von 'pater': noch heute ist in ganz Süditalien *tata* das vorherrschende Wort für die Anrede des Vaters bzw. für die Bezeichnung des eigenen Vaters, z. B. in Kalabrien *tata oje non vène* = tata hodie non venit.[45] – In einer vermutlich aus dem ersten nachchristlichen Jahrhundert stammenden Inschrift von Augusta Emerita begegnen in einer Aufzählung von Tieren m u l o s, m u l a s, a s i n o s, a s i n a s, c a b a l l o s, e q u a s.[46] Es ist also hier männliches e q u u s durch den Vulgärausdruck c a b a l l u s ersetzt, während weibliches e q u a weiter der alltäglichen Sprache angehört: wir haben hier bereits jene lexikalische Scheidung, die noch heute für Portugal und Spanien charakteristisch ist: port. c a v a l o – e g o a, span. c a b a l l o – y e g u a, katal. c a v a l l – e g u a.[47] – Neben dem Wort c a t h e d r a muß im Volkslatein Italiens eine lautliche Variante des Wortes in der Form c a t e c r a oder c a t e g r a bestanden haben. Nur so erklären sich die in Oberitalien üblichen Bezeichnungen für den Stuhl: piem. lomb. *cadrega*, lig. ven. *carega* < *c a t r e c a.[48] Tatsächlich ist statt c a t e d r a eine vulgäre Form c a t e c r a bezeugt durch eine Inschrift aus Pompeji: q u i s q u i s in c a t e c r a s e d e r i t (Notizie degli Scavi, 1933, S. 277).[49] Das dem franz. *nièce* zu Grunde liegende n e p t i a liest man auf einer Inschrift von Lugdunum (CIL XIII, 2237). Der Ersatz des alten Genitivs durch den Dativ, der im Rumänischen für den Singular zu einer einheitlichen Form für beide Casus geführt hat (*lupului* 'au loup' und 'du loup', *doamnei* 'à la dame' und 'de la dame'), ist auf Inschriften des nördlichen Balkan besonders früh und häufig bezeugt: *arca Honorato calegario, arca Stephano presbytero.*[50]

Über die dringende Notwendigkeit, gewisse Einsichten, die sich aus der heutigen Sprachsituation ergeben, mit Hilfe der

---

[45] Siehe im Italienischen Sprachatlas (AIS) Karte 5: Das Wort reicht bis in die Gegend von Rom und in das südlichste Umbrien. Während es hier neben den Fortsetzern von p a t e r besteht, hat t a t a in Rumänien völlig den Platz von p a t e r eingenommen. Die Brücke zwischen Süditalien und Rumänien wird durch das Altdalmatische *(tata, tèta)*, Veglia *(tuota)*, das Albanesische *(tatë)* und das Kroatische *(tata)* gebildet.

[46] Corp. Inscr. Latin. II 5181, 1, 17.

[47] Siehe darüber § 61.

[48] Auch die Lautverhältnisse von prov. *cadiera*, katal. *cadira* lassen als Grundlage c a t e c r a vermuten (vgl. prov. *peira*, katal. *pedra* < p e t r a). Die Diphthongierung des Wortes im Provenzalischen, wie auch das auf älterem *iei* beruhende *i* des katalanischen Wortes setzt die einstige Existenz einer palatalen Lautgruppe voraus.

[49] Siehe V. Väänänen, *Le latin vulgaire des inscriptions pompéiennes* (Helsinki 1937), S. 177.

[50] Mihăescu § 187.

Aussagen mittelalterlicher Texte und spätlateinischer Urkunden (atti notarili, testamenti, inventari, statuti) zu präzisieren, zu ergänzen oder abzuwandeln, und somit die 'protohistoire' genauer zu rekonstruieren (im Sinne der wertvollen Beiträge von Paul Aebischer), s. GIANFRANCO FOLENA, *Geografia linguistica e testi medievali*, in ALPR (1969), S. 197–222.

§ 23. Es gibt in der lateinischen Sprachtradition einige Wörter, die in einer doppelten Lautform uns überliefert sind. Die Sprachwissenschaft hat nachweisen können, daß die jeweiligen beiden Formen einer älteren bzw. einer jüngeren Sprachphase angehören.

Für den 'Backofen' (s. Karte 1) ist die herrschende lateinische Bezeichnung fŭrnus. Dies ist die Grundlage, die für die romanischen Sprachen angenommen werden muß: ital. *forno*, port. *forno*, prov. und kat. *forn*, franz. *four* (altfr. *forn*). In Sardinien, wo kurzes lateinisches *u* erhalten geblieben ist (z. B. *gula, bucca, nuke, ruke* 'Kreuz', *durke* 'dolce'), sollte man *furru* erwarten. Diese Form ist in den Mundarten der Insel nur in der Nordzone nachweisbar, nördlich der Linie Santu Lussurgiu – Olzai – Oliena. Der größere Südteil der Insel zeigt dagegen eine Lautform (*fǫrru*), deren Vokalismus ein lat. fŏrnus voraussetzt (vgl. sard. *kǫrru* < cŏrnu).[51] Dieses fŏrnus ist uns aus dem ältesten Latein bezeugt für die Sprache von Varro durch ein Zitat von Nonius. Auch für die Sprache von Plautus darf diese Lautform angenommen werden, da ein Wortspiel im Epidicus (v. 119) statt des überlieferten furnus, wie schon Usener (Rhein. Museum 56, 12) vermutet hat, eher ein fŏrnus voraussetzt.[52] Dieselbe altlateinische Lautform hat sich auf dem italienischen Festlande in einer kleinen Zone im kalabrisch-lukanischen Grenzgebiet erhalten: Maratea *fǫrnu*, S. Chirico Raparo *fuèrnu*, Ajeta, Papasidero und Tortora *fuornu*, im Sinni-Tal *fǫrn*.[53] Wie es zu der herrschend gewordenen lateinischen Lautform fŭrnus gekommen sein mag, ist nicht klar: nach Ansicht der Latinisten

---

[51] Siehe die Sprachkarte 3 in dem Aufsatz 'La stratificazione del lessico sardo' von M. L. Wagner, RLiR 4, 1928, S. 1 ff.

[52] *Malim istius modi mihi amicos furno mersos quam foro.*

[53] Die richtige Grundlage der sardischen Form ist schon von GUSTAV HOFMANN, *Die logudoresische und campidanesische Mundart* (1885) S. 23 erkannt worden; s. dazu auch M. L. WAGNER, *La stratificazione del lessico sardo* in Revue de ling. rom. 4, 1928 S. 12. Die Identifizierung der nordkalabr. lukaschen Form verdanken wir H. LAUSBERG, *Die Mundarten Südlukaniens* (Halle 1939) § 40; s. auch G. ROHLFS in *Don. natal. K. Jaberg* (1937) S. 67, DTC II, 450, VTC 128. – Daß fŏrnus in Süditalien einst weiter verbreitet war, zeigt der Name des Dorfes *Fuorni* bei Battipaglia (Prov. Salerno).

hätte man in fŭrnus eine dialektische Form der Rusticitas zu sehen. Jedenfalls besteht kein Zweifel, daß die Form fŏrnus als die ältere und echte Form des Lateinischen anzusehen ist.[54]

§ 24. Daß die Verteilung von fŏrnus und fŭrnus in den romanischen Sprachen keinem Zufall entspricht, soll uns der folgende Fall zeigen. Im Sinne von 'Schwiegertochter' hatte das Lateinische die Bezeichnung nŭrus: das ist die alte echtlateinische Form. In der Vulgärsprache sind dafür verschiedene Nebenformen aufgekommen. Zunächst hat man unter Bewahrung des alten Vokalismus das der 4. Deklination angehörige Wort in die *a*-Deklination übergeführt. Als nura begegnet das Wort auf afrikanischen und oberitalienischen Inschriften;[55] vgl. auch in der App. Probi nurus *non* nura. In dieser Form hat sich unser Wort erhalten auf den gleichen Gebieten, die das altertümliche fŏrnus bewahrt haben (s. Karte 2): in Sardinien (*nura*) – und zwar diesmal auf der ganzen Insel – und in der Grenzzone zwischen Lukanien und Kalabrien.[56] Alle anderen romanischen Sprachen haben eine Form nŏra übernommen, deren gestörter Vokalismus dem Einfluß von sŏror oder sŏcrus (sŏcra) zuzuschreiben ist. [57] – Es erweisen sich also die Insel Sardinien und gewisse Teile des festländischen südlichen Italiens[58] als Bewahrer

---

[54] Siehe Ferd. Sommer, *Handbuch der lateinischen Laut- und Formenlehre*², S.65. – Als φοῦρνος ist das latein. Wort schon im Altertum ins Griechische gelangt. Daher ngr. φοῦρνος, in Italien otr. *furno*, bov. *furro*.

[55] CIL VIII 2604: nuras; CIL V 7367, 6: nurae et nepti.

[56] Siehe AIS Karte 34; Lausberg a. a. O. S. 189; Rohlfs, DTC II, 461 und VTC 219.

[57] Der Einfluß von soror zeigt sich sehr deutlich in dem Plural *nurorĭ* von rumän. *noră*, z. B. *cu trei nurori*, was genau dem Verhältnis *sorŭ*: *surorĭ* entspricht. Auch die in den Verbindungen *noru-mea*, *noru-ta*, *noru-sa* erscheinende rumänische Singularform läßt die enge Verwandtschaft mit *soru-mea*, *soru-ta*, *soru-sa* erkennen. Das moderne rumänische *noră* und *soră* hat sein *a* erst durch späte Analogie erhalten; s. dazu Densusianu, *Hist. de la langue roumaine* II 147 und Pușcariu, Rumän. Sprache (1943), S. 292. Dieses *a* erklärt sich wie *mână (mînă)* 'Hand' (altrum. *mânu*), *soacră* 'Schwiegermutter' (lat. *sŏcrus*).

[58] Meyer-Lübke verzeichnet im REW³, no. 6000 als Fortsetzer von nŭra noch kors. *nora*, istr. (Rovigno) *nura*, piem. *nura*. Aber korsisch *nǫra* stimmt zu *rǫda*, *kǫre*, *fǫku*: setzt also *ǫ* voraus. Auch die istrische Form ist zweifelhaft, da in Rovigno auch nŏvus als *nuvo* erscheint. Im Piemont gibt der AIS (Karte 34) nur Formen *(nǫra, nǫra)*, die auf nŏra beruhen.

einer sehr alten Latinität: eine Erkenntnis, die durch viele andere Sprachzüge erhärtet werden kann.[59]

§ 25. Noch ein anderes Wortproblem soll in diesem Zusammenhang diskutiert werden. Als Namen des Holunderstrauchs sind uns im Lateinischen zwei verschiedene Formen bezeugt: s a b u c u s und s a m b u c u s. Da s a b u c u s aus lautlichen Gründen nicht gut aus s a m b u c u s hat hervorgehen können, umgekehrt aber s a m b u c u s auf s a b u c u s beruhen kann, sind sich die lateinischen Etymologen darüber einig, daß s a b u c u s als die echte und ältere Form zu betrachten ist.[60] In der Tat wird s a b u c u s schon von Lucilius gebraucht, während s a m b u c u s erst seit der Zeit von Nero (z. B. bei Columella, Servius, Vegetius) belegt ist.[61] Die Verbreitung der beiden Formen in den romanischen Sprachen zeigt eine interessante Verteilung (s. Karte 3). Es ergibt sich, daß sowohl die westromanischen Sprachen wie auch die östliche Romania das lateinische Wort in seiner älteren Form (s a b u c u s) bewahrt haben: span. *saúco*, port. und gal. *sabugo*, in Navarra und Andalusien *sabuco*, provenz. *saüc*, Vendée *süc*, rätorom. *savü*, rum. *soc*, nordfranz. *sü* und *sür* (> *sureau*).[62] Die jüngere Form s a m b u c u s ist über Italien und die italienischen Inseln nicht hinausgelangt. Ja, es ist ihr nicht einmal gelungen, die ältere Form hier ganz zu verdrängen: große Gebiete in Süditalien, Sizilien und Friaul zeigen Formen, die auf s a -

---

[59] Siehe dazu G. Rohlfs, *Sprachliche Berührungen zwischen Sardinien und Süditalien.* In: Don. natal. C. Jaberg (Zürich 1937) S. 25–76.

[60] Siehe Walde-Hofmann[3], Bd. II S. 473; V. Bertoldi, *Questioni di metodo nella linguistica storica* (Napoli 1939) S. 269; P. Aebischer, *Les types sambucus et sabucus 'sureau'*, Vox Rom. 12, 1951, S. 82 ff.

[61] Eine jüngere (aus s a b u c u s) hervorgegangene Form s a u c u s ist belegt bei Gregor von Tours, Hist. Franc. (Mon. Germ.), S. 147, 2.

[62] Die schriftfranzösische Form *sureau* ist ein Diminutivum von altfranz. *seü* bzw. *seur*, das noch heute in der Champagne und Normandie als *sü*, in der Picardie und in der Vendée als *sür* fortlebt (ALF Karte 1270). Das unorganische *r* findet sich auch in der Auvergne *(segür, seyür)*, in piem. *sambür* (AIS Karte 607) und vereinzelt in Korsika *(samburu)*; s. Verf., AStNSp 168, 1935, S. 240. – Die Herkunft des *r* ist nicht klar. Am wahrscheinlichsten scheint mir die Annahme, daß ein 'hiatustilgendes *r*' vorliegen könnte, indem auf der Stufe *sabugu* nach Ausfall des velaren Reibelautes durch *r* der Zusammenfall der beiden *u* verhindert wurde. Das gleiche Phänomen zeigt port. *sarar* 'heilen', das aus älterem *saar* (s a n a r e) hervorgegangen ist (s. § 101).

bucus beruhen.[63] Auch das zentrale Sardinien hat *sabúccu* bzw. *saúccu*.[64]

Die drei behandelten Fälle haben das gemeinsam, daß neben den Lautformen einer jüngeren Latinität sich eine Variante aus älterer Sprachschicht erhalten hat: eine alte Grundform hat sich in zwei lexikalische Typen gespalten.

§ 26. An Stelle des organischen Komparativs *(altior, pulchrior)* kannte schon die lateinische Umgangssprache seit Varro und Plautus die Umschreibung mit magis. Diese Form der Steigerung wurde in gewissen Fällen *(magis idoneus, magis arduus)* sogar von der Schriftsprache akzeptiert. Erst seit dem 1. nachchristlichen Jahrhundert konnte auch plus diese Funktion übernehmen (Calpurnius Siculus, Tertullian, Nemesianus). In den romanischen Sprachen (s. Karte 4) hat sich die Pyrenäenhalbinsel und der äußerste Osten für die ältere Form entschieden: rum. *mai frumos*, port. *mais alto*, span. *más largo*, katal. *més ric*. In Portugal, Spanien und im Katalanischen beruht diese Entwicklung auf einer längeren Konkurrenz mit plus.[65] Mit der Pyrenäenhalbinsel geht das Gaskognische: *més malaut* 'plus malade',

[63] In einer kleinen Zone in Nordkalabrien findet sich eine Form *sámmucu* oder *sámmacu* (DTC,VTC), die auf griechisches Substrat weist (*σάμβουκος): es ist ein Lehnwort der Magna Graecia aus dem Lateinischen. Die Griechen von Bova (im südlichsten Kalabrien) nennen den Baum noch heute *sávuko* (σάβουκος), s. LexGr. 445. – Zur Tonverschiebung vergleiche man griech. κάγκελλον < cancellum, μάκελλον < macellum, αὔγουστος < augustus; s. dazu Verf., *Scavi linguistici nella Magna Grecia* (1933) S. 181 und Neue Beiträge 160. – Über das dialektische *zambuco* (Toskana), *zambucu* (Apulien), *zammuco* (Latium), s. Verf., *Histor. Gramm. der italienischen Sprache* § 165.

[64] In sard. *saúccu* sieht M. L. Wagner ein Lehnwort aus dem Spanischen (Arch. Rom. 24, 1940, S. 12 und DES 374). Doch bleibt damit span. *saúco* (statt *sabugo*) selbst unerklärt. Sicher mit Unrecht faßt Menéndez Pidal dieses Wort als eine 'palabra culta' (Manual 1925, S. 107). Wahrscheinlicher ist in Sardinien und in Spanien das seltene -ucus durch das häufigere Suffix -uccus (vgl. nordspan. *tierruca, paluco*) ersetzt worden; s. García de Diego, Contrib. al diccion. hisp. etim. no 530; Dámaso Alonso, RDTP 2, 1946, 5; Corominas, DELC 4, 162. – Dem kastil. *saúco* entspricht in Portugal und in Nordspanien (Galizien, Asturien) das normal zu erwartende *sabugo* oder *saúgo*; s. M. Alvar in RFE 41, 1957, 21 ff. und DL 29.

[65] Vgl. im alten Galizisch-Portugiesischen *chus*, z. B. *chus pequeno*, vereinzelt im Altkastilischen (Berceo *plus vermejo*), sehr häufig im älteren Katalanischen (einbegriffen das Gebiet von Valencia), wo statt *plus* die reduzierte Form *pus* (vgl. vulgärfranz. *il ne vient pus*, occit. *pu fort, pus tart* 'plus tard') seit den ältesten Texten üblich ist: *pus dolorosa, pus prest*; s. Alcover – Moll VIII, 1010. In einigen Landschaften (Mallorca, Roussillon, Empordá) ist *pus* noch heute lebendig: *no en parlem pus, no n'hi ha pus* (ib.).

mès urous 'plus heureux'.[66] Sonst hat sich in Frankreich wie auch in Italien und im Rätoromanischen p l u s durchgesetzt: *plus grand, più lontano,* rätor. *plü bod* 'plus tôt'.

§ 27. Während h o d i e und h e r i in allen romanischen Sprachen sich erhalten haben, ist c r a s nur auf kleinen Gebieten der Romania lebendig geblieben: in Sardinien *(cras, crasa)* und in einigen Landschaften des itàlienischen Mezzogiorno (Nordkalabrien, Lukanien, Apulien, südliches Kampanien) *crai, cra* (s. Karte 5).[67] Die Schwäche des alten Wortes besteht darin, daß schon seit dem Altlatein neben c r a s ein anderes Adverbium vorhanden war, das sich auf einen Teil des folgenden Tages bezog. In der Bedeutung 'tempore matutino diei sequentis' ist m a n e bei Plautus, Lucilius, Cicero, Cäsar und Seneca bezeugt. Von hier konnte es leicht zu einem Ersatzwort für c r a s werden.[68] In dieser Bedeutung ('morgen') ist m a n e in rum. *mâne (mâine, mîine)* erhalten geblieben, während im Altfranzösischen *main* über die Bedeutung 'frühmorgens' nicht hinausgelangt ist: *hui main, ier main, par main, main et soir.* – Neben m a n e erscheint in der Sprache der 'Vulgata' (später auch bei Marcellus Empiricus) d e m a n e, zu nächst in der älteren Bedeutung von m a n e 'frühmorgens'.[69] Dieses neue Adverbium folgte der Bedeutungsentwicklung von m a n e. Es hat in Frankreich *(demain)* im Provenzalischen *(demá, deman)* im Katalanischen *(demá),* im Rätoromanischen *(daman)* und in den übrigen Gebieten von Italien *(domani, demane,* oberit. *dumá)* die Stelle von 'cras' eingenommen. Eine andere Ersatzbildung (h o r a) *m a n e a n a ist in Spanien *(mañana)* und Portugal *(amanhã)* herrschend geworden.

---

[66]) Im Altprovenzalischen wird *mais* zur Steigerung von Adjektiven nur spärlich verwendet. Dennoch gilt es noch heute im literarischen Provenzalisch (Mistral *mai poulit, mai rouge*). Nach dem französischen Sprachatlas erscheint *mai* in den modernen Mundarten der Provence nur ganz vereinzelt im Dép. Drôme (Karte 1282).

[67] Im Mittelalter scheint c r a s bis in die Toskana gereicht zu haben. Es findet sich als *crai* bei Pulci und Ariost. Für das heutige Toskanische verzeichnet das pisanische Wörterbuch von Malagoli die Redensarten *comprà a crai, vende a crai* 'comprare, vendere a credito' (S. 113). Auf Korsika hat sich ein letzter Rest von c r a s in der Zusammensetzung *crassera* 'domani sera' erhalten (Falcucci-Guarnerio, Vocab. 152). – Auch das Altspanische und Altportugiesische hatte *cras.*

[68] In der Bedeutung 'cras' ist m a n e belegt in der Vulgata, bei Oribasius und bei Gregor von Tours (Thes. Ling. Lat. 8, S. 278).

[69] Vgl. in der Vulgata *ego autem locutus sum ad vos, de mane consurgens* (Jerem. 35, 14).

§ 28. In der klassischen Latinität galt für den 'Stiefvater' die Bezeichnung vitricus. Dieses Wort muß früh dem lebendigen Gebrauch verlorengegangen sein. In Italien hat es sich nur in den Gebieten erhalten, deren archaischer Charakter uns bereits des öfteren deutlich geworden ist (s. Karte 6). Es findet sich in fast ganz Sardinien als *brídicu* (Nuoro), *bídrigu* (log.), *bídriu* (camp.), *bítricu*.[70] Dazu kommt eine sehr kleine Zone im Grenzgebiet von Kalabrien und Lukanien: kal. luk. *vítrikə* ,kal. *tata vítrəkə*.[71] In der übrigen Romania hat nur Rumänien das alte Wort bewahrt: *tată vítreg* (tata vitricus).[72] Aus der gemeinsamen balkanischen Latinität stammt auch albanisch *vitkur (vitruk)*; s. Tagliavini, Mélanges Mario Roques III, 1952, 255–264. Schon auf den alten Inschriften der Stadt Rom begegnet als jüngeres Ersatzwort patraster.[73] Es lebt fort in span. *padrastro* (andal. *padrasto)*, port. *padrasto*, kat. *padrastre (padastre)*, prov. *peirastre*, rätorom. *padraster*. In Italien ist es ziemlich selten, z. B. kalabr. *patrastu*, siz. *patrastru*. Statt dessen sind hier andere Ableitungen von pater üblich geworden: in der Schriftsprache *patrigno* bzw. *padrigno*, in Oberitalien *padrégn* < patrinius,[74] im festländischen Süditalien *patríu* (Kalabrien, Salento), *patrío* (Neapel), *patrijə* (Abruzzen).[75] – Was das nördliche Frankreich betrifft, so ist hier das mittelalterliche *parastre* wegen des pejorativen Suffixes seit dem 16. Jahrhundert durch das höflichere *beau-père* ersetzt worden, das eigentlich eine respektvolle Anrede ('lieber Vater') gewesen ist.[76]

---

[70] Siehe M. L. WAGNER, *Studien über den sardischen Wortschatz* (Genf 1930) S. 20 und DES, II, 582.

[71] ROHLFS, DTC, VTC; H. LAUSBERG, *Die Mundarten Südlukaniens* (Halle 1939) S. 187.

[72] In den nördlichen Teilen Rumäniens gilt *maşteh*, ein slawisches Lehnwort.

[73] Corp. Inscr. Lat. VI no. 11754 und 14105.

[74] Die etymologischen Wörterbücher (Migliorini–Duro, Prati, Devoto, DEI) legen *patrignus zugrunde, das nicht bezeugt ist; vgl. aber in Glossen *vedricus = patrinius* (Corp. gloss. lat. 4, 191, 24a) und *nuberca matrea id est matrinia* (ib. 4, 262, 46).

[75] Die 'Stiefmutter' heißt in Süditalien *matría* (Kalabrien, Salento), *matréa* (Neapel), *matréia* (Tarent). Es ist eine Bildung, die wohl unter griechischem Einfluß steht: μητρυιά (dorisch ματρυιά) 'Stiefmutter'. Zu dem weiblichen Wort hat man in Analogie die männliche Form geschaffen; s. Verf., LexGr, 330.

[76] Damit ist der Unterschied zwischen 'Stiefvater' und 'Schwiegervater' verloren gegangen. Daher hat auch *belle-mère* beide Bedeutungen: 'Stiefmutter' und 'Schwiegermutter'. – Aus einer höflichen Anrede erklärt sich auch bei den kalabrischen Griechen *maddònna* im Sinne von 'Stiefmutter' = neugriechisch (Chios) μαδόνα 'Anrede an die Schwiegermutter', ven. *madòna* 'Schwiegermutter' (LexGr, 309).

IV. OSKISCHE LATINITÄT?

§ 29. Zu den besonderen lautlichen Merkmalen, mit denen sich das Katalanische sowohl vom Spanischen (Kastilisch) wie vom benachbarten Provenzalischen des Languedoc differenziert, gehört der Wandel von *nd* > *n*: *demandare* > *demanar, rotunda* > *rodona, secunda* > *segona, unda* > *ona, stunda* > *estona, Gerunda* > *Gerona*. Es war eine besondere Lieblingsidee von Menéndez Pidal, dieses Phänomen mit der süditalienischen Assimilation zu verkünpfen, die *vendere* > *vènnere, unda* > *onna, quando* > *quannu, cantando* > *cantannu* hat werden lassen. Für diese Assimilationen möchten manche Forscher eine direkte Abhängigkeit von einer alten oskischen Latinität (upsanna = operanda) annehmen. Bestärkt durch den Glauben, daß die Stadt *Huesca* (ein wichtiges Kulturzentrum im nördlichen Aragonien), in römischer Zeit *Osca* genannt, von den italischen Oskern ihren Namen bezogen haben könnte, hat Menéndez Pidal die bekannte Theorie entwickelt, die in dem Gedanken gipfelt, daß gewisse lautliche Eigentümlichkeiten der nordspanischen Mundarten von einer massiven Kolonisierung aus dem süditalienischen Raum durch eine bäuerliche Latinität oskischen Gepräges bestimmt worden seien.[77]

Obwohl diese Theorie von Anfang an auf große Skepsis gestoßen ist, hat der Meister bis in seine letzten Lebensjahre immer wieder versucht, mit neuen Argumenten seine Idee zu verteidigen, ohne daß er damit eine wirkliche Überzeugung erreicht hätte.

§ 30. Was gegen diese Theorie spricht, ist so oft und von so vielen Seiten betont worden, daß es genügen muß, die ernsten Einwände hier kurz zusammenzufassen.[78]

---

[77] Zum ersten Mal enthalten in den 'Orígenes del español' (1926); zuletzt verteidigt in der Enciclopedia lingüística hispánica, tomo I (1960), p. L–LXXXVI.

[78] Gegen diese Theorie haben sich ausgesprochen Rohlfs (seit 1929), später Corominas ('teoría vulnerable'), Elcock, Jungemann, Kuhn, Machado, Malmberg, Silveira Bueno; zuletzt sehr kritisch Kurt Baldinger, in 'Die Herausbildung der Sprachräume auf der Pyrenäenhalbinsel' (1958), S. 43–51 (span.

1. Die Verknüpfung des Namens *Osca* (heute *Huesca*, katal. *Osca*) mit den italischen Oskern wird von den zuständigen Altertumsforschern ernstlich bestritten. Der Name ist wahrscheinlich vorrömischer Herkunft; vgl. *Huescar* in Andalusien.

2. Die Zeugnisse für einen frühen Wandel von *nd* > *nn* in der vulgären Latinitas von Süditalien sind so sporadisch und exceptionell, daß sie nicht als eine sichere Grundlage angesehen werden können; s. HGI, 1966, S. 358.

3. Ein wirklicher Beweis, daß das moderne süditalienische Phänomen mit einer oskischen Aussprache des Lateinischen zu verknüpfen ist, läßt sich nicht erbringen. Es kann sich um eine Entwicklung handeln, die erst im frühen Mittelalter sich langsam angebahnt hat: 'un fatto che non sembra essere anteriore al mille' (Battisti); s. dazu HGI, § 253.

4. Wenn man wirklich annehmen wollte, daß die süditalienischen Kolonisten mit einer Aussprache *quanno* = *quando* nach Hispanien gelangt sind, daß heißt mit einem geminierten *nn*, wie in *annu*, *annale*, *pannu*, so hätte dieses *nn* im Katalanischen genau so zu einem palatalen *n* (orthogr. *ny*) werden müssen wie in *any*, *anyal*, *pany*; vgl. auch *damnare* > **dannare* > *danyar*.

5. Der Wandel von *nd* > *n (segona)* ist zwar typisch katalanisch, aber gerade für das aragonische Gebiet von Huesca weder in alter noch in neuer Zeit ernstlich bezeugt oder charakteristisch. Er bleibt beschränkt auf eine katalanisch-aragonische Grenzzone in den Pyrenäen (Ribagorza).

6. Die jüngere Natur von *nd* > *n* wird dadurch bezeugt, daß in der Peutingerschen Weltkarte die Stadt *Gerona* noch als *Cerunda* erscheint, was durch *Goronda* in arabischen Quellen des frühen Mittelalters bestätigt wird.

7. Für ein jüngeres Alter der Assimilation von *nd* > *n* spricht auch die Tatsache, daß germanische Wörter *(stunda* > *estona)* daran teilnehmen. Man kann daraus schließen, daß der Wandel erst in nachgotischer Zeit sich voll entwickelt hat.

8. Der Wandel von *nd* > *n* kann nicht von der Assimilation *mb* > *m* getrennt werden, die als 'fenómeno casi general' fast über ganz Spanien (Kastilien, Andalusien, Asturien) verbreitet ist: *lomo*, *paloma*.[79]

Ausgabe S. 86 ff.) und Curtis Blaylock, RPhil. 19, 1966, S. 426 u. 434; vgl. unsere ausführlichere Stellungnahme in GRM 18, 1930, 37 ff., An den Quellen der romanischen Sprachen (1952), S. 65 ff.; in RLiR 19, 1955, S. 224 und zuletzt AStNSp 205, 1969, S. 473 ff.

[79] Auch in Frankreich umfaßt die Assimilation *mb* > *m* (vgl. *sambedi* > *samedi*) größere Gebiete, weil sie artikulatorisch leichter ist; s. Baldinger,

9. Das katalanische Phänomen ist in keiner Weise ein spektakulärer Vorgang, für den ein außerhispanischer Anlaß gesucht werden muß, sondern es handelt sich um einen der geläufigsten phonetischen Prozesse: geltend z. B. auch für gewisse Zonen in Nordfrankreich, in Sardinien und in Corsica, für alpinlombardische und ladinische Mundarten.[80] – Aus dem Altirischen ist *inna* < *inda* bezeugt.

10. Ein Kardinalfehler in der Theorie von Menéndez Pidal besteht darin, daß er das katalanische Phänomen von der benachbarten Romania jenseits der Pyrenäen historisch isoliert. In der Tat gilt der Wandel von *nd* > *n* für das ganze aquitanische Gebiet der Gascogne bis fast nach Bordeaux (*lano* 'lande', *entene* 'entendre', *sponda* > *espouno, stunda* > *estouno, grano* 'grande'), jenseits der Pyrenäen in der Zone von Andorra an das katalanische Gebiet direkt anschließend (s. Karte 7). Nun ist es sicher undenkbar, für das Phänomen in der nordöstlichen Hispania einen Anstoß durch oskisch-süditalienische Kolonisation anzunehmen, während im benachbarten gaskognischen Raum mit einer spontanen einheimischen Entwicklung gerechnet werden muß, die z. B. vom aquitanischen Substrat bedingt sein kann; vgl. im Baskischen die analoge Assimilation von *mb* zu *m*, z. B. *seme* 'Sohn' aus altaquitan. s e m b e (Michelena, Fonética hist. vasca 358).

§ *31.* Während über den oskischen Ursprung der Assimilation von *nd* > *nn* (z. B. m u n d u > *munnu*, g r a n d e > *granne*) in Süditalien, die auch hier mit *mb* > *mm* zusammengeht (s a m b u c u > *sammucu*), keine absolute Gewißheit besteht, fehlt es hier nicht an lexikalischen Elementen, deren lautliche Sonderform, d. h. italisches *f* statt des lateinischen *b*, mit Sicherheit einer oskischen Latinität zugeschrieben werden kann.[81] Die klarsten Fälle sind folgende (s. Karte 8):

---

a. a. O. 50. In Graubünden gilt *camba* > *chama*, p l u m b u > *plom*, während *nd* erhalten bleibt: *gonda, radonda, chandaila*.

[80] Zu Italien und Corsica, s. HGI § 253; zu Sardinien, s. M. L. Wagner, Histor. Lautlehre des Sardischen (1941), S. 179. Aus nordfranzösischen Mundarten nennen wir pik. *provéne* < p r a e b e n d a, *venne* 'vendre', *tenne* 'tendre', norm. *pourvanne, pranne* 'prendre' (FEW), wall. *bène* 'bande', *pouledaine* 'poule d'Inde'; vgl. in deutschen Mundarten (Hessen, Thüringen, rheinfränkisch) *kinner* = *kinder, hänne* = *hände.*

[81] Genauere Hinweise dazu in HGI § 219, 373 und in der Zeitschrift 'Die Sprache', Bd. 5, 1959, S. 178 ff.; s. die einzelnen Formen in DTC, VTC und VDS. – Zum oskisch-italischen Substrat, s. Tagliavini 61 ff.; ed. 1969, S. 100 ff.

*glēfa = glēba: nordkal. *gliefa*, luk. *jefa*, *ñefa*, *gliefɔ*, südapul. (Prov. Brindisi, Taranto) *kjefa*, (Prov. Lecce) *ghiefa*, *ñifa* 'Erdscholle'; bei den südapulischen Griechen *gliffa* 'sansa delle olive'.

*glofa (vgl. lat. globus): südapul. (Prov. Brindisi) *kjòfa, jòfa,* *gnòfa* 'Erdscholle'.

*tēfa = tēba : kalabr. (Prov. Cosenza) *tifa* 'Erdscholle'.

*tufa =: tuba : kampan. *tufa*, *tofa*, nordkalabr. und abruzz. *tufa* 'Muschelhorn der Hirten'.

*octufru = october : südkampan. und luk. *attrufo* 'Oktober'.

V. DIE GLIEDERUNG DER ROMANISCHEN SPRACHEN
(La classification des langues romanes)

§ 32. Schon im Mittelalter hat es einen interessanten Versuch gegeben, die verschiedenen romanischen Sprachen zu gewissen Gruppen zusammenzufassen.[81a]

Es war kein Geringerer als Dante Alighieri, der in seiner Abhandlung über die Volkssprache (De vulgari eloquentia) eine Art von Unterscheidung auf Grund der verschiedenen Formen der Bejahung exemplifiziert hat.

1. La lingua romana di *sì* (Italien)
2. La lingua romana di *oïl* (Nordfrankreich)
3. La lingua romana di *oc* (Südfrankreich)

Im Lateinischen hat es eine absolute und generelle Bejahungspartikel noch nicht gegeben. Man pflegte auf eine Frage positiv mit Wiederholung des Verbums zu antworten: *Audesne venire? – Audeo.* – Die romanischen Bejahungsformen haben sich erst im Laufe des frühen Mittealters ausgeprägt: *Venis mecum?: Sic (venio).* Oder: *Hoc ille fecit?: Hoc!* oder *hoc ille.*[82]

Unsere Karte 9 zeigt die Situation gegen Ende des Mittelalters. Seitdem hat sich einiges geändert. In Südfrankreich ist altes *oc* in den modernen Formen *ò, yò, òy* heute nur noch in einzelnen Zonen (z. B. in der Gascogne und im Dép. Hérault) wirklich lebendig; es ist durch die nordfranzösische Form ersetzt. Auch im katalanischen Sprachgebiet kann man altes *hoc (oc)* in der Form *o* heute nur noch an der spanisch-französischen Grenze hören. In Portugal wird das ältere *sì* unter dem lautlichen Einfluß der Verneinung (n o n > *não*) mit nasaliertem *i* gesprochen: *sim.* Im rätoromanischen Graubünden (Engadin) ist *si* zu *schi* (*ši*) geworden, während im Rheintal *gje* dem deutschen *ja* (schweiz. *jä, je*) entspricht.

[81a] Zur Frage der 'classification' der romanischen Sprache, s. die Beiträge von Maria Iliescu in RLiR 33, 1969, S. 113–132; W. Manczak, Actas IX Congresso intern. de ling. romànica (Lisboa 1959), I, S. 81–88; Žarko Muljačić, RJb 18, 1967, S. 23–37.

[82] Die letztere Form, d. h. altfranz. *oïl*, heute *oui* hat sich also aus Fällen verallgemeinert, wo nach einer dritten Person gefragt wurde. Daneben bestanden ursprünglich auch *o je* und (seltener bezeugt) *o nos, o vos*; s. FEW IV, 444.

In Sardinien hat sich aus lateinischer Zeit das alte steigernde immo 'ja vielmehr' in der Form *èmmo* erhalten: 'ancora oggi molto usato, specialmente nel Centro' (DES I, 489), z. B. *issa rispondia ca èmmo.* Verbreiteter ist heute in Sardinien (neben dem italienischen *sì*) in populärer Rede eine Bejahungsform *éi* oder *ái*, z. B. *mi nais ca éi* 'tu mi dici di sì', die in ähnlicher Form in Corsica *(je)*, in lombardischen Mundarten *(èi)*, in Graubünden *(hei)*, im südlichen Apulien *(ái)* begegnet: nach Wagner (I, 487) ein Naturlaut, der sich mit dem slavischen *ei, jei* 'sì, davvero' vergleichen läßt. – Über 'Le particelle affermative' im Piemont (altpiem. *ol*, mod. *öy* = altfranz. *oïl*, dauph. *oi*) und sehr verbreitetes *é*, s. G. P. Clivio in Forum Italicum, vol. IV, 1970, S. 70–75.

In Rumänien gibt es zwei Ausdrücke für 'ja', die regional nicht geschieden sind: *da* (= slav. *da*) und *aşa*, das zugleich 'so' bedeutet, also genau dem ital. *sì* entspricht.[83] Dazu kommt in vielen Gegenden die Bejahung nach lateinischer Art mit einer einfachen Verbalform in Anknüpfung an das in der Frage enthaltene Verbum, z. B. *vii la mine?* 'kommst du zu mir?': *viu* 'ich komme'; *ai văzut pe Jon?* 'hast du Johann gesehen?': *văzut* 'gesehen' (Puşcariu 350).

Die gleiche verbale Form der Bejahung (und der Verneinung) ist sehr gewöhnlich im Portugiesischen, z. B. *fala português?* Antwort: *falo*; *queres vir comigo?* Antwort: *quero.*[84]

§ 33. Eine andere Gliederung der romanischen Sprachen, die man in neuerer Zeit vorgenommen hat, beruht auf der verschiedenen Pluralbildung (s. Karte 10). In Italien dienen für den Plural die alten Nominative: *i lupi, i figli, le capre, le donne*; danach analogisch *i denti, i piedi, le genti, le torri* (älter und dialektisch *le gente, le torre*). Ebenso in Rumänien mit dem Unterschied, daß der bestimmte Artikel dem Substantivum postponiert wird: *lupii* < lupi illi, *caprele* < caprae illae.

Demgegenüber stehen die westromanischen Sprachen, wo für die Bildung des Plurals die alten Akkusativformen verwendet werden: *les loups, les chèvres*; *los lobos, las cabras*; *os lobos, as cabras*; *els llops, les cabres.*[85] Bemerkenswert ist, daß auch das

---

[83] Zur Verbreitung, s. die Karte no 19 bei Puşcariu; daneben ist auch das slavische *ei* üblich (ib. S. 350).

[84] Vgl. neugriechisch ἔχετε μέλι 'avez-vous du miel?' Antwort: ἔχομε 'nous avons'.

[85] Im heutigen Provenzalischen (Rhônegebiet) ist im Substantivum das ausautende *-s* in der Regel verstummt: *lis ome, lis ami, li loup, lis alo* 'les ailes',

Rätoromanische ('Alpenromanisch', 'Ladinisch') in dieser Weise den Plural bildet: *ils lufs, las chavras* (Graubünden), *i lus, la ciauras* (Dolomiten), *i lofs, li ciavris* (Friaul). Der rätoromanische Sprachtyp erweist sich damit als zugehörig zur Gruppe der westromanischen Sprachen. – Zur westlichen Romania gesellt sich auch die Insel Sardinien, während Corsica und Sizilien mit Italien verbunden sind; vgl. sardisch mit dem besonderen Artikel, der auf **ipsu** beruht: *sos canes (is canis)* 'les chiens', *sas puḍḍas* 'les poules'.[86]

§ *34.* Unter den phonetischen Merkmalen, die man angeführt hat, um die Sprachen der westlichen Romania von der Gruppe der sogenannten ostromanischen Sprachen zu unterscheiden, ist keines so schlüssig und überzeugend, wie die verschiedene Behandlung der stimmlosen lateinischen Verschlußlaute in intervokalischer Stellung. Es handelt sich um den bekannten Gegensatz zwischen provenzalisch (spanisch, portugiesisch) *amiga, seda, escoba* und italienisch *amica, seta, scopa* (rumän. *duminică, roată, ripă*). Es ist bekannt, daß die norditalienischen Mundarten, wie auch die Gebiete rätoromanischer Sprache mit dem westlichen Europa zusammengehen, vgl. lombardisch *formiga, röda, scova.*[87] Eine außerordentlich scharf markierte Linie, die von La Spezia im Verlauf der Apenninenkette in der Gegend von Rimini endet, scheidet die beiden Resultate (s. Karte 11). Diese Linie verdient eine besondere Beachtung, weil man sie wegen vieler anderer Phänomene, die an dieser Linie halt machen, geradezu als einen wirklichen Wall zwischen der westlichen und der östlichen Romania betrachten kann.[88] Es bleibt die Frage, durch

---

li cabro 'les chèvres'; vgl. aber altprov. *los lops* (im Nom. *li lop*), *las cabras.* Und noch heute in der Gascogne *lous loups (es loups), las cabras (eras cabras),* in Auvergne und Languedoc *las flous.*

[86] Zerstreute Relikte eines Plurals, der auf den alten Akkusativformen beruht, finden sich in den alpenlombardischen Mundarten, z. B. im Tessin *i kabra* 'les chèvres', im äußersten Nordwesten der Toskana (Lunigiana) *la bela krava* 'les belles chèvres'; s. HGI, § 363. – Feminine Akkusative im Sinne eines Nominativs, z. B. *filias, duas matres, collegas,* sind auf vielen Inschriften (Rom, Oberitalien, Dalmatien, Pannonien, Lusitanien) bezeugt (HGI § 363).

[87] Aus nördlichen (oberitalienischen, provenzalischen und französischen) Einflüssen auf die italienische Schriftsprache erklären sich die vielen Abweichungen im offiziellen Italienisch: *lago, luogo, io pago, spada, strada, lido, riva, vescovo, povero*; s. dazu HGI § 212, IF 72, 1967, S. 346–353 und ALPR, 28–31.

[88] Siehe W. v. Wartburg, ZRPh 56, 1936, p. 37 und 'Ausgliederung der romanischen Sprachräume' (Bern 1950), S. 61. – Über eine archaische Rest-

welche Ursachen diese wichtige Linie hat bestimmt werden können.

Sehr naheliegend ist es, einen entscheidenden Anteil an der Bildung dieser Barriere dem ethnischen Element des Keltentums zuzuschreiben. Die Meinung, daß die Sonorisierung der intervokalischen Verschlußlaute als eine Substratwirkung zu betrachten sei, die durch die keltische Lenition hervorgerufen ist, wird besonders von ANTONIO TOVAR vertreten. Nach ihm hätte die keltische Lenition schon seit dem ersten Jahrhundert unserer Zeitrechnung angefangen, im Nordwesten der hispanischen Halbinsel auf den lateinischen Konsonantismus zu wirken, wo das keltiberische Substrat einen wichtigen Bestandteil der latinisierten Bevölkerung ausmachte.[89] Diese kühne These, die sehr bald die Zustimmung von Menéndez Pidal gefunden hat (Orígenes, 1950, S. 257), ist jedoch in einer sehr kritischen Prüfung der von Tovar angeführten Materialien durch HARALD WEINRICH wesentlich abgeschwächt worden.[90] Es hat sich dabei gezeigt, daß die vor dem 5. Jahrhundert datierbaren Beispiele kein absolutes Vertrauen verdienen oder in ihrer Aussagekraft nicht in gleicher Weise überzeugend sind. Was von Tovar's These akzeptiert werden kann, ist eine sonorisierende Orthographie gewisser nichtrömischer 'nombres étnicos o gentilicios', z. B. *Auolgigorum, Visaligorum, Cabruagenigorum*, die ein *-icorum* repräsentieren. Damit ist für das nordwestliche Spanien eine keltiberische Sonorisierung (Lenisierung) im 1. bis 2. Jahrhundert wahrscheinlich gemacht. Doch bleibt es fraglich, ob man daraus schon in dieser Frühzeit eine allgemein gültige Situation für eine effektiv gewordene romanische Sonorisierung ableiten kann (Weinrich 217).

Es ist also vorzuziehen, den effektiven Beginn der romanischen Sonorisierung nicht vor dem IV. oder V. Jahrhundert anzusetzen, wie es frühere Forscher (Meyer-Lübke, Battisti, Bourciez, Elise Richter, Straka) vertreten haben. Trotz dieser Einschrän-

---

zone zu beiden Seiten der westlichen Pyrenäen, am Rande des baskischen Sprachgebietes, wo die alten lateinischen Konsonanten erhalten geblieben sind (arag. *saper, espata, nukera*, bearn. *escoupo, matú, ourtiko*), s. ELCOCK, De quelques affinités phonétiques entre l'aragonais et le béarnais (Paris 1938), S. 33–127 und ROHLFS, Le Gascon (Tübingen-Pau 1970), § 445.

[89] Siehe besonders Estudios sobre las primitivas lenguas hispánicas. Buenos Aires, 1949, S. 127 ff. und in Homenaje a Fritz Krüger, Bd. I (Mendoza 1959), S. 9 ff.; s. die ausführlichen bibliographischen Hinweise bei Weinrich, ZRPh 76, 1960, S. 205.

[90] ZRPh 76, 1960, S. 205–218.

kung wird man den Gedanken eines keltischen Ursprungs[91] für die romanische Sonorisierung akzeptieren, nicht zuletzt im Hinblick auf die scharf ausgeprägte Apenninen-Barriere,[92] wo auch andere lautliche Phänomene (z. B. die Nasalierung der Vokale) in abrupter Weise ihre Grenze finden.[93]

Wir lassen hier außer Betrachtung die besondere Situation, die heute in Teilen von Sardinien und Corsica besteht.[94] Noch gegen Ende des Mittelalters zeigen die beiden Inseln die lateinischen Verhältnisse unverändert: *loku, nepote*, sard. *pakare* 'zahlen', *akétu* 'Essig'. Durch eine innersprachliche jüngere Entwicklung, die auch in gewissen Zonen des mittleren Italiens (Latium, Umbrien, Elba) zu beobachten ist, wurde hier eine Form der Lenition ausgelöst, die in intervokalischer Stellung auch die Konsonanten am Wortanfang ergreift: sardisch *sa vigu* 'il fico', *sa gadena* 'la catena', *su bíbiri* 'il pepe': ähnlich in Corsica. – Siehe dazu HGI, § 149 und 209; WEINRICH, Phonologische Studien zur romanischen Sprachgeschichte (Münster 1958), S. 133 ff.

---

[91] Für einen keltischen Anstoß zur romanischen Sonorisierung vom phonologisch-strukturalistischen Standpunkt plädiert auch A. MARTINET, Celtic lenition and Western Romance consonants (Language 28, 1952, S. 192–217).

[92] Nur bis zu dieser Linie reichen die norditalienischen Ortsnamen keltischer Bildung des Typs *-ago* (in Südfrankreich *Cornillac, Savignac, Valeyrac* = in Nordfrankreich *Cornilly, Savigny, Vallery*), nördlich der Apenninenkette repräsentiert zuletzt durch *Collegnago, Corzago, Polinago, Turlago, Zignago*.

[93] Siehe dazu Verf., GRM 18, 1930, 52 und in dem Sammelband 'An den Quellen der romanischen Sprachen' (Halle 1952), S. 76.

[94] Außer Betrachtung bleiben auch die norditalienischen Sprachkolonien in Lukanien und Sizilien mit dominierender Sonorisierung; s. HGI § 202.

VI. MORPHOLOGISCHE WANDLUNGEN

§ 35. Unter den Genusverschiebungen, die sich im vulgären Latein vollzogen haben, verdient die romanische Behandlung der
drei Neutra mel, fel und sal eine besondere Aufmerksamkeit.
Jedem, der vom Französischen zur Erlernung des Spanischen
übergeht, muß auffallen, daß dem französischen *miel, fiel, sel*
im Spanischen weibliche Wörter entsprechen: *la miel, la hiel, la
sal.* Die besondere Geschlechtseigentümlichkeit wiederholt sich
im Katalanischen *(la mel, la fel, la sal).* Sie läßt sich durch Südfrankreich und Oberitalien verfolgen (mit gewissen Abweichungen von Fall zu Fall), um ihre letzte sehr markante Manifestation
im Rumänischen zu finden: *mierea, fierea, sarea* (s. Karte 12).

In seiner maximalen Ausprägung erscheint das Phänomen im
Spanischen und Katalanischen, im westlichen Teil von Oberitalien und in Rumänien.[95] Im französischen Midi bleibt das
weibliche Geschlecht beschränkt auf *la mèu* und *la sau,* ersteres
nur in der Gascogne und im westlichen Languedoc, während
la sau im Westen (Poitou *la so,* Vendée *la sao*) bis an die Loiremündung reicht. Die sehr bemerkenswerte Konkordanz des Rumänischen mit der westlichen Romania läßt uns begreifen, daß
es sich um eine Regelung handeln muß, die sich bereits im
Vulgärlatein vollzogen hat.

Die drei Wörter haben dies gemein, daß sie ein Produkt, einen
Stoff oder eine Substanz bezeichnen: ein Produkt der Biene, des
menschlichen Körpers und des Meeres, d. h. Begriffe, die nor-
malerweise nur im Singular gebraucht werden. Nach dem Untergang der indogermanischen dritten Genusvorstellung mußte das
Geschlecht der einstigen Neutra neu geregelt werden. Morpho-
logisch näher liegend war der Übertritt zum Maskulinum: dies
ist die Situation im westlichen Drittel der Pyrenäenhalbinsel, im
nördlichen Frankreich, im mittleren und südlichen Italien, in
Sardinien und im Rätoromanischen. Auffälliger ist der Übergang zum Femininum. Noch eigenartiger die sprachgeographische Verteilung dieses Prozesses, der zum ersten Mal in einem

---

[95] Wo in Süditalien die drei Wörter mit femininem Geschlecht erscheinen,
handelt es sich um Zonen norditalienischer Kolonisation (piemontesische Kolonien in Sizilien, in der Zone von Potenza und am Golf von Policastro);
s. Verf., Mélanges Mario Roques, tome I, 1950, p. 253 ff. und HGI, § 385.

lateinischen Text des 5. Jahrhunderts aus der Gegend von Ra-
venna in einer Übersetzung eines griechischen Textes sich ab-
zeichnet.[96] Als ein gewisses Vorbild mag terra und aqua gedient
haben.[97] Doch wird das Problem dadurch kompliziert, daß auch
die alten Neutra auf -amen, -imen, -umen dieser Entwicklung
sich angeschlossen haben, ohne daß sie immer einen Stoff oder
einen kollektiven Begriff ausdrückten: spanisch *la raigambre* 'un
ensemble de racines', *la legumbre, la lumbre* 'la lumière', *la cum-
bre, la mimbre* (l'osier), in Übereinstimmung mit rumänisch
lumea, batrinimea, amarimea. Es bleibt auch auffällig, daß
andere alte Neutra (lac, sanguen), die einen typischen Stoff
bezeichnen, nur teilweise den Wandel zum Femininum mitgemacht haben: spanisch *la leche, la sangre,* katalanisch *la llet,
la sang* gegenüber männlichem *lapte* und *sînge* in Rumänien.[98]
So wird man annehmen, daß eine gewisse vulgäre Tendenz durch
den Einfluß der offiziellen Grammatik aufgehalten worden ist.[99]

§ 36. Es ist bekannt, daß auch in anderen Fällen die Substantiva
der dritten lateinischen Deklination wegen ihrer grammatischen
Endung, die ein Maskulinum oder Femininum nicht klar erkennen ließ, in der Entwicklung zum Romanischen oft ihr Geschlecht
gewechselt haben. Man kann dies in gewissen Fällen einer analogischen Beeinflussung durch andere Wörter ähnlicher Struktur
zuschreiben, z. B. im Spanischen, wo das alte männliche fons
sich nach dem femininen frons gerichtet hat: *la fuente, la
frente*; ebenso ital. *la fonte, la fronte*.[100] Andererseits scheint
franz. *le front* durch männliches mons und pons bestimmt zu
sein. Weniger versteht man, warum das maskuline dens in eini-

---

[96] Oribasius (Syn. IV, 40) *alteram lactem.*

[97] Ob weiblich gewordenes *mare* (Frankreich, Katalonien, Rumänien, auch
regionalspanisch) durch *aqua,* durch *terra* oder durch griech. ϑάλασσα bestimmt ist, läßt sich nicht sagen. Lateinisch *mare* ist als Femininum schon im
Itin. Anton. (6. Jahrh.) bezeugt.

[98] Auch in anderen Fällen ist der Übergang des Neutrums (Singular)
zum Femininum auf kleinere Zonen beschränkt geblieben, z. B. *la lume* in
Oberitalien (vgl. span. *la lumbre*), *la splene* 'milza' (altneap.), *la seme* (Versilia), *la flume* (altven.), *la füm* (Norditalien) < *fumen; s. HGI, § 385.

[99] Merkwürdig ist die Situation in Süditalien, wo mel, fel, sal Maskulina
geworden sind, jedoch die Suffixe -amen, -imen, -umen als Feminina
behandelt werden: siz. *la dintami* 'dentame', calabr. *la legumi,* neap. *canimma*
'roba da cani'; v. HGI, § 1087–1089.

[100] Dagegen gilt männliches *fronte* in Ligurien, Süditalien und Sardinien
(su fronte), offenbar aus einer altlateinischen Sprachphase, vgl. bei Festus
frontem antiqui masculino genere dixerunt (TLL 6, 1352).

gen romanischen Sprachen zu einem Femininum geworden ist
(s. Karte 13). Die Tatsache, daß außer der Galloromania (franz.
und prov. *la dent*, catal. *una dent*) auch Sardinien *(sa dente)*
diesen Wandel mitgemacht hat, läßt vermuten, daß es sich um
eine Störung handelt, die auf eine ziemlich alte Zeit zurückgeht.[101] Bevor eine bessere Erklärung gegeben wird, kann man
daran denken, daß hier der Einfluß des weiblichen m o l a 'dent
molaire' eine Rolle gespielt hat, verstärkt durch die lautliche
Berührung mit dem weiblichen m e n s. – Bemerkenswert ist, daß
in den Mundarten an der nördlichen Peripherie Frankreichs
(pik., wall., champ., lothr.) *le dent* gilt; vgl. das schwankende
Geschlecht im Rolandslied: *d'ici qu'as denz menuz* 1956, *la dent
seint Perre* 2346. Es sind also die mittleren Territorien der Romania (ohne den äußersten Westen, Norden und Osten), die den
Geschlechtswechsel vollzogen haben.

§ *37.* Wenig durchsichtig sind auch die Ursachen, die zum Geschlechtswechsel des einst männlichen f l o s geführt haben (s.
Karte 14). Auch in diesem Fall zeigt die weite geographische
Ausdehnung, die sich von Portugal *(a flor)* und Spanien *(la flor)*
über Frankreich *(la fleur)*, Oberitalien (piem. *na fiur*, lig. *na
šúa*) und Graubünden *(üna flur)* bis nach Rumänien *(floarea)*
erstreckt, daß es sich um ein sehr altes Phänomen des Vulgärlateins handeln muß.[102] Schon immer hat man daran gedacht,
dies mit dem Geschlechtswechsel zu verbinden, der die lateinischen Abstrakta auf - o r *(la grandeur, la valeur)* betroffen hat,
obwohl der Fall nicht der gleiche zu sein scheint. Doch ist das
geographische Zusammentreffen mit den Wörtern auf -or (span.
la flor und altspan. *la color*, port. *a flor* und *a côr*, franz. *la fleur*
und *la chaleur*, catal. *la flor* und *la calor*, ital. *il fiore* und *il ca-
lore)* so übereinstimmend, daß ein Zweifel nicht möglich sein

---

[101] Für Sardinien, das einst eng mit der afrikanischen Latinität verbunden
war, darf man daran erinnern, daß das älteste Beispiel von *una dens* bei einem
afrikanischen Autor (Cassius Felix, 5. Jh.) begegnet. Im Altfranzösischen und
Altprovenzalischen schwankt das Wort zwischen beiden Geschlechtern. Noch
heute ist es männlich im wallonischen Belgien, in Lothringen, Champagne
und Pikardie (FEW III, 40). – In Italien existiert neben *dente* im Sinne von
'grosse dent de certains animaux' das aus dem Langobardischen stammende
zanna, dessen weibliches Geschlecht in altnord. *tonn* fem. seine Bestätigung
findet.
[102] Aus Restzonen in Oberitalien darf man vermuten, daß weibliches
fiore einst 'toute l'Italie du Nord' umfaßt hat (Jaberg 55).

kann.[103] Es ist zu beachten, daß in den romanischen Sprachen
der Begriff 'fleur' sich keineswegs auf das konkrete Objekt beschränkt, sondern gleichzeitig auch die abstrakte Idee meint, d. h.
das zusammenfaßt, was in den germanischen Sprachen durch
zwei verschiedene Wörter ausgedrückt wird: *die Blume* und *die
Blüte*, *the flower* und *the blossom*, dän. *blomst* und *blomstring*.[104]

§ 38. In der sprachlichen Unterscheidung von Baum und seiner
Frucht erkennt man in den alten klassischen Sprachen die Nachwirkung einer primitiven Anschauung, die darin bestand, daß
der fruchttragende Baum als ein weibliches Geschöpf betrachtet
wurde, während seine Frucht mit dem grammatischen Neutrum
bezeichnet wurde. Diese grammatische Differenzierung galt im
Lateinischen für p i r u s und p i r u m, m a l u s und m a l u m, p r u-
n u s und p r u n u m; und ebenso im Griechischen für den Nuß-
baum (ἡ καρύα) und die Nuß (τὸ κάρυον), für Apfelbaum und
Apfel, für Feigenbaum und Feige. Dies patriarchalische Benen-
nungssystem, das im Deutschen, in den skandinavischen und
slavischen Sprachen in vielen Fällen noch zur Geltung kommt,
z. B. *der Mann, die Frau, das Kind*,[105] hat in den romanischen
Sprachen keine Spuren hinterlassen. Nachdem einmal die allgemeine Bezeichnung für den Baum vom einst weiblichen Geschlecht *(arbor alta)* zum Maskulinum *(arbor altus)* geworden
war, war es natürlich, daß auch die Fruchtbäume von dem neuen
Genus angezogen wurden. Mit dem fortschreitenden Verlust des
alten Neutrums (meist durch das Maskulinum ersetzt) mußte
zugleich die alte Anschauung, die sich auf die Frucht bezog,
verloren gehen (s. Karte 15). So konnte es kommen, daß Baum
und Frucht in gleicher Weise durch das Maskulinum bezeichnet
wurden. Diese Situation besteht noch heute im nördlichen und

---

[103] In Sizilien hat *ciuri (sciuri)* 'fiore' in einigen Zonen weibliches Geschlecht, was durch septentrionale Einflüsse im Zeitalter der Neukolonisierung
bedingt ist (s. § 145). – In einigen Zonen von Norditalien hat man das schwankende Geschlecht dazu benützt, um *il fiore* 'la fleur' von *la fiore* 'crème de
lait' und 'fleur de farine' zu unterscheiden (Jaberg 56).

[104] Auf diesen Unterschied hat schon Wandruszka (S. 27) hingewiesen. –
Man vergleiche die Koinzidenz zweier Begriffe in ital. *nipote*, *uomo* und *co-
rona* gegenüber deutsch *Neffe* und *Enkel*, *Mann* und *Mensch*, *Kranz* und
Krone; aber nach deutschem Vorbild im Ladinischen (Graubünden) *hom*
'Mann' und *kraštiaun* 'Mensch' (c h r i s t i a n u s).

[105] Vgl. noch deutsch *der Ochse, die Kuh, das Kalb*, norw. *mannen*, 'der
Mann', *kona* 'die Frau', *barnet* 'das Kind', *bukken* 'le bouc', *geita* 'la chèvre',
kjeet 'le chevreau', serbokr. *vol* 'le boeuf', *krava* 'la vache', *tele* n. 'le veau'.

im südlichen Italien, z. B. lomb. *per* 'poire' und 'poirier', kalabr. *si mangia nu piru* und *si chianta* ('pianta') *nu piru*.[106] Schon im klassischen Latein hatte das antike System seine Ausnahmen. Gewisse Früchte hatten weibliches Geschlecht: *nux, oliva, castanea, ficus*, was für andere Früchte nicht ohne Folgen bleiben konnte. Mit maskulinem Baum und femininer Frucht entstand auf diese Weise ein neues Verhältnis, das im mittleren Italien und in Rumänien adoptiert wurde: ital. *il pero* und *la pera*, rum. *părul* und *para*.[107] – Anderswo hat man jedoch das Bedürfnis empfunden, Baum und Frucht deutlicher voneinander zu scheiden. Das wurde durch eine Suffixbildung mittelst (adjektivischem) -arius oder -alis erreicht: franz. *poire* und *poirier*, *pomme* und *pommier*, rätorom. (Graubünden) *pair* und *pairer*, ven. *pero* und *peraro*, span. *pera* und *peral*, *nuez* und *nogal*. Was die Verwendung von -arius betrifft, so scheint dessen weibliche Form in einigen Sprachen durch das alte Genus von lat. arbor bestimmt zu sein, das z. T. bis heute erhalten geblieben ist, vgl. port. *a árvore*, in Sardinien *sas árbures*. Daher catal. *perera* und port. *pereira*, span. *noguera, higuera*, ital. *ficaia*, ven. (Istrien) *figara, nogara* neben *perár* und *pomár*.[108]

Eine andere Art, Baum und Frucht zu unterscheiden, konnte durch Verwendung des Begriffes 'Baum' erreicht werden (deutsch *Birnbaum*, engl. *apple-tree*), vgl. in Sardinien *árvure de pira* 'poirier', *matta* ('plante') *de nuke* 'noyer', in Sizilien *pèdi di ficu* 'figuier', in Corsica *pedi di piru*.[109]

---

[106] Auffällig ist rum. *măr* (mazedorum. *mer*) mit der doppelten Bedeutung 'pomme' und 'pommier', was durch slavischen und balkanischen Einfluß bedingt sein kann; vgl. serbokr. *jabuka* 'pomme' und 'pommier', *kruška* 'poire' und 'poirier', alb. *dardhë* 'poire' und 'poirier', *fik* 'figue' und 'figuier'.

[107] Nach anderer Meinung wäre die Ablösung von pirum durch pira (franz. *poire*, ital. span. *pera*) auf die alte Pluralform zurückzuführen. Der alte lateinische Plural hat sich in kollektiver Funktion behauptet im Rätoromanischen (Rheintal) *la pera*, (Engadin) *la paira* 'les poires', *la maila ei biala* 'les pommes sont belles'. – Zu altfranz. *olive* 'olivier' s. § 151.

[108] In Sizilien und im südlichen Kalabrien (beide im Mittelalter neuromanisiert) ist weibliches *pirara, pumara, ficara, nucara* auf die Gebiete beschränkt, die lange das alte Griechentum bewahrt haben. Die weibliche Suffixbildung ist daher hier wohl durch das griechische System bedingt, wo der Fruchtbaum von der Frucht durch ein weibliches Suffix unterschieden wurde: τὸ μῆλον und ἡ μηλέα, τὸ σῦκον und ἡ συκέα, s. HGI, § 1073.

[109] Zu der ganzen Frage s. die Arbeiten von W.-D. Stempel, Die romanischen Obstbaumbezeichnungen (Heidelberg 1954) und H. G. Schöneweis, Die Namen der Obstbäume in den romanischen Sprachen (Köln 1955).

VII. SYNTAKTISCHE NEUERUNGEN

§ 39. Im Bereich der Präpositionen stellt man mit Überraschung fest, daß die Sprachen, die zu dem galloromanischen Komplex gehören, das lateinische cum[110] aufgegeben und durch apud ersetzt haben (s. Karte 16): altfranz. *od sun pere, ot sun nevou, o lui* (neufranz. ersetzt durch *avec*), altprov. *ab vos, amb un amic, ambe lui* (mod. *emé soun ami*, gasc. mod. *dab u amic*), altkatal. *ab un amic*, mod. *amb un amic, am la mà* 'con la mano'. In einer Zeit, wo die Furcht vor der Homonymie zu einem wichtigen linguistischen Axiom geworden war, hat man die Möglichkeit erwogen, daß das lautliche Zusammentreffen mit *con* < cunnu die Präposition unmöglich gemacht haben könnte.[111] Ein solcher Gedanke muß heute nicht mehr ernsthaft diskutiert werden. Die Begrenzung des Phänomens auf die galloromanischen Sprachen läßt eher daran denken, daß in der gallischen Latinität apud vielleicht deswegen an die Stelle von *cum* getreten ist, weil in der keltischen Sprache die Begriffe 'mit' und 'bei' sich stärker vermischten.[112]

§ 40. Der Übergang von apud zu der neuen Funktion und Verwendung im Französischen (altfranz. *od lui* 'avec lui') konnte nicht ohne Folgen bleiben für die präpositionelle Idee, die einst durch das klassische apud ausgedrückt wurde (s. Karte 17). An seine Stelle sind präpositionelle Wendungen getreten, die meist auf dem Begriff 'Haus' *(casa)* beruhen: *chez mon père*, südfranz.

---

[110] Wir beschränken uns hier auf die Funktion, die den Begriff einer 'compagnie' oder 'réunion' ausdrückt.

[111] Wartburg, FEW I, 1928, 5; eine Deutung, die vom Autor selbst später zurückgezogen wurde (ib. II, 1946, 1546). Nach anderer Meinung wäre das Absterben von cum durch die lautliche 'collision' mit *com* < quomodo hervorgerufen; s. darüber Nyrop, Gramm. VI, 1930, § 116, zuletzt G. Löfgren, Etude sur les prépositions *od, atout, avec* (thèse, Uppsala 1944, S. 22) und G. A. Beckmann, Die Nachfolgekonstruktionen des instrumentalen Ablativs (Tübingen 1963), S. 219.

[112] Diese Erklärung ist vor allem von A. GRAUR mit vielen Beispielen aus den keltischen Sprachen vertreten worden im Bull. de la Soc. de Ling., t. 33 (Paris 1932), 263 ff. Trotz mancher Einwände, die dagegen von Löfgren (1944) und Beckmann (1963) erbracht worden sind, möchte ich die keltische Theorie

(lim.) *chas ieu* 'chez moi', (auv.) *tsa nautre* 'chez nous'.[113] – Es ist weniger klar, warum das alte a p u d auch in den anderen romanischen Sprachen keine Nachfolge gehabt hat. Im Spanischen ist in manchen Fällen die Präposition *con* denkbar: *con mi madre = en casa de mi madre*. In Italien entstand eine neue Präposition aus der Verschmelzung von d e mit a b : *da noi* 'chez nous', *da mia madre*.[114] Anderswo haben alte Adverbien die Funktion der Präposition übernommen. Im Rumänischen und in mehreren italienischen Dialekten dient dazu das lateinische illac = franz. *là*, z. B. rum. *la noi* 'chez nous', *la unchiu meu* 'chez mon oncle', friaul. *là di vó* 'chez vous', in Süditalien (kal.) *lla (ḍḍa) u mèdicu* 'chez le médecin', (apul.) *ḍḍa mátrima* 'chez ma mère'.[115] Noch verbreiteter ist der Ersatz durch die alten Adverbien u b i (de -u b i) und u n d e (de -u n d e), z. B. in Kalabrien *duve u miédicu*, in Neapel *addò o miérico* 'chez le médecin', in Sizilien *unni nui, nni nui*, in Sardinien (campid.) *ande nòs*, in Corsica *dunde noi (ndue noi)* 'chez nous', *duved'ellu* 'chez lui'; vgl. altsard. *ube sa nuce* 'près du noyer' (DES II, 557); s. dazu HGI § 842. Und nicht anders im familiären Spanisch, z. B. *donde mi amigo* 'chez mon ami', *donde el médico*; sehr verbreitet in Amerika: *estuve donde mi tío* 'chez mon oncle'; ebenso in Portugal und Galizien: *ond' o tío*; vgl. judenspan. (Stambul) *ande el šastre* 'chez le tailleur'.

Ganz unabhängig von diesen Lösungen zeigt sich das 'rumantsch' in Graubünden. Begrenzt auf das untere Engadin ist das von lat. p r o p e stammende *pro*, z. B. *pro nus* 'chez nous',

---

weiterhin für diskutabel halten, was keineswegs ausschließt, daß die Latinitas selbst für das Hinübergleiten von a p u d in der Verwendung für c u m gewisse Ansatzpunkte bieten und den Ersatz erleichtern konnte. Positiv für den keltischen Anstoß spricht die Tatsache, daß a p u d in den romanischen Sprachen nur dort erhalten geblieben ist, wo es als Surrogat für c u m fortgeführt wurde; nicht minder die geographische Beschränkung auf die galloromanischen Sprachen.

[113] Vgl. ähnlich in Belgien: wallon. *amon nosôtes* 'chez nous' < *à mohon* 'à maison' (Grevisse, Le bon usage § 931). Im modernen Provenzalischen beruhen *en cò de* (z. B. *encò de moun paire*) und *acò de* nicht auf c a s a (FEW II, 451), sondern repräsentieren *en acò de* 'en cela de'; vgl. katal. *en assò de mon pare* 'chez mon père' < 'en ceci de mon père', *assò d'En Juan* 'la maison de monsieur Jean', gasc. *en çò* oder *en sò dou besi* 'chez le voisin' < in e c c e - h o c. – In der Gascogne ist *a nousto* 'chez nous', *a bòsto* 'chez vous' Reduktion aus *a nousto caso*.

[114] Die Grundlage d e - a b ergibt sich aus altsard. *dave*, modern *dae nóisi* 'chez nous' (HGI § 833).

[115] Siehe HGI, § 863. – Zu der gleichen Funktion ist in Süditalien auch das Adverbium *cca* (eccu-h a c) = ital. *qua* 'ici' gelangt, vgl. in Kalabrien *cca nui* 'chez nous' (ib. § 832.)

pro tai 'chez toi', *pro'l doctur* 'chez le médecin'; vgl. lomb. *apröf al fök* 'accanto al fuoco'. Unklarer Herkunft ist das im Rheintal und im oberen Engadin geltende *tier (tiers)* oder *tar*: *tier nus* 'chez nous', *ir tiel miedi* 'aller chez le médecin', *tar mai* 'chez moi', *tals genituors* 'chez les parents'.[116]

§ *41*. Zu einer Zeit, die sich nicht genau bestimmen läßt, die aber nicht vor der Abspaltung der nordbalkanischen Latinität anzunehmen ist, hat man angefangen, den Gebrauch des Verbums h a b e r e auf gewisse grammatische Hilfsfunktionen zu beschränken: *habeo cantatu, cantare habeo*, um es mehr und mehr in seinen bisherigen possessiven und charakterisierenden Funktionen durch das Verbum t e n e r e zu ersetzen, das bereits im klassischen Latein in gewissen Wendungen sich einer solchen Verwendung genähert hatte.[117] Die moderne Verbreitung des Verbums t e n e r e[118] im Sinne von 'avoir' (s. Karte 18), welche die gesamte hispanische Halbinsel umfaßt (span. *tengo miedo*, port. *eu tenho dois irmãos*, catal. *tenir por* 'avoir peur', *no tenim set*), dazu fast das ganze kontinentale Süditalien *(illu tène dui frati, tiegnu fame)* und Teile von Sardinien *(tengu sonnu, tènnes fámene* 'tu as faim') könnte daran denken lassen, daß die einstige afrikanische Latinität die Rolle einer linguistischen Brücke zwischen Italien und der hispanischen Halbinsel gespielt hat.[119]

---

[116] Die Form *tiers* wird gewöhnlich in adverbialer Funktion gebraucht, z. B. obereng. *metter tiers* 'hinzufügen', *gnir tiers* 'hinzukommen', *trar tiers* 'hinzuziehen', *as fer tiers* 'sich heranmachen': ganz entsprechend dem untereng. *pro*, z. B. *metter pro* 'hinzufügen', *gnir pro* 'hervorkommen'. Eine Herleitung aus lat. *tersus* 'essuyé' > 'pur' > 'tout près' (nach Huonder, RF 11, 1901, 528) ist wenig überzeugend. Man möchte eher an eine Beziehung zu intra (ital. *tra*), inter oder intro (in proklitischer Entwicklung) denken; vgl. in der piemontesischen Valsesia *nt' i sö pare*, in Kalabrien *nti so patri* 'chez son père' (HGI, § 858).

[117] Vgl. *tu argentum tenes* (Plautus), *virtutes tenere* (Cicero); s. Eva Seifert, RFE 17, 1930, S. 243.

[118] In der Toskana und der ital. Schriftsprache findet sich das Verbum *tenere* nur in gewissen Redensarten in Konkurrenz mit *avere*, z. B. *la teneva molto cara* (Straparola) = *l'aveva molto cara*; in der Toskana *ti tengo caro*. In Corsica kann man sagen *tengu cara a Maria* und sogar *tengu l'amigi* (ALEIC, c. 405). – In Sizilien und im südlichen Kalabrien ist das Verbum *aviri* 'avere' (statt *tenere*) nicht einer älteren Latinität zuzuschreiben, sondern ist bedingt durch die mittelalterliche Neuromanisierung; s. § 145.

[119] In den Zentralmundarten von Sardinien ist an die Stelle von 'tenere' das lat. d u c e r e getreten: *júkete dèke ervèkes* 'il a dix moutons', *juko sa vrèbbe* 'ho la febbre'.

Doch tiefer greifende Untersuchungen, wie sie besonders von Eva Seifert in eingehender Prüfung älterer Texte durchgeführt worden sind, haben erkennen lassen, daß eine vom Lateinischen her im Keime existierende immanente Tendenz erst allmählich im Laufe des Mittelalters in den genannten Ländern spontan und unabhängig voneinander zu dem heutigen Zustand sich entwickelt hat. Im Katalanischen hat das Verbum *tenir* noch heute das Verbum *haver* in einer Verwendung neben sich, die für spanisch *tener* seit langem nicht mehr denkbar ist.[120] In Sardinien gehen die Zeugnisse für die Verwendung von *tenere* im Sinne von 'avoir' nicht über das 15. Jahrhundert hinaus.[121] Und erst kürzlich hat Simone Escoffier gezeigt, daß auch in verschiedenen Zonen von Südfrankreich nicht nur ein latenter Gebrauch von 'tenir' anzutreffen ist, sondern daß in einer kleinen Zone 'aux confins de l'Auvergne et du Bourbonnais' das Verbum *tenir* weitgehend die Funktion von 'avoir' übernommen hat.[122] Eine maximale Entwicklung haben wir im Portugiesischen, wo das Verbum *ter* sogar in der Bildung des 'perfeito composto' an die Stelle von *haver* getreten ist: *tenho comprado, tenho ido*. Diesem Gebrauch nähern sich einige Mundarten in Süditalien; s. HGI § 733.

§ 42. Der Verlust der lateinischen Flexionsendungen hat zur Folge gehabt, daß Nominativ und Akkusativ nicht mehr unterschieden werden. Dieser Zusammenfall hat in den meisten Fällen für das sprachliche Verständnis keine Bedeutung gehabt: *mon ami aime le vin, il cacciatore ha ammazzato una volpe, mi hermano ha comprado una casa, tre figlie ha avuto la Giovanna, la rivière a emporté le pont.* In diesen Beispielen ist ein Mißverständnis nicht denkbar. Die Situation ist weniger klar, wenn Subjekt und Objekt durch eine Person oder ein anderes lebendes Wesen gebildet ist, ohne daß aus der Verbalform die grammatische Beziehung erkennbar ist: Claudia laudabat Maria(m). Im Französischen ist die Unklarheit durch eine rigorose Wortstellung beseitigt worden: *Pierre aime Marie, le père appelle le fils, le chat a attaqué le chien.* Diesem Prinzip folgt auch das Italienische: *Pietro ha chiamato la sorella.*

---

[120] Seifert, in Estudis Romanics 6, 1958, S. 33ff.
[121] Seifert, ZRPh 50, 1930, S. 11.
[122] In Festschrift W. von Wartburg (Tübingen 1968), Bd. II, S. 63–85. Vgl. im regionalen Französisch des westlichen Languedoc *quel nous tenons aujourd'hui* 'quel jour avons-nous?' (Michel, Le français de Carcassonne, 207).

In anderen Sprachen wurde der Konflikt dadurch gelöst, daß das persönliche Objekt durch eine Präposition eingeleitet wird, mit der eine Einwirkung auf das Substantivum und damit dessen Passivität ausgedrückt wird (s. Karte 19). Es war naheliegend, daß dafür die gleiche Präposition verwendet wurde, die auch in anderen Fällen eine Zielrichtung oder ein Direktivobjekt ausdrückt: *il faut s'adresser au chef de la gare, ho scritto al municipio.*

So ist es zu dem sogenannten persönlichen oder präpositionalen Akkusativ gekommen, der für die Sprachen der hispanischen Halbinsel charakteristisch ist:[123] span. *saludo a los amigos, hay que llamar a María*, port. *não podo servir a dois senhores, o pai quere muito aos filhos*, catal. *m'ha mirat a mi* 'il m'a regardé, moi', *a tu et cerc* 'c'est toi que je cherche', in der älteren Sprache *amar e tembre a Deu* (Bernat Metge), *faeren rey a don Anrich* (Cron. Jaume).[124]

Nördlich der Pyrenäen findet dieser Akkusativ seine Fortsetzung im gesamten Gebiet der Gascogne: *que cerqui a Mario* 'je cherche Marie', *sense counéche ad arrés* 'sans connaître personne', *as bist a Yan* 'as-tu vu Jean?'[125] Auch in den Mundarten des Languedoc (Aude, Hérault, Toulouse) und des Périgord ist er noch ziemlich gewöhnlich und wird hier in das regionale Französisch übertragen: *à ton père je l'ai vu, je vous embrasse à tous, à lui on ne l'a pas voulu*; vgl. périg. *lou couneissès a Jacou?* 'vous connaissez Jacques?'[126]

Die gleiche Unterscheidung des persönlichen Akkusativs mittelst der Präposition a d gilt für ganz Süditalien: von Sizilien

---

[123] Zu seinem Ursprung und den Etappen der Entwicklung s. besonders (mit unterschiedlichen Erkenntnissen) die Arbeiten von H. MEIER, in Ensaios de filologia românica (Lisboa 1948), S. 115–164, G. REICHENKRON in RF 63, 1951, S. 342 ff. und in profunder Synthese NICULESCU (s. Anm. 131) S. 167 ff.

[124] Zu den Verhältnissen im Katalanischen, wo heute der Gebrauch auf sehr enge grammatische Grenzen beschränkt ist. s. H. Meier, BFil 8, 1947, 237–260; s. dazu auch AM I, 3 und Moll, GHC, § 495. Der häufigere Gebrauch in der neueren Literatur, z. B. bei Verdaguer *mata al gegant Anteu, visitava als malalts* wird von den katalanischen Grammatikern als 'castellanismo' betrachtet und als barbarismo getadelt (A. Par, Sintaxi § 409).

[125] ROHLFS, Le Gascon § 496.

[126] Siehe Ronjat, Gramm. III, 541; L. Michel, Le français de Carcassonne (Montpellier 1950), S. 88; J. Séguy, Le français parlé à Toulouse (1951), § 68. Als 'gasconisme' bei französischen Autoren des 16. Jahrhunderts: *lequel nous trouva, à Monsieur de Salcède et à moi* (Monluc I, 234), *les occasions qui m'ont guery à moi* (Montaigne, Essais III, 37); vgl. bei Molière (Scapin, en contrefaisant le langage gascon) *comment, tu me traites à moi, avec cette hauteur?* (Fourb. 3, 21).

bis über Rom und die Abruzzen hinaus nach Umbrien und in die Marken: siz. *ora lassamu a Ppètru* 'maintenant nous laissons Pierre', calabr. *non pozzu vidiri a sta fimmina* 'je ne peux pas voir cette femme', abr. *t'a pagát a tté* 'il t'a payé'? Ebenso für Sardinien und Corsica: sard. *no tteniat' a nnémusu* 'il n'avait personne', *ki kirkat a Deus a Deus akattat* 'qui cherche Dieu trouve Dieu', kors. *aghiu vistu a mámmata* 'j' ai vu ta mère'.[127] Mit Sardinien und Corsica gehen auch die kleineren Inseln: Elba *volemo invitare a Ppaolo*, Giglio *avemo visto a Ppietro*.[128] In Oberitalien begegnet dieser Akkusativ nur noch in einzelnen Zonen, z. B. triest. *mi te voi a ti* 'moi, je veux toi'.[129] – Sehr üblich ist dieser Akkusativ im ladinischen Engadin: *eu non vögl a quaist trid vegl* 'je ne veux pas ce vilain vieillard', *Gessler voul metter in preschun a Tell, a chi nomnain nus superiurs?, amar a bap et a mamma.*[130]

Anstatt des gemeinromanischen a d dient im Rumänischen zum Ausdruck des persönlichen Akkusativs die Präposition per: *aud pe Jon* 'j'entends Jean', *văd pe tată* 'je vois le père', *pe cine ai văzut* 'qui as-tu vu?', *boul l'a lovit pe cal* 'le boeuf a cogné le cheval'.[131] Die rumänische Form, die vor dem 16. Jahrh. noch nicht bezeugt ist, zeigt, daß es sich in den anderen romanischen Sprachen nicht einfach um einen Ersatz des Akkusativs durch den Dativ handeln kann, da ja im Rumänischen der vorhandene besondere Dativ *fratelui* 'au frère' dafür nicht verwendet wird.[132]

---

[127] HGI § 632 und Don. natal. K. Jaberg (1937), S. 60.

[128] Bemerkenswert ist, daß auch Städtenamen diesem Gebrauch folgen: span. *conozco a Sevilla*, port. (liter.) *visitei a Coimbra uma única vez*, ital. (Elba) *o veduto a Ppisa*, kors. *cunnoscu a Parigi*, in Kalabrien *tu cce sai a Napuli* 'tu conosci Napoli?' (Accattatis, Vocab. 659), in Sardinien *dia kérre visitare a Firenze* 'vorrei visitare Firenze'.

[129] Siehe HGI § 632. – In der gallosizilianischen Mundart von Nicosia dient dafür die Präposition *da*, z. B. *spaventa da noi e dai nimai* 'egli spaventa noi e gli animali', das sonst den Dativ ausdrückt: *da min di ste cose* 'à moi tu dis ces choses' (ib. § 638).

[130] DRG, I, 53; A. Velleman, Alchünas remarchas davart l'ortografia e la grammatica della lingua ladina (Samaden 1912), S. 51–57.

[131] Zum Gebrauch im Rumänischen, siehe St. Stinghe, Jahresbericht des rumän. Institutes zu Leipzig 3, 1896, S. 183 ff. und 4, 1897, S. 228 ff.; Puscariu in Etudes de linguistique roumaine (1937), S. 439–457 = Dacoromania II, 565 ff.; A. Niculescu, in Recueil d'études romanes publié à l'occasion du IXe Congrès intern. de ling. rom. (Bucarest 1959), S. 167–185; Liviu Onu im gleichen Band 187–209; Sorin Stati in RRL XI, 1966, S. 133–141.

[132] Man hat öfters den Gebrauch des rumänischen *pe* (ältere Form *pre*) auf slawische Einflüsse zurückführen wollen. In der Tat kennen die slawischen Sprachen einen vergleichbaren Unterschied zwischen leblosem und belebtem Objekt, indem sie mit Hilfe des Genitivs das Objekt klarer kennzeichnen;

Es ist zu beachten, daß der Gebrauch von *pe* in den abgesplitterten Mundarten (Mazedonien, Istrien) unbekannt ist.[133] Will man für das westromanische *a* und das ostromanische *pe* einen syntaktisch gemeinsamen Ursprung[134] suchen, so wird man den beiden Präpositionen am ehesten jene Funktion zuschreiben, die darin besteht, ein Objekt hervorzuheben, pour mettre l'objet en relief,[135] um auf eine Person oder eine Sache ein Interesse, eine Aufmerksamkeit oder eine Konzentration zu lenken, vgl. franz. (in affektischen Ausrufen) *au feu!*, *au voleur!*, *au renard!*, sizil. *a vui mi vuliti purtari sta cascia* 'vous, voulez-vous me porter cette caisse?', *a tia, a tia, chi sta' facennu ḍḍocu?* 'toi, toi, qu'est-ce que tu es en train de faire là?', in Korsika *a chi passava, a chi venia, paisani, cittadini* 'qui passait, qui venait, paysans, bourgeois',[136] franz. *pour gentille, elle est très gentille*, ital. *per*

---

s. dazu BERNEKER, Zeitschr. für vergleich. Sprachforschung 37, 1904, S. 364 ff., H. WISSEMANN, ib. 73, 1956, S. 129 ff., F. SOMMER, IF 36, 1915, 302 ff. Doch läßt sich damit das rumän. *pe* nicht erklären. Genauer zur syntaktischen Funktion des rumän. *pe* stimmt der Gebrauch der Präposition *na* 'à', die in gewissen Fällen dem ital. *per* entspricht, z. B. *tri na glavu* 'tre per testa'. Dieses *na* dient in bulgarischen Mundarten zur genaueren Bestimmung des persönlichen Objekts, z. B. *go najdel na Jane* 'il a trouvé Jean', *go videli na čovekot* 'ils ont vu l'homme'; s. Sandfeld 187 und GR. NANDRIŞ, Mélanges Mario Roques, tome III (1952), 159 ff. Doch es ist keineswegs sicher, daß das rum. *pe* ein 'calque d'après le slave' ist. Es kann sich um eine 'innovation' handeln, die in beiden Sprachen unabhängig und parallel ist. Auch ein 'calque inverse' ist denkbar: 'le problème est complexe'; s. dazu Liviu Onu (Anm. 131), S. 187 ff.

[133] Mit dem rum. *pe* läßt sich vergleichen das *per*, mit dem in der 'lingua franca' der Mittelmeerländer eine Objektsbezeichnung ausgedrückt wird: *mi mirato per ti* 'je t'ai regardé', *mi ablar per ti* 'io ti dico' (ZRPh 33, 445). – Eine ganz ähnliche Verwendung von 'pour' zum Ausdruck des persönlichen Akkusativs kennen die Mundarten der östlichen Gascogne mittelst der Form *enda*, vgl. *end' anà bene* 'pour aller vendre', *enda la molo* 'pour le moulin', *aunòro enda ta pay e'nda ta may* 'honore ton père et ta mère' (Rohlfs, Le Gascon § 496 und 519). – Siehe noch § 151.

[134] Die These eines vulgärlateinischen Ursprungs, in den auch die rumänische Konstruktion mit *pe* einbezogen ist, wird von MEIER (Ensaios 115 ff.) vertreten: nicht überzeugend; s. dazu G. HATCHER, in Mod. Lang. Notes 57, 1942, S. 421 ff. und Spitzer in ZRPh 48, 1928, S. 431.

[135] Siehe dazu besonders R. LAFONT, La phrase occitane, 1967, S. 304. Schon RONJAT (Gramm. hist. 3, § 778) hat diesen Umstand mit Recht hervorgehoben: 'on peut considerer le fait comme règle quand il y a répétition de régime: *lou qui-m aime à you* 'celui qui aime moi', *aimats-le pla, al vostre paire* 'aimez-le bien, votre père'; ähnlich NICULESCU (n. 131), S. 184.

[136] Vgl. noch aus Sardinien ein Beispiel mit nachgestelltem Relativsatz (als Subjekt) *quadru no dèppi mmòrri a kkini nasci ttundu* 'carré ne doit pas mourir qui naît rond'; aus Neapel den Verkäuferruf *a chi vo' acqua?* 'qui veut de l'eau?' (Don. Natal. Jaberg, 1937, S. 60).

vicina, la strada è vicina, per vero era vero 'pour vrai c'était vrai',
per essere grande la casa era grande (HGI § 987, 989).
Schon Meier hat mit Recht darauf hingewiesen (BF 8, 1947,
252), daß im Katalanischen, wo der präpositionale Akkusativ
nicht sehr verbreitet ist (s. Anm. 124), dieser gern angewendet
wird, wenn er dem Verbum vorausgeht (acusativo preposicional
de colocação) und durch ein Personalpronomen repetiert wird:
als amichs de Deu la caritat los governa, a tu qui't salva?,
a Valencia no l'ovira 'a Valencia no l'avista', *a totes les havia*
amades tendrament (aus literarischen Texten). Das emphatisch
betonte Objekt kann auch in Form einer 'reprise' dem Verbum folgen: *et cerc a tu = a tu et cerc* 'c'est toi que je cherche' (Moll, GCB, § 239), *ja sé com l'hai d'amoixar, a Na*
Rosó 'je sais comment la flatter, madame Rosó' (Moll, GHC
§ 496).
Es handelt sich hier im Sinne eines 'effet d'insistance' um
klare Fälle der syntaktischen Hervorhebung 'pour mettre
l'objet en relief'.[137] Dem entspricht genau der Gebrauch im
Gaskognischen: *ela me paga a mi* 'elle me paie, moi', *dous*
béde a touts dus 'de les voir, tous deux'; vgl. im regionalen
Französisch des Languedoc *à ton père, je l'ai vu* (Michel 87).
Wie weit selbst im Katalanischen unter solchen Umständen
der Gebrauch gehen kann, zeigen die von Moll für die Balearen gegebenen Beispiele' wo die Präposition sogar bei einem Sachobjekt nicht ausgeschlossen ist: *no la cridis, a la*
Senyora 'ne l'appelle pas, la dame', *colliules, a les peres, que*
ja son madures 'cueille-les, les poires, elles sont déjà mûres'
(Moll, GCB § 239).[138]

§ 43. Als subordinierende Konjunktionen zur Einleitung von
Objektsätzen verfügte das Lateinische über zwei Konjunktionen,
deren Gebrauch scharf geschieden war: *ut* bzw. *quod* (oder
quia). Ersteres war beschränkt auf einen Willensakt, während
quod (oder *quia*) nach Verben des Glaubens und Sagens ver-

---

[137] Siehe dazu LAFONT 304. – Schon SPITZER (ZRPh 48, 1928, S. 424) hat
den ursprünglichen Affektgehalt des präpositionalen Akkusativs betont.
[138] Dazu werden mir von dem Herausgeber des großen katalanischen Wör-
terbuchs (Fr. de B. Moll) für die katalanische Volkssprache in Mallorca andere
Beispiele mitgeteilt: *a ses orugues, les hem de matar* 'les chenilles, il faut les
tuer', *entrem les, a ses gallines* 'rentrons-les, les poules', *a ses patates else*
pelarem 'les pommes de terre, nous les éplucherons', *mengem-mos-les, a ses*
pomes! 'mangeons-les, les pommes!'

wendet wurde, z. B. *volo ut mihi respondeas* (Cicero), andererseits Lucas 19, 22 *sciebas quia ego homo sum austerus* (in der Itala), *sciebas quod ego austerus homo sum* (in der Vulgata).[139] Dieser Unterschied wird noch heute im Rumänischen streng eingehalten, z. B. *voiu să vină* 'je veux qu'il vienne', *cred că va veni* 'je crois qu'il viendra'.. Es gebraucht also das Rumänische an der Stelle des lateinischen *ut* die Konjunktion *să* (< si), an der Stelle von *quia* (oder *quod*) die Konjunktion *că* (< quod). In dieser strengen Scheidung geht das Rumänische konform mit den meisten anderen Balkansprachen, die ebenfalls in jedem der beiden Fälle eine besondere Konjunktion verwenden (s. Karte 20): bulgar. *da* bezw. *če* (oder *što*), alb. *të* bezw. *që* (oder *se*), neugriech. νά bezw. ὅτι (oder πῶς).[140] Keine andere romanische Sprache hat diese altertümliche Eigenart bewahrt. Nur die Mundarten des südlichen Italiens (bis zur ungefähren Linie Neapel-Scanno-Chieti) sind auf dieser Sprachstufe geblieben.[141] In dieser geographischen Begrenzung wird nach den Verben, die ein Wollen oder eine Absicht ausdrücken, eine besondere Konjunktion verwendet (*ki*, *kə*, *cu*, *mu* oder *mi*), die nach den Verben einer Aussage oder eines Glaubens nicht denkbar ist.[142]

Wir geben dafür einige Beispiele, indem wir folgende Sätze zugrunde legen: 'ich will, daß er kommt', 'ich glaube, daß er kommen wird'.

---

[139] In der antiken Latinität finden wir *quod* und *quia* beschränkt auf die Verben des Affekts, z. B. bei Plautus *me quia non accepi piget* (Pseud. I 3, 47), *quod male feci crucior* (Capt. V 3, 19).

[140] Siehe dazu Kr. Sandfeld, *Linguistique balkanique* (Paris 1930) S. 175 ff.

[141] Die hier gegebene Begrenzung 'bis zur ungefähren Linie Neapel–Scanno–Chieti' will nicht sagen, daß die Unterscheidung in allen Landschaften südlich dieser Linie streng durchgeführt wird. In vielen Zonen hat sich der alte Unterschied bereits verwischt, indem man sich teils für *che* teils für *ca* entschieden hat. So hat man in Lukanien heute *ca* verallgemeinert, während in Kampanien *ca* vor *che* zurückweicht. Am strengsten wird der alte Unterschied im südlichen Kalabrien und im südlichen Apulien durchgeführt, d. h. in den Gebieten, die am längsten die griechische Sprache bewahrt haben; s. Verf., *Scavi linguistici nella Magna Grecia* (Roma-Halle 1933).

[142] Die neugriechische Unterscheidung gilt absolut auch für die griechischen Mundarten in Süditalien, z. B. in Kalabrien *ϑèlo na èrti* 'voglio che venga', aber *su lègo ti èrkjete* 'ti dico che verrà'; im südlichen Apulien (Salento) *telo na èrti*, aber *ipistèo ti* (heute meist durch ital. *ca* ersetzt) *èrkjete* 'penso che verrà'; s. LexGr. 185, 371.

	voglio che lui venga	penso che verrà
Sicilia (Palermo)	*vògghiu ki bbinissi*	*pensu ca vèni*
Sicilia (prov. di Messina)	*ògghiu mi vèni*	*critu ca vèni*
Calabria meridionale	*vògghiu mi (mu) vèni*[143]	*pensu ca vèni*
Calabria settentrionale	*vuogliu ki bbène*	*criju ca vène*
Puglia mer. (Salento)	*ògghiu cu bbène*	*crisciu ca vène*
Napoli	*vògliə kə bbènə*	*pènsə ca vènə*
Puglia settentrionale	*vògghiə kə bbènə*	*pensə ca vènə*
Abruzzo	*vòjjə kə bbenə*	*pensə ca venə*

Es zeigt sich hier in ganz Süditalien eine Feinheit der konjunktionalen Unterscheidung, die eine besondere Denkweise voraussetzt.[144] Die auffällige Übereinstimmung zwischen Süditalien und den Sprachen des Balkans beruht sicherlich nicht auf einem Zufall. Man darf vielmehr annehmen, daß diese Unterscheidung als innere Sprachform durch die hier fortwirkenden griechischen Einflüsse länger bewahrt werden konnte, als es in anderen Teilen der italienischen Halbinsel möglich war.[145]

§ *44.* Zu den syntaktischen Strukturmerkmalen, in denen die französische Sprache in markanter Weise von den germanischen Sprachen sich unterscheidet, gehört die (in gewissen Kategorien) unterschiedliche Stellung des attributiven Adjektivums.[146] Im Gegensatz zu den germanischen Sprachen, jedoch in Übereinstimmung mit den anderen romanischen Sprachen, pflegen die attributiven Adjektive, die einen Unterschied der Form, der Farbe, der Situation und der Nation ausdrücken dem Substan-

---

[143] Über die Entstehung der Konjunktion *mu* (Variante *mi*), die mit dem Adverbium *mo*, *mu* 'jetzt' (< m o d o) identisch ist, s. Verf., HGI § 789.

[144] Man verwendet also im Sinne von latein. u t (rum. *să*) in Süditalien *mu* (Kalabrien), *cu* < q u o d (Südapulien) und *che* (= gemeinromanisch *che*, *que*); im Sinne von lat. q u i a (oder q u o d) ganz allgemein das aus q u i a (vulgärlat. q u a) entstandene *ca*; s. dazu HGI, § 786ª, 788, 789.

[145] Andere Beispiele für das Fortleben der inneren griechischen Sprachform habe ich gegeben in *Griechischer Sprachgeist in Süditalien* (SBAW 1947, Heft 5).

[146] Zur allgemeinen Stellung des Adjektivums, s. besonders die Arbeiten von A. Blinkenberg, L'ordre des mots en français moderne. Deuxième partie. Kopenhagen 1933; K. Wydler, Zur Stellung des attributiven Adjektivs vom Latein bis zum Neufranzösischen, Bern 1956; E. Gamillscheg, Historische französische Syntax (Tübingen 1957), S. 25 ff.

tivum zu folgen: *une table ronde, la main gauche, une place carrée, le drapeau rouge, l'esprit français.*[147] Diese strenge Regel, die in der Schriftsprache nur zu stilistischem Effekt durchbrochen wird, war im Mittelalter noch keineswegs fixiert. Wir zitieren einige Beispiele aus dem Rolandslied: *la blanche barbe, dis blanches mules, la verte herbe, la neire gent, la destre main, la paiene gent, les franceis chevalers, la franceise gent, les sarrazins messages.* Man hat schon immer vermutet, daß im Zeitalter der fränkisch-romanischen Bilinguität diese Stellung des Adjektivums besonders in den Teilen des romanischen Frankenreiches sich verallgemeinert hat, die am stärksten den germanischen Einflüssen ausgesetzt waren.[148] Wir sehen einen Beweis für diese Meinung in der Tatsache, daß in der ganzen Grenzzone vom wallonischen Belgien über Lothringen und die Vogesen bis in die Schweiz in den modernen Mundarten diese Stellung des unterscheidenden Adjektivums noch heute vorherrschend oder alleingültig ist (s. Karte 21). In dieser nördlichsten und östlichsten Randzone des französischen Sprachgebietes ist die Voranstellung des Adjektivums so festgewurzelt, daß diese Stellung aus den Mundarten sich auch in das regionale Französisch überträgt: *un blanc fil, mon sale linge, un propre col, ma neuve chemise, la droite main, du nouveau vin.* Hier einige Beispiele aus den Mundarten: wallonisch (Lüttich) *dè neur pan* 'du pain noir', *on rodje vizèdje* 'un visage rouge', *del vète sope* 'de la soupe verte', *ine blanke robe* 'une robe blanche'.[149] Aus den Mundarten der Vogesen: *frod óve* 'eau froide', *nor miel* 'merle noir', *lè gotche mé* 'la main gauche', *le crou tchié* 'la viande crue', *volan-rèt* 'chauve

---

[147] Wir sehen hier ab von den besonderen Fällen, wo die Stellung eines Adjektivums durch einen 'sens figuré', durch affektische oder impressionistische Verwendung zu allen Zeiten sich den normalen Regeln entzieht. Also Fälle wie *le bleu ciel d'Italie, la blanche neige, une verte réponse, la protestante Angleterre, la religieuse Irlande, la plus française façon, ma désolée maîtresse, l'impossible pardon.* – Siehe dazu GAMILLSCHEG, a. a. O. 34; MARIO WANDRUSZKA, ZFSL 75, 1965, S. 145–163 und 'Sprachen vergleichbar und unvergleichlich' (1969), S. 153 ff.

[148] Diese Meinung wurde zum ersten Mal von H. Morf vertreten in Romanische Studien 3, 1878, S. 267. Gegen eine solche Auffassung hat sich besonders MICHAELSSON ausgesprochen (Mélanges Dauzat, 1951, 215 ff.) mit Argumenten, die nicht überzeugen. Unsere heutigen Kenntnisse der altgermanischen Situation, die für Frankreich in Frage kommt, bekräftigen die Annahme germanischer Einflüsse; s. dazu besonders G. HILTY, in Festschrift für Wartburg (Tübingen 1968), Band I, S. 496 und GAMILLSCHEG, Romania Germanica, Bd. I, 1970, S. 422.

[149] Zum Wallonischen s. L. REMACLE, Syntaxe du parler wallon de La Gleize (Paris 1952), S. 146 ff.; M. GREVISSE, Le bon usage (1969), § 398 (note).

souris' ('rat volant'), *i sovètch peri* 'un poirier sauvage'. In der nordwestlichen Schweiz *byã fi* 'fil blanc', *in byantch tchemij* 'une chemise blanche', *in byo poə* 'un porc bleu' (GSR).

§ 45. Aufschlußreich für unsere Frage sind die geographischen Namen, weil man für sie eine längere Tradition und ein größeres Beharrungsvermögen voraussetzen kann. Zwei Bergseen in den Vogesen (westlich von Colmar), offiziell bekannt unter dem Namen 'Lac Blanc' und 'Lac Noir' werden in den lokalen Mundarten (mittelst *mare* 'lac') *Biantse Mòre* und *Nore Mòre* genannt. Ein Dorf in den Vogesen, heute *Rombach-le-Franc* genannt, hieß noch vor einigen Jahrzehnten *Allemand-Rombach*. Ein Nebenfluß der Saar in den Vogesen heißt *Rouge-Eau*. Verschiedene Bäche in der Westschweiz, deren Namen mit aqua gebildet sind, heißen *Noiraigue, Neirigue, Rougeve, Albeuve, Neirivue*.[150] Aus der Schweiz nennen wir noch *Blanche-Eglise* (Bern), *Blancheroche* (Neuchâtel), *Blanruz* 'ruisseau blanc' (Fribourg); s. GSR II, 413. Allein in der Normandie kennt man sieben Ortschaften des Namens *Anglesqueville (Englesqueville, Angloischeville)* und sieben Ortschaften des Namens *Bretteville* 'colonie bretonne'. Zwei Ortschaften in der Normandie (dép. Manche und Seine-Maritime) heißen *Flamanville*. Ebenfalls in der Normandie liegt der Ort *Ticheville* (theutisca villa).[151] – Bemerkenswert ist die geographische Verteilung der Namen des häufigen Typs *Neuville* und *Villeneuve*. Während die Namen des Typs *Villeneuve* sich ungefähr zur Hälfte auf Nord- und Südfrankreich verteilen (41 nördlich, 54 südlich der Loire), sind von den 61 Gemeinden des Typs *Neuville* 55 nördlich der Loire lokalisiert, während sechs andere Gemeinden der nördlichen Zone des Midi (nördlich der Linie Bordeaux-Valence) angehören; dagegen nicht ein einziges *Neuville* südlich dieser Linie.[152] Dazu muß man wissen, daß es in Spanien 210 Orte des Namens *Villanueva (Villanova)* gegenüber einem einzigen Vertreter von *Nuevavilla* gibt.[153] In Italien findet man 87 Örtlichkeiten des

---

[150] W. BRUCKNER, Schweizerische Ortsnamenkunde (Basel 1945), S. 166.
[151] Zu *tiche* (altfranz. *tiois*, fem. *tiesche*), vgl. *Audun-la-Tiche* in Lothringen, von den Deutsch-Lothringern *Deutsch-Oth* genannt.
[152] Unsere Zählung beruht auf der Nomenclature des bureaux télégraphiques (Paris 1965).
[153] Die Zählung stützt sich auf das Diccionario corográfico de España (Madrid 1948).

Typus *Villanova*, aber nicht ein einziges *Novavilla*.[154] Was den Typ *Neufchâteau* und *Châteauneuf* betrifft, so ist der erstere in Frankreich nur fünfmal bezeugt: alle nördlich der Loire. Von den 32 Ortschaften *Châteauneuf* liegen 28 südlich der Linie Loiremündung – Basel. – Aus Frankreich verzeichnen wir noch folgende 'noms de commune': *Blancheglise, Blanchefosse, Blancherupt* (rivus), *Blancmesnil, Rougefay* ('Buche'), *Rouge-goutte, Rougemont, Rougemontier, Rouges-Eaux*: alle nördlich der Loire gelegen.[155]

Unser Gedanke, daß die charakteristische Voranstellung solcher Adjektive in den nördlichen und östlichen Randgebieten von Nordfrankreich durch das germanische Superstrat bedingt ist, will nur so verstanden werden, daß eine aus dem Vulgärlatein ererbte Tendenz (vgl. *aubépine* < alba spina, *Auberive* in der Champagne) durch die germanischen Einflüsse verstärkt und generalisiert worden ist.[156] – In diesem Zusammenhang mag auf das moderne Rumänisch hingewiesen werden, wo unter französischen (und vielleicht auch russischen) Einflüssen eine stärkere Neigung existiert, das attributive Adjektivum dem Substantivum vorausgehen zu lassen: *un bun om = un om bun, o bună parte* 'une grande partie'.[157] – Auch in der rumänischen Toponomastik romanischer Prägung gilt der romanische Typ 'Villeneuve', z. B. *Satu-Nou, Satu-Mare* 'ville grande', *Cîmpulung, Cetatea-Albă*, im Gegensatz zu den Namen slawischer Herkunft: *Cernavodă* 'noire eau', *Novo Seliţa* 'nouveau village'. – Die gleiche romanische Stellung im Baskenland: *Iriberri* 'ville neuve', *Elizaberry* 'église neuve', *Ilurriotz* 'fuente fría', *Uribarri* 'agua nueva'.

---

[154] Nach dem Indice generale della carta d'Italia del T. C. I., compilato sotto la direzione di L. V. Bertarelli (Milano 1916). – Man beachte auch den Unterschied zwischen *Chaumont* (18mal in Frankreich, meist nördlich der Loire gelegen) gegenüber *Montecalvo*, 10mal in Italien, wo es ein *Calvomonte* nicht gibt.

[155] Die Häufigkeit dieser Stellung soll aus den nördlichen Départements durch folgende 'lieux-dits' bezeugt werden (nach den Dictionnaires topographiques départementaux). In der Normandie (Calvados): *Blanc-Buisson, Blanche-Maison, Blanche-Roche, Rouges-Crières* ('crayères'), *Rouge-Crotte, Rouge-Fosse, Rouges-Fontaines, Rouges-Fossés, Rouges-Terres, Rouge-Val, Noireau, Noire-Mare, Noires-Fosses, Noirval, Vert-Val*. In der Pikardie (Aisne) *Blanchecourt, Blanchefontaine, Blancmont, Blanc-Sablon, Blancs-Fossés, Blanques-Voies, Rougemaison, Verte-Vallêe, Normezière*. In Lothringen (Meuse) *Blanc-Chêne, Blanche-Côte, Blanche-Pierre, Blanc-Saule, Rouge-court, Noire-Borne, Noire-Mare, Noires-Terres, Noirvaux*.

[156] In diesem Sinne faßt auch Hilty (s. Anm. 148) sein Urteil zusammen.

[157] Siehe AL. GRAUR, La romanité du roumain (Bucarest 1965), S. 65. Diese Neigung ist unabhängig von einem affektisch betonten Adjektivum 'mis en relief': *frumoasă casă* 'très jolie maison', *bietul om* 'le pauvre homme'.

VIII. HYPOKORISTISCHE WORTSCHÖPFUNG
(DIMINUTIVA)

§ 46. Es ist ein bekanntes Merkmal der Volkssprache, daß sie in affektbetonter Anteilnahme die Dinge zu verniedlichen trachtet: 'en les caressant'. Die vulgäre Latinitas beruhte weithin auf der familiären Alltagssprache, wie sie z. B. in einer häuslichen Gemeinschaft zwischen Mutter und Kindern üblich ist. So wie in süddeutschen Mundarten *Häusle, Schäfle, Kälble, Wägele, Hasle* im Sinne von 'Haus', 'Schaf', 'Kalb', 'Wagen', 'Hase', üblich sind, dürfen wir diese Neigung auch für das familiäre Latein voraussetzen.

Der unbekannte Schulmeister, dem wir die sprachlichen 'praecepta' verdanken, die uns in der sogenannten 'Appendix Probi' überliefert sind, tadelt die Vorliebe für verkleinernde Bildungen:

auris non oricla	anus non anucla
fax non facla	neptis non nepticla
catulus non catellus	iuvencus non iuvenclus

Diese Schulregeln haben keinen großen Erfolg gehabt. Von den sechs getadelten Wörtern sind fünf in den romanischen Sprachen nachweisbar: franz. *oreille* (span. *oreja*, usw.), prov. *falha*, ital. *catello*, in rätoromanischen Mundarten *nocla* 'alte Mutter', in französischen Mundarten (Poitou) *jouencle* 'boeuf de deux ans' (FEW). – Im einzelnen kann man unterscheiden zwischen gemeinromanischen Bildungen einer älteren Zeit (auris > oricla, genu > genuclu) und anderen Bildungen, die entweder sich später ausgeprägt haben oder nur in begrenztem Umfang in die Gemeinsprache eingedrungen sind, vgl. franz. *taureau* gegen ital., span. *toro*, franz. *abeille*, span. *abeja* gegen ital. *ape*, franz. *corbeau* gegen ital. *corvo*, span. *cuervo*.[158]

§ 47. Ein typisches Beispiel für die galloromanische Sonderentwicklung haben wir in dem Namen der Sonne (s. Karte 22). Wäh-

---

[158] Anders zu beurteilen ist die Vorliebe für Diminutive in der Dichtersprache der Plejade, wo sie in einer modischen Literatur als tändelndes poetisches Stilmittel dienen, z. B. Ronsard:

> *Une avette sommeillant*
> *Dans le fond d'une fleurette*
> *Luy piqua la main tendrette.*

rend in den meisten romanischen Sprachen das lateinische sol
sich erhalten hat (ital. *sole,* span. *sol,* rum. *soare,* usw.), ist in fast
ganz Frankreich das alte Wort durch das diminutive soliculus
ersetzt worden: *soleil,* prov. *solelh,* mod. *soulèu.*[159] Mit der französischen Neuerung[160] geht das gesamte rätoromanische Sprachgebiet vom Gotthard (Rheintal *sulegl)* über das Engadin *(sulagl)*
und die Dolomiten *(soredl)* bis ins friaulische Oberitalien *(sorèli).*
Als letzter Rest der alten 'comunidad galoromanica' findet sich
solell (solei) im Katalanisch der Balearen, heute veraltet und
durch *sol* ersetzt (AM IX, 992).[161] Mit Recht hat schon Vossler
betont, daß in dem Diminutivum nicht objektiv die kleinere Sonne
zu sehen ist, sondern ein affektisch betonter 'nom de tendresse'
(Festschrift Ph. A. Becker, 1922, S. 190), vergleichbar also dem
französischen *agneau* (agnellus), dem italienischen *fratello* und
sorella, dem spanischen *abuelo* 'Großväterchen', dem schwäbischen *Kälble* und *Schäfle.* Während in den warmen und regen-
armen Südländern die brennende Sonne oft wirklich gefürchtet
ist, ist sie in den gemäßigten Zonen geradezu ersehnt und herbei-
gewünscht: sie wird zu einer 'lieben Sonne' (Vossler), ganz vergleichbar den germanischen Bildungen *sünnli* (Schweiz), *sündl*
(Kärnten), mhd. *sünnelin,* westfäl. *sünnken,* bayer. *sunnerl;* vgl.
auch ital. *solicello.* – Und so wie soliculus an die Stelle des
mediterranen sol getreten ist, so ist auch das slavische *solnce*
(slov.), *slunce* (cech.), *sunce* (serbokr.) als alter Kosename *slunice,*
dim. zu бълнъ 'Sonne' gedeutet worden (Vasmer, Etym. Wörterb.
II, 690); s. auch Miklosich, Etym. Wörterb. 334.

§ 48. Als Bezeichnung für das 'Kalb' (s. Karte 23) hatte das
Lateinische vitulus, neben dem seit Plautus als Kosewort das
diminutive vitellus begegnet. Ersteres ist heute nur noch im
Innern Sardiniens in den Formen *vicru, vricu, bricu, igru* (DES)
lebendig.[162] Letzteres lebt fort in ital. *vitello,* rum. *viţel,* prov.

---

[159] Auf soliculus beruht auch ital. *solecchio,* das mit anderer Bedeutung
nur in der Redensart *fare solecchio* verwendet wird 'mit der Hand die Augen
vor der Sonne schützen'; vgl. Dante *levai le mani . . . e fecimi il solecchio*
(Purg. 15, 13).

[160] Letzte Reste des alten Wortes nur noch in einigen Zonen der Gascogne:
lou sou oder *et sou* (pyr.) 'le soleil'.

[161] Im westlichen Piemont bleibt *sulèi* begrenzt auf das provenzalische und
frankoprovenzalische Alpengebiet. In Süditalien findet es sich nur in den
isolierten waldensischen Sprachenklaven in Kalabrien (Guardia Piemontese
sulegl) und Apulien (Faeto *sɔruài).*

[162] Daß dies Wort einst viel weiter verbreitet war, zeigt südsard. *irgumárras*
'Wetterleuchten', das dem gleichbedeutenden zentralsard. *vricu marinu* (< vi-

vedèl, kat. *vedell*, franz. *veau*.[163] Nur die hispanische Romanität hat ein altes aus einer einheimischen Sprache stammendes Wort fortgeführt: span. *becerro*, port. *bezerro*.[164] – Das hier gezeichnete Bild ist auf eine große Linie, d. h. auf einige Haupttypen der romanischen Schriftsprachen, vereinfacht worden. In Wirklichkeit ist die Terminologie viel mannigfaltiger. Diese ist bedingt durch die feinere Unterscheidung der verschiedenen Altersstufen im ländlichen Milieu: in Spanien *ternero, novillo, anojo*, in Portugal *anojo, novilho, vitelo*, in Katalonien auch *jònec*, in Sardinien *noéḍḍu, tentórẓu, mallóru, seḍḍalittu* (SALS, c. 35).

§ 49. Eine ähnliche Folge und Verteilung der lexikalischen Schichten zeigt uns der Begriff 'Lamm' (s. Karte 24). Zu dem alten **agnus** hat sich seit Plautus die Koseform **agnellus** gesellt. Ersteres ist in den Mundarten des festländischen Süditalien noch heute in ziemlicher Lebenskraft: kamp. *aino*, luk. apul. *ainə*, kalabr. südapul *aunu* (s. AIS Karte 1071).[165] Auch an der äußersten Peripherie der Südwestromania hat sich **agnus** erhalten in Nordportugal (Minho *anho*) und in Galizien *(año)*.[166] In viel weiterem Umfang ist das jüngere **agnellus** zur Herrschaft gelangt: ital. *agnello*, prov. *agnèl*, katal. *anyell*, franz. *agneau*, rätorom. *agnè* oder *agni*; auch rum. *miel* ist aus **agnellus** hervorgegangen.[167] Als Diminutivbildung, entsprechend dem franz. *poisson* (***piscione**), tosk. *gaglione* 'gallo mal castrato'

---

tulus marinus) entspricht. Über die Benennung der atmosphärischen Erscheinung (vgl. ital. *baleno* 'Blitz' = *pesce baleno*) nach dem Meerkalb ('foca'), s. DES II, 376 und Rohlfs, ZRPh 68, 1952, 296. – Das alte lateinische Wort hat sich erhalten in ital. *vecchio*, in Corsica *vecchiu marinu* 'Meerkalb', 'foca'. – In Spanien findet sich ein letzter Reflex des Wortes in den Mundarten der Provinz Santander: *bello, veyu* 'ternero recental' (García-Lomas, 1949, 54).

[163] Vgl. noch im Alto Aragón *bediello, betiello*. – Das in Sardinien heute meist übliche *vitéllu* ist aus dem Italienischen entlehnt. In Portugal kann *vitelo* als Latinismus gelten.

[164] Corominas (DELC I, 434) verbindet das Wort mit dem 'hispanolatino' **ibex** 'Art Steinbock', gebildet mit dem iberischen Suffix *-err (-irr)*. Ein Suffix *-irrus* ist in gallischen Personennamen bezeugt: *Cantirrus, Magirra*.

[165] In den neukolonisierten Gebieten des Südens (Sizilien, südl. Kalabrien) ist **agnus** unbekannt; hier kennt man nur **agnellus** (siz. kal. *agnèḍḍu*).

[166] Es ist möglich, daß der Untergang des alten Wortes im Kastilischen durch den lautlichen Zusammenfall mit *año* < **annus** verursacht ist. Daher blieb **agnus** in Portugal und Galizien erhalten, weil hier das lautliche Ergebnis (*ano* 'año') verschieden war.

[167] Vgl. rum. *lemn* < **lignu**, *cumnat* < **cognatu**.

5*

(*gallione), ist auch das in Sardinien herrschende *anzone* (log.), *angioni* (camp.) 'Lamm' aufzufassen, das ein *agnione voraussetzt. – Ihre eigenen Wege geht auch die hispanische Romanität, indem sie den Namen des spätgeborenen Lammes – bei Varro und Plinius agnus cordus[168] – auf den generellen Begriff übertragen hat: span. *cordero*, port. und galiz. (neben *anho*) *cordeiro* < *cordarius.[169] Der Bedeutungswandel dürfte damit zusammenhängen, daß das erst im Februar (statt im November-Dezember) geborene Tier als Osterlamm *(cordero pascual, cordero lechal)* ganz besonders geschätzt war.[170]

§ *50.* Zu den lateinischen Wörtern, die im Romanischen durch ein Diminutivum ersetzt worden sind (vgl. *oreille, genou, agneau, taureau, soleil,* span. *abuelo)* gehört auch *avis* (Karte 25). Bevor es zu seinem vollständigen Ersatz gekommen ist, hat man das Bedürfnis empfunden, von den großen Vögeln die kleinen Vögel zu unterscheiden: avis, avicellus. Einen letzten Reflex dieses Zustandes haben wir in Sardinien, wo *ave (ae)* noch heute nur den großen Raubvogel, im besonderen den Adler bezeichnet.[171] Statt zu der Diminutivbildung zu greifen, hat man im regionalen Latein als Bezeichnung für die kleinen Vögel passer verallgemeinert.[172] Bemerkenswert ist die geographische Verteilung der beiden Konkurrenzwörter. Während in Italien, Frankreich und im Provenzalisch-Katalanischen das lateinische Diminutivum durchgedrungen ist *(uccello, oiseau, aucèu, ocell)*, haben die

---

[168] Seine alte Bedeutung hat cordus bewahrt in tosk. *cordesco*, neap. *cordisco,* kalabr. *curdašcu* 'agnello tardivo'.

[169] Auch das Westkatalanische und das Valencianische haben *corder*: ein jüngerer 'castellanismo'; s. AM III S. 534. Aus dem Katalanischen seien die auf onomatopeischer Schöpfung beruhenden Neubildungen *bè* (Plural *bens)* und *xay* genannt, die neben *anyell* begegnen. – Die Meinung, daß *xay* ein ipsu agnu repräsentiert (s. Alvar, DL 85), ist nicht überzeugend (AM 10, 898).

[170] Außer Betrachtung lassen wir span. port. *borrego,* katal. *borrec,* gaskognisch *bourrèc* (fem. *bourrègo),* die sich auf ein älteres Lamm oder Schaf 'de uno a dos años' beziehen. In Frankreich gilt das Wort z. T. für ein junges Rind (span. 'ternero'), vgl. gask. *bourrèc* 'jeune bovin qui a encore la bourre, le premier poil' (Palay, I 176); langued. (Aveyron) *bourrét* 'jeune taureau' (Vayssier, Dict.). Im Süden der hispanischen Halbinsel wird *borrega* in einigen Zonen an Stelle von *oveja* (wegen der Homonymie mit *abeja)* gebraucht; s. Alvar, DL 85. Über die geographische Verteilung von port. *borrego, cordeiro, anho,* s. Lindley Cintra, BF, 20, 1961, S. 291 ff. und mapa 5.

[171] Vgl. im Portugiesischen den Gegensatz zwischen *ave* (auch altspanisch *ave)* und *pássaro,* das sich auf die kleineren Vögel bezieht.

[172] In einer Glosse *hirundo = nomen passaris* (CGIL V, 459, 44).

Sprachen der äußeren Romania avis durch passer ersetzt: rum. *pasăre*, span. *pájaro*, port.*pássaro*.[173] Man möchte daraus schließen, daß diese Lösung in zentrifugaler Position einen älteren Zustand des Vulgärlateins festhält.[174] – Im Katalanischen ist neben *ocell* sehr verbreitet *moixó*, was eigentlich der Name des Sperlings (altfranz. *moisson* 'passereau') war. – Es hat sich hier die vulgärlateinische Entwicklung wiederholt.

§ 51. So wie man dazu gelangt ist, die kleinen Vögel von den größeren Vögeln zu unterscheiden, so hat man das Bedürfnis empfunden, gewisse Arten von Nüssen zu differenzieren, die im Lateinischen durch ein einziges Wort (nux) bezeichnet wurden. Wieder ist es im wesentlichen die innere Romania, die mit Hilfe von Diminutivbildungen der kleineren Art ('Haselnuß') einen besonderen Namen gibt (s. Karte 26): *noisette, nocciuola, nucella,* altfranz. *noisille,* rätorom. (Graubünden) *nitschola.* In den anderen Sprachen hat man dafür zu einem eigenen Wort gegriffen (abellana), das ursprünglich in der klassischen Latinität dazu gedient hat, eine besondere Sorte von Nüssen zu benennen, die in der Zone von Abella (Kampanien) kultiviert wurden: span. und catal. *avellana,* port. *avelã,* gasc. *aberá,* südfranz. *avelano,* frankoprov. *oulagnə,* sard. *oḍḍana,* rum. *alună.*[175] – Ein drittes Wort beruht auf lat. corylus 'Haselnußstrauch'. Es

---

[173] In Rumänien ist avicellus *(auşel)* zum Namen des 'roitelet' geworden, hat also seinen alten diminutiven Wert voll bewahrt. – In Sardinien ist avicellus durch die Neubildung *pullione ersetzt: *pudzòne* (log.), *pilloni* (camp.). – Wo passer zu 'oiseau' geworden ist, mußte der Sperling (franz. *passereau, moineau*) neu benannt werden: port. *pardal,* span. *gorrion,* rum. *vrabie* (slav.).

[174] Spanisch *pájaro,* altspan. *páxaro* (= *pášaro*) scheint ein vulgärlat. *paxer fortzusetzen. Vielleicht eine hyperkorrekte Form, die in Italien entstanden ist, als dort altes *x* zu *ss* geworden war; vgl. auf Inschriften häufig *vissit = vixit* (Mihăescu § 104). – Die gleiche Grundlage darf für westfranz. (Anjou, Maine, Bretagne) *paisse, pêche* 'moineau' (ALF 866) angenommen werden.

[175] Zur Verbreitung des Typs abellana (z. T. umgeformt zu *abellanea) in Frankreich, s. Gardette, RLiR 28, 1964, S. 73. – In Sardinien ist das alte *oḍḍana* im Begriff, von *nugeḍḍa* völlig verdrängt zu werden (DES II, 184). In Italien findet sich *avellana* sporadisch in der Romagna *(avlèna),* Umbrien *(gulèna)* und Abruzzen *(vellana)*; s. AIS, K. 1302. In Kalabrien habe ich *vallana* nur in einer kleinen Zone der Provinz Cosenza angetroffen (DTC). – Im nördlichen Frankreich wurde die große Nuß einst durch ein besonderes Attribut gekennzeichnet: nux gallica > altfranz. *noiz jauge, noiz gauge,* auch *noiz jaille;* und so noch heute norm. *gaugue,* wall. *djeyə.*

lebt in Oberitalien in einigen Restgebieten: Val Sesia *culòra,*
emil. *clura* (FEW II, 1242).

§ 52. In der klassischen Latinität wurde die Nähnadel a c u s genannt. In einem geschlossenen Block, der von Sardinien über
Mittel- und Süditalien bis nach Rumänien reicht, hat sich dieses
Wort bis heute erhalten (s. Karte 27): sard. *acu, agu,* kors. *acu,*
agu, ital. *ago, aco,* rum. *ac.* Innerhalb dieses Territoriums gibt es
einige Gebiete, die noch ein besonders archaisches Merkmal bieten: in Sardinien und in Teilen von Süditalien hat a c u s, als ehe-
malig der vierten Deklination angehörig, sein altes weibliches
Geschlecht bewahrt: sard. *un'agu acuzza,* kalabr. *n'acu pun-*
tuta, im Cilento *n'acu pizzuta* (s. AIS Karte 1539).[176] Die ganze
westliche Romania hat der Diminutivform a c u c u l a[177] den Vorzug gegeben: franz. *aiguille,* prov. *agulha,* port. *agulha,* katal.
agulla, span. *aguja.* Auch Oberitalien hat das neue Wort adoptiert: lig. *agugia,* lomb. *gügia,* piem. *üja,* ven. *gucia,* emil. *gucia,*
gocia.[178] Das Auftreten des gleichen Wortes an der entgegenge-
setzten Extremität von Italien (siz., südkalabr. *agugghia*) erklärt
sich aus der starken oberitalienischen Zuwanderung im Zeitalter der 'riconquista' nach der Befreiung der Insel von der sara-
zenischen Herrschaft.[179] Der entscheidende Anstoß für den Ersatz von a c u s durch a c u c u l a dürfte durch einen technischen
Fortschritt bestimmt sein: die feinere Nadel des Schneiders
wurde mittelst der Dimnutivendung unterschieden von der
gröberen Nadel, mit der man Säcke und Matratzen nähte. Man
darf vermuten, daß die Neuerung von der Latinität der Gallia
Transalpina ausgegangen ist. Bemerkenswert für die sprachliche
Gliederung der romanischen Sprachen ist das Zusammengehen
von Norditalien mit der westlichen Romania. In der Linie, die in

---

[176] In verschiedenen Zonen von Süditalien (Latium, Cilento, Provinz Cosenza) hat auch der Plural das Merkmal der alten vierten Deklination bewahrt,
z. B. in Kalabrien *due acu* (HGI § 367).

[177] Lateinisch a c u c u l a ist erst seit Marcellus Empiricus belegt, dürfte also
kaum vor dem 5.–6. Jh. sich verbreitet haben.

[178] Während die westromanischen Sprachen als Grundlage a c ū c u l a (mit
langem *u*) erkennen lassen, muß man für Oberitalien teils - ū c u l a (> *-ugia,*
-ügia, -ucia), teils - ŭ c u l a *(-ocia)* zugrunde legen. Auch rätorom. (im Engadin) *aguoglia,* dolom. *ogla (aodla)* und lucch. *agocchia* (im äußersten Nordwesten der Toskana) setzen - ŭ c u l a voraus. – Schwer verständlich ist rätorom.
(Rheintal) *guila = gwila;* s. DRG, I, 139. Man könnte an eine Art Metathese
denken: *gulja > gujla;* vgl. im Bergell (Soglio) *gújla* (AIS, c. 1539).

[179] Vgl. dazu § 145.

Italien südliches *ago* von nördlichem *aguglia* trennt, scheiden sich tatsächlich auch in vielen anderen Fällen, darunter in wichtigen Lautunterschieden, westliche und östliche Romania.[180] – Ein lexikalischer Sondertyp hat sich im östlichen Oberitalien ausgeprägt: venez. und friaul *gugèla* < *acucella.

---

[180] Vgl. G. ROHLFS, *Sprachgeographische Streifzüge durch Italien*, in SBAW 1946, Heft 3, S. 14; Id., *An den Quellen der romanischen Sprachen* (Halle 1952) S. 90ff.; W. v. WARTBURG, *Die Ausgliederung der roman. Sprachräume* (Bern 1950), S. 61.

IX. ANDERE LEXIKALISCHE NEUERUNGEN

§ 53. An die Stelle des klassischen o b l i v i s c i ist in der späteren Latinität das einfacher flektierbare *o b l i t a r e getreten.[181] Auf dieser Form beruhen (s. Karte 28) kat. *oblidar*, prov. *oublidà* (altprov. *oblidar*), span. *olvidar*, franz. *oublier*, rätorom. *emblidar* und rum. *uita*.[182] Auf der iberischen Halbinsel hat nur der äußerste Westen einer Neuerung den Vorzug gegeben: port. gal. *esquecer*, astur. *escaecer* (*e x c a d e s c e r e 'entfallen'). Dies Verbum war einst auch dem Kastilischen bekannt: es findet sich als *escaecer* z. B. im Alexanderroman und in der Conquista de Ultramar.[183] Während es der spanischen Schriftsprache verlorengegangen ist[184], lebt es als spanisches Lehnwort noch heute im südlichen Sardinien *(scaésciri)*.[185]

Reicher an neuen Ausdrücken ist Italien.[186] Auf der Grundlage von m e n s und c o r ist es hier zu folgenden Neuschöpfungen gekommen: *e x m e n t i c a r e (*d e m e n t i c a r e, *d e e x m e n t i c a r e) und *e x c o r d a r e. Ersteres ist besonders in Oberitalien bodenständig *(desmentegá)*, findet sich aber auch in einem Teil der Toskana und ist von hier in die Schriftsprache gelangt *(dimenticare)*. Dazu kommt *smentigá* in Korsika und *ismentigare* im nördlichen Sardinien.[187] In Mittel- und Süditalien ist *scordare* vorherrschend. Durch diese Neubildungen ist die alte vulgärlateinische o b l i t a r e-Einheit zerrissen worden. In Frank-

---

[181] Lateinisch o b l i t a r e ist von dem Partizipium *oblitus* abgeleitet, ähnlich wie von alten Partizipien die romanischen Neubildungen *ausare, usare, unctare, junctare, pictare, jactare, tutare* gewonnen sind.

[182] Die nasalierte Form des Rätoromanischen, die ihre Parallele in altprov. *emblidar (omblidar)* hat, dürfte einem verstärkten *i n o b l i t a r e entsprechen (s. dazu FEW, Bd. 7, S. 274 ff.).

[183] Siehe V. García de Diego, *Contribución al Diccionario hispánico etimológico* (Madrid 1943), no. 169. – Auf transitivem *quedar* 'dejar' (Extremadura) beruht westspan. (Mérida) *quedar* 'olvidar' (Zamora Vicente, El habla de Mérida, 1943, 128).

[184] Es findet sich mit anderer Bedeutung in den spanischen Mundarten, z. B. in der Prov. Salamanca *escaecer* 'decaer', 'enflaquezar' (Lamano y Beneite, El dialecto vulgar salmantino, 1915, S. 435).

[185] Die sardische Schriftsprache kennt als Hispanismus auch *olvidare, orvidare*.

[186] Das in der alten Dichtersprache begegnende *obliare* und *ubriare* ist dem Französischen entlehnt.

[187] Beide sind vom italienischen Festlande importiert.

reich haben Teile des äußersten Südwestens das im Altprovenzalischen belegte *desmembrar* (*de-ex-memorare) in der Form
desbrembà fortgeführt, während anderswo oblitare durch *de-*
oder *re-* verstärkt worden ist: *doublidá* (westl. Languedoc),
roublié (Lothringen), *rouviyí* (Belgien).[188]

§ *54.* Der Begriff 'nichts' wurde im klassischen Latein durch nihil ausgedrückt. Nachdem in diesem Wort der Zusammenhang
mit dem alten hilum 'un brin' nicht mehr erkenntlich war, lag es
nahe, daß man für diesen affektbetonten Begriff zu anderen Ausdrücken griff, die eine kräftigere Vorstellung vermittelten (s. Karte
29).[189] So wurde nulla res (nullam rem) zum ältesten Ersatzwort für nihil. Später wurde der Ausdruck in zweifacher
Weise verkürzt, indem Italien für *nulla*,[190] Frankreich für rem
(> *rien*, prov. *ren*, katal. *res*) optierte.[191] Jüngere Bildungen der
Volkssprache sind (non) nata res[192], ne gente, ne mic(c)a,
ne gutta. Ersteres eignet dem Spanischen und Portugiesischen
(nada), lebt aber auch im Gaskognischen, wo es noch heute, wie
im Altspanischen[192], die Funktionskraft eines adjektivischen Pronomens bewahrt hat, z. B. *nado hénno* 'aucune femme', *nat amic*
'aucun ami'. Auf negente beruht ital. *niente* (pis. *neente*, senes.
nejente, südital. *nènte*) und das heute nur noch substantivisch
verwendete französische *néant* (altfranz. *nient*).[193] Der dritte
Ausdruck ist beschränkt auf Rumänien: nemica > *nimic*[194] –
Über ne gutta, s. Anm. 193.

---

[188] Siehe ALF 957. – Zu altprov. *eisoblidar* (*exoblitare) gehört das im
Frankoprovenzalischen und im provenzalischen Alpengebiet gültige *eissubliar,*
eichublá (FEW, VII, 274).
[189] Im heutigen Italien ist *nulla* beschränkt auf die nördliche Toskana, Sardinien *(nudda)* und das mittlere Apulien (AIS Karte 1598). Auch in Korsika
gilt *nudda* bzw. *nunda* (ALEIC Karte 1171). – Über dial. (venez.) *nuja* s. HGI,
§ 499.
[190] Nominatives res hat in der Gaskogne die Funktion von 'niemand', z. B.
n'ey pas bist arrès 'je n'ai vu personne', *arrès nou m'a bist* 'personne ne m'a
vu'. Ebenso im provenzalischen Rhônegebiet: *res n'auso courre* 'personne
n'ose courir', *i a pas res* 'il n'y a personne' (Mistral). Im Languedoc wie auch
im Katalanischen hat res den Wert von 'rien', z. B. katal. *no valia res, res*
en sabia de l'amor, per res no es dona res (AM, IX, 402), langued. *acò fai pas*
res. In altspanischen Texten erscheint ren und res, altport. *rem* in Verbindung
mit der Negation.
[191] Schon in der Sprache von Plautus *natus nemo* (Most. 451).
[192] Vgl. altspan. *omne nado* 'ningun hombre', *mugier nada* 'ninguna mujer',
nada otra cosa.
[193] Die lautliche Entwicklung von *niente* versteht sich aus dem Charakter der
zu stärkerer Abschleifung neigenden Schnellsprechform; man vergleiche dazu

§ 55. Im klassischen Latein waren die Verben **ardēre** und **cremare** so verteilt, daß ersteres intransitive, das zweite transitive Geltung hatte. Diesen Unterschied haben die romanischen Sprachen nicht mehr streng eingehalten (s. Karte 29). Das Verbum **ardēre** ist zwar im Italienischen, in der Galloromania und auf der Pyrenäenhalbinsel vorwiegend in seiner alten Funktion verblieben, aber im Rumänischen hat es vollkommen die Funktion von **cremare** mitübernommen: *focul arde* 'das Feuer brennt', *am ars carnea* 'ich habe das Fleisch verbrannt'. Auch Teile Graubündens (Engadin) zeigen mit transitivem *árder* die gleiche Entwicklung: *s'arder las piclas* 'sich die Finger verbrennen'.[195] Die intransitive Funktion von **cremare** erscheint zum erstenmal in dem frühmittelalterlichen Liber Glossarum: *domus fulmine cremuit*.[196] In der doppelten Funktion hat sich *cremare* im Provenzalischen erhalten, wo es noch heute auf einem Gebiet, das von den mittleren Pyrenäen bis an die italienische Grenze reicht, lebendig ist.[197] Von Südfrankreich setzt sich das Wort nach Katalonien *(cremar)* und in das nördliche Aragonien *(cremar)* fort. An diese Formen schließt direkt das kastilisch-spanische *quemar*, im Westen port. *queimar* an, die gleichfalls beide Funktionen in sich schließen. So schwierig es sein mag, diesen Worttyp lautlich mit *cremare* in Einklang zu bringen, so zeigt doch das sprachgeographische Bild, daß man *quemar (queimar)* von *cremar* nicht trennen kann.[198]

die Entwicklung des gleichbedeutenden n e - g u t t a zu *negota* (altlomb.), *nagota* (mail.) und schließlich *nota* 'nichts' im Gebiet der oberitalienischen Seen (HGI, § 499). Dazu gehört auch rätorom. (in Graubünden) *nagot, inguotta, nuot* 'nichts'. Als verstärkendes Element begegnet *gens* bereits im klassischen Latein: *nusquam gentium, ubicumque gentium*.

[194] Friaulisch *no mighe*, in Graubünden *nimia* entsprechen dem franz. *ne mie* 'ganz und gar nicht', in Oberitalien *non lo so miga*.

[195] Die transitive Funktion von a r d e r e ist seit dem 6. Jh. bezeugt, vgl. *quicumque domum alienam arserit* (Lex Salica 16, add. 1). – Außerhalb des Rumänischen und des Rätoromanischen (s. DRG, vol. I 381) finden wir a r d e r e in dieser Funktion im Altfranzösischen (Tobler-Lommatzsch I S. 508), in französischen Mundarten (s. FEW Bd. 1 S. 131), im älteren Italienischen, in italienischen Mundarten (Sizilien, Kalabrien), seltener im Spanischen.

[196] Siehe Lindsay, Gloss, lat. I 274, 106.

[197] So nach dem ALF 1478. – In der Gascogne erscheint *cremà, cramà* in einer nuancierten Bedeutung 'brûler à la surface', 'roussir' (FEW II, 1311).

[198] Man könnte am ehesten an eine Art Metathese denken: c r e m a r e *k e r m a r e > *k e (i) m a r e (?); vgl. c r e p a r e > span. q u e b r a r, gall. *c r i n a r e 'spalten' > wallon. und norm. q u e r n e r (FEW II, 1339), verbunden mit Verlust des *r*, vgl. *c r e m a s c l u 'Herdkette' > burgund. *komakle, kemakye* (ib. 1312). – Corominas (DELC III, 943) möchte ein *c a i m a r e zugrunde legen, das durch Einwirkung von neugriech. καϊμός 'ardor' in der Sprache

In den übrigen romanischen Sprachen finden wir in der Hauptsache zwei neue lexikalische Typen: in Nordfrankreich *brûler*
(altfranz. *brusler*, *bruller*), mit starken Einbrüchen in den Süden
(altprov. *bruslar*, modern *bruilà*, *brulà*, gasc. *bruhlà*); in ganz
Italien *bruciare* (Oberitalien *brügià*, *brüsà*, *brusar*, südital. *brus-
ciare*, kors. *brucià*, Sardinien *brusiare*, *brujare*), rätorom. *brü-
schar* (Eng.) und *barschar* (Rheintal). Auch diese neuen Verba
werden in transitiver und intransitiver Funktion verwendet. Was
das französische Verbum betrifft, so ist es nicht zu trennen von
altfranz. *usler (uller, urler)*, altprov. *usclar*, die lat. u s t u l a r e
'verbrennen' fortsetzen.[199] Dieses hat sich in einer jüngeren Zeit
gekreuzt mit einem anderen Verbum, das vielleicht altfranz.
bruir 'brûler' (< germ. b r o j a n 'brühen') gewesen ist.[200] Noch
näher liegt es, die Störung in einer Vermischung zu sehen, die
hervorgerufen ist durch eine andere weitverbreitete Wortfamilie:
altprov. *bruisar*, *brusar* 'brûler', neuprov. *brüsá*, *brüžá* 'cuire',
kat. *brusar*, *brusir* und *abrusar* 'verbrennen', 'durch Feuer zer-
stören'. Diese Familie ist in Italien vertreten durch oberital.
brüsar, sard. *brusiare*, s. o. und AIS, c. 994.[201] Diesen Formen
entspricht in der Toskana *bruciare*.[202] Als Grundlage kann man
ein *b r u s i a r e annehmen, das wahrscheinlich gallischer Herkunft
ist (J. Hubschmid, VR, XII, 117).[203]

---

der Ärzte entstanden wäre. Daß es gerade in der hispanischen Romanität zu
einer solchen Kreuzung mit einem jüngeren griechischen Wort gekommen ist,
macht eine solche Erklärung nicht sehr wahrscheinlich. Keinen beweisenden
Wert haben die von Corominas aus einem (in Spanien entstandenen ?) Glossar
zitierten Formen *chaima* id est *aestus* und *chaimata* id est *ardores* (CGlL III,
558). In diesem Glossar (Manuskript des 10. Jahrh.) sind die griechischen
Wörter mit lateinischer Schrift sehr fehlerhaft überliefert und orthographiert.
Insbesondere ist *i* eine häufige willkürliche Transkription für das griechische
υ (y) z. B. *xilon* = *xylon*, *fisis* = *physis*, *ictis* = *ichtys*, *aleira* = *aleura*,
iraima 'vulnus' = *trauma*, *chailis* = *kaulós*, *citis* = *kystis*. Es ist also *chaima*
als altgriech. καῦμα 'Hitze' (roman. *cauma*, ital. *calma*, franz. *chômer*) zu lesen,
von wo es zu span. *quemar* keinen Weg gibt.

[199] Lateinisch u s t u l a r e lebt fort auch in sard. *uskrare* (log.), *uskrai* (campid.) 'rösten', kalabr. *uščare* 'brennen', apul. (Prov. Lecce) *uščare*, tarent.
ašquá 'verbrennen'; letzteres flektiert im Präsens *uškə*, *uškə*, *uškə*, *ašquamə*,
ašquatə, *úškənə*. Es ist also ein Irrtum, wenn Alessio (Arch. stor. pugl. 4,
1951, S. 88) für tarent. *ašquá* ein besonderes Etymon a e s t u a r e ansetzen will.
Die *a*-Formen erscheinen nur in den endungsbetonten Formen; sie erklären
sich wie franz. *pouvons*, *pouvez* neben *peux*, *peut*.

[200] So angenommen auch in BW *(brûler)*.

[201] Nach Wagner (DES, I, 231) sind die sardischen Formen als Italianismen aufzufassen: 'La vera voce sarda è *uskrare*' (s. Anm. 199).

[202] Zur lautlichen Entwicklung vgl. ven. *baso* = tosk. *bacio*, lomb. *camisa* =
tosk. *camicia* (HGI, § 286).

[203] Dazu gehört vielleicht auch altfranz. *bruisier* 'zerbrechen' (FEW, I, 576),

§ 56. Der Begriff 'blind' (siehe Karte 30) wurde im klassischen Latein durch c a e c u s ausgedrückt. An diesem ältesten Ausdruck hat die Pyrenäenhalbinsel fast uneingeschränkt bis heute festgehalten: port. *cego*, span. *ciego*, katal. *cec (una dona cega)*.[204] In Italien ist *cieco* heute die herrschende Form auf einem Gebiet, das die Toskana, die Marken und Umbrien umfaßt. Im rätoromanischen Graubünden ist es auf das Rheintal beschränkt *(tschiec)*. In Frankreich ist *caecus* heute nicht mehr bekannt, doch ist es für das Mittelalter besonders aus normannischen, anglonormannischen und provenzalischen Texten gut bezeugt: altfranz. *cieu*, prov. *cec*. – Seit dem 2. Jahrh. taucht im Sinne von 'caecus' ein neues Wort auf: o r b u s, zum erstenmal belegt bei Apuleius. Da um diese Zeit o r b u s noch ganz vorwiegend seine ältere Bedeutung ('ohne Eltern', 'ohne Kinder') besaß, muß man sich die neue Verwendung entstanden denken aus einer elliptischen Verkürzung ('sens sous-entendu'): o r b u s o c u l i s bzw. o r b u s a b o c u l i s 'beraubt im Hinblick auf die Augen'.[205] Nimmt man die zweite Grundlage an, so würde sich zugleich jenes merkwürdige a b o c u l i s erklären, das zum erstenmal in dem aus dem 5. Jahrh. stammenden 'Actus Petri cum Simone' gut bezeugt ist: *unam viduam aboculis, viduae quae erant aboculis*.[206] Und man würde zugleich verstehen, warum die romanischen Fortsetzer von *aboculis* (frz. *aveugle*) nur dort erscheinen, wo o r b u s fortlebt oder einst existiert hat. – Das heutige Verbreitungsgebiet von o r b u s umfaßt Oberitalien, das rätoromanische östliche Graubünden (Engadin *orb*, *orv*), die westlichen Teile des rumänischen Sprachgebiets *(orb, orv)*, Sizilien und das südliche Kalabrien.[207] Außerdem ist es bezeugt für das Altfranzösische

---

für das Brüch (ZRPh, 68, 1952, 281) eher eine germanische Herkunft annehmen möchte. – Über andere (abzulehnende) Deutungen von *brûler* und *bruciare*, s. die kritischen Bemerkungen von Gamillscheg im EWFS *(brûler)*.

[204] Altkatalanisch auch *orb*, das noch heute der Schriftsprache angehört; jedoch nicht der allgemeinen Volkssprache (s. ALC, Karte 453). – Neben der alten einheimischen Form *cec* ist im neueren Katalanischen unter kastilischen Einflüssen die Form *cego* bzw. *ciego* in Aufnahme gekommen; s. AM, Bd. 3, S. 90 u. 133.

[205] Belegt ist o r b u s l u m i n i b u s (Plinius), o r b u s a p a r e n t i b u s (Vergil), o r b u s a b o p t i m a t i b u s (Cicero).

[206] Siehe zu diesem Ausdruck O. DEUTSCHMANN, Rom. Jahrb., Bd. I 1948, S. 87 ff.; vgl. hier Anm. 210

[207] Das Vorkommen von o r b u s in Sizilien und Südkalabrien ist bedingt durch die mittelalterliche Neuromanisierung (s. hier § 145), wobei Einflüsse und Einwanderungen aus Oberitalien eine besondere Rolle gespielt haben. Siehe dazu Verf., *Scavi linguistici nella Magna Grecia* (Halle-Rom 1933) S. 56 ff. u. 85; Verf., *Colonizzazione gallo-italica nel mezzogiorno d' Italia* (Mé-

und das Altprovenzalische; über altkatalanisch *orb* s. Anm. 204.
Das Aufkommen und die 'fortuna' dieses Wortes dürfte sich
dadurch erklären, daß es als 'terme de compassion' rücksichts-
voller war: nach Jaberg wäre orbus ein von einer höheren
Gesellschaftsschicht ausgehender Euphemismus gewesen.[208]

Was aboculis betrifft, so hat es in Frankreich seine alten
Konkurrenten (caecus, orbus) ganz ausgelöscht.[209] Dagegen
ist es in Oberitalien, wo mittelalterliche Texte uns die Existenz
von *avógol, avógal* bezeugen (z. B. *Longin l'avógal* bei Pietro
da Barsegapé), von orbus verdrängt worden.[210]

Ein anderes Ersatzwort *(cecato)* hat sich im festländischen
Süditalien an die Stelle von caecus gesetzt. Es ist die Fortsetzung von jenem caecatus, das zum erstenmal im 5. Jahrh. bei
dem Bischof Paulinus von Nola (Kampanien) belegt ist: *lumina
caecatis dedit.* – Im südlichen und östlichen Rumänien (Walachei
und Moldau) hat sich ein Lehnwort aus dem Türkischen festgesetzt: *chior*, das sonst in Rumänien 'einäugig' bedeutet, aus türk.
kör 'blind' (ALRM I, Karte 100). – Ein Wort unbekannter, wahrscheinlich vorrömischer Herkunft hat sich in Sardinien erhalten:
ϑurpu, turpu, zurpu.[211] Endlich ist zu erwähnen, daß im Piemont
(wie auch in den Grenzdialekten des südöstlichen Frankreich)
borgno (franz. *borgne*) 'einäugig' die Bedeutung 'blind' angenommen hat.[212]

---

langes M. Roques, Bd. I, 1950, S. 253ff.); G. BONFANTE, *Il problema del
siciliano*, in BCSic, anno I, 1953, S. 45ff. – Die Brücke zur balkanischen Romanität bildet dalm. *uarb* und Albanien mit dem Stamm *verb-* in *verbët*
'cieco'; s. Tagliavini (1969), S. 224.

[208] K. JABERG, *Sprachwissenschaftliche Forschungen und Erlebnisse* (Zürich 1937) S. 164. – In ähnlicher Weise erklärt man den Ersatz des schroffen
aegrotus (aeger) durch mildernde Ausdrücke: franz. *malade*, ital. *malato*
'nicht gut beisammen', span. *enfermo* 'schwach', port. *doente* 'leidend', rum.
bolnav 'leidend' (slav.); s. Kuen 201.

[209] Siehe ALF, Karte 80.

[210] Die nähere Begründung der Etymologie von *aveugle* < aboculis habe
ich gegeben in Arch. für das Stud. der neueren Sprachen, Bd. 190, 1953, S.
70ff.; s. auch Festschrift Wartburg (1968), II, 198ff. – Über eine frühere Verknüpfung mit griech. ἀπ' ὀμμάτων 'blind', s. die genauen Belege bei DEUTSCH-
MANN a. a. O. S. 111ff.

[211] An eine etymologische Beziehung von *zurpu* zu orbus (Wartburg,
RDiR, III, 411) ist nicht zu denken. – Das im nördlichen Sardinien gebräuch-
liche *cecu* bzw. *zegu* ist vom italienischen Festlande bzw. aus dem Spanisch-
Katalanischen entlehnt (DES, II, 588).

[212] Zur Bezeichnungsgeschichte von 'blind' s. die Abhandlung von W. VON
WARTBURG, *Die Ausdrücke für die Fehler des Gesichtsorgans in den romanischen Sprachen* (RDiR, Bd. 3 und 4, 1911–1912); dazu Jaberg, Aspects 68ff.

X. LES AIRES LATÉRALES

§ 57. Die Erkenntnis, daß die peripherischen Zonen eines Sprachgebietes oft einen älteren linguistischen Zustand bewahren, ist
schon früh erkannt und öfter ausgesprochen worden. Insbesondere hat man eine gewisse Beziehung und Verwandtschaft
bemerkt, die in der Bewahrung altertümlicher Sprachelemente
zwischen dem Rumänischen und den iberoromanischen Sprachen besteht – gegenüber einem Zusammengehen der 'inneren
Romania' in der Adoption von Wörtern jüngerer Sprachphasen.

Aus diesem Verhältnis zwischen zwei sprachlichen Phasen hat
Matteo Bartoli die Theorien seiner 'linguistica spaziale' entwickelt, in der die 'aree laterali' und die 'area maggiore' eine
beherrschende Zentralidee bilden.[213]

In Anwendung des von Bartoli geprägten Schemas einer vier-
gliedrigen Romania (Iberia, Gallia, Italia, Dacia) seien folgende
Beispiele präsentiert:

Iberia	Gallia	Italia	Dacia
magis	*plus*	*plus*	*magis*
fervere	*bullire*	*bullire*	*fervere*
rogare	*precare*	*precare*	*rogare*
humerus	*spatula*	*spatula*	*humerus*
afflare	*tropare*	*tropare*	*afflare*
equa	*jumentum*	*caballa*	*equa*
intunc	*illa hora*	*illa hora*	*adtunc*

Zum Verhältnis von magis und plus, s. § 26 und Karte 4.

Für den Begriff 'kochen' (in intransitivem Sinn) besaß das Lateinische die Verben fervĕre (neben fervēre) und bullire.
Beide Wörter haben sich in den romanischen Sprachen erhalten
(s. Karte 32). Ihre Verteilung ist nicht das Spiel eines blinden Zu-

---

[213] Siehe dazu Anm. 42. – Zum einzelnen verweisen wir besonders auf die
Abhandlungen von Matteo Bartoli, *Caratteri fondamentali della lingua
nazionale italiana e delle lingue sorelle* (In: Miscellanea della Fac. die Lett. e
Filos. della R. Univ. di Torino, Torino 1936, Serie I S. 69–106) und *Caratteri
fondamentali delle lingue neolatine*, in AGI 28, 1936, S. 97–133. – Zur Stellung der iberoromanischen Sprachen in dieser Konzeption, s. Bonfante 7 ff.

falls. Der ältere lateinische Ausdruck für das Wallen des Wassers war zweifellos fervere. Er findet sich bereits bei Cato, Plautus und Lucilius (aqua fervit). Erst in der späteren Literatur erscheint dafür auch das Verbum bullire, z. B. bei Vitruv, Celsus und Vegetius. Dem entspricht die Verbreitung in der Romania. Die extremsten Teile, d. h. der äußerste Westen und der äußerste Osten haben an dem älteren lateinischen Wort festgehalten: span. *hervir*, port. *ferver*, rum. *fierbe*.[214] Dagegen haben die zentraleren Gebiete, die dem 'caput mundi' näher standen (Italien, die Inseln, Frankreich und Katalonien) dem jüngeren lateinischen Worte den Vorzug gegeben: ital. *bollire*, franz. *bouillir*, sard. *buḍḍire*, katal. *bullir*.[215] Sie haben die Neuerung akzeptiert, die sich in Rom in der späteren Umgangssprache durchgesetzt hat. Nur im südöstlichen Italien (Apulien: vom Gargano bis zum Capo di Leuca) ist ein erratischer Block des älteren Sprachzustandes stehengeblieben: *fèrve, fèrvere*; s. AIS, Karte 953.

§ *58.* Der Begriff 'bitten' wurde im klassischen Latein durch rogare ausgedrückt. Dieses Verbum hat sich erhalten im äußersten Westen und im äußersten Osten der Romania: span. *rogar*, port. *rogar*, rum. *ruga* (siehe Karte 33). Die geographische Verbreitung ähnelt ganz dem Fortleben von fervere (s. Karte 32). Genau in der Mitte zwischen den beiden Extremitäten ist ein isolierter erratischer Block, der auf die einstige weitere Verbreitung von rogare hinweist, im Rätoromanischen (Rheintal *rugar*, Engadin *rovar, rover*) stehengeblieben. Im Galloromanischen ist an seine Stelle precari 'betend anrufen' getreten, also ein intensiverer Ausdruck: franz. *prier*, prov. *pregar*.[216] Von Südfrankreich setzt sich das Verbum in das Katalanische fort *(pregar)*. Was Italien betrifft, so findet es sich hier in der Schriftsprache in einer lautlichen Form *(pregare)*, die nur in Oberitalien einheimisch sein könnte. Auch in der Toskana sagt man *pregare*. Während in der Toskana oberitalienische Einflüsse gerade in der Entwicklung der stimmlosen intervokalischen Verschlußlaute (s.

---

[214] Neben den Fortsetzern des älteren lateinischen Verbums hat auch das Spanische *bullir*, das Portugiesische *bolir*, doch mit vorwiegend anderer Bedeutung: 'aufsprudeln', 'wallen', 'wimmeln', 'umrühren'.

[215] In Sizilien und im südlichen Kalabrien kann *bugghjiri (vugghjiri)*, die ein älteres *buglire* voraussetzen, als 'gallicismo' betrachtet werden (s. § 145).

[216] Im Altfranzösischen ist rogare (> *rover*) noch ziemlich lebenskräftig, doch in Bedeutungen ('demander', 'ordonner', 'engager'), die von der Funktion von *prier (preier)* 'beten', 'bitten' deutlich geschieden sind.

HGI, § 194, 212) sehr stark sind *(lago, pagare, luogo, spiga, ago, spada, strada, lido, dado, scudo)*, überrascht, daß auch die südlichen Gebiete, wo *k* absolut erhalten bleibt *(luocu, spica, acu, fuocu)*, Formen haben, die statt des zu erwartenden *precare* Formen mit *g* (> *j)* bieten: neap. *prejá*, kalabr. *prigari, priari*, siz. *prigari, priari*. Das zeigt deutlich daß wir es mit einem Wanderwort zu tun haben, das mit den Einflüssen im Zeitalter des fränkischen Imperiums als modischer Ausdruck aus Frankreich nach Italien gelangt ist; vgl. statt *pacare* ital. *pagare*, in Sizilien *paari*. Auch in Sardinien und Corsica ist *pregare* (campid. *pregài*, kors. *pregà)* heute die fast allgemein übliche Form.[217]

§ 59. Auch in dem folgenden Fall (siehe Karte 34) darf man wohl die heutige Verteilung der sprachlichen Formen den aus Frankreich wirkenden Einflüssen zuschreiben. Lateinisch h u m e r u s 'Schulter' ist auf der Pyrenäenhalbinsel (port. *ombro*, span. *hombro)* und in Rumänien *(umăr)* gut erhalten geblieben.[218] Dagegen zeigt uns die innere Romania ein Wort, das genau die gleichen Gebiete umfaßt wie die Gallizismen *manger, arriver, guérir, prier*. Man hat franz. *épaule* auf lat. s p a t u l a (s p a t h u l a) 'Rührlöffel', 'Schulterblatt'[219] zurückgeführt, wobei man aus lautlichen Gründen (s. u.) annimmt, daß das lateinische Wort länger seine Dreisilbigkeit behalten hat als andere ähnlich gebildete Wörter (v e t u l u s, o c u l u s, v i t u l u s, p r a t u l u m, m a c u l a, m u t u l u s usw.).[220] Das würde voraussetzen, daß unser Wort erst verhältnismäßig spät aus der lateinischen Oberschicht

---

[217] In den mittelalterlichen Urkunden Sardiniens findet man z. T. noch *precare*, das im Innern der Insel noch heute vereinzelt (Nuoro) üblich ist (DES, II, 304).

[218] Lateinisch h u m e r u s setzt sich von der Pyrenäenhalbinsel in der Form *ume, umi* 'épaule' in das gaskognische Grenzgebiet nördlich der Pyrenäen fort. Das auffällige *u* = *ü* ist durch die besondere Lautentwicklung im einstigen Aquitanien bedingt; vgl. u n g u l a > *ünglo* 'ongle' (Verf., Le Gascon § 353, nouv. éd. § 433).

[219] In der Bedeutung 'Schulterblatt' belegt bei Apicius: *spatulam porcinam coctam* (4, 174). Auch lat. s p a t h a hat sich in Rumänien über 'Schulterblatt' im Plural zu *spate* 'Rücken' entwickelt; vgl. noch alb. *shpatullë* 'Schulterblatt'.

[220] Nach M. Leumann (Vox Rom. 2, 470) wäre das urromanische s p a t u l a 'Schulter' nicht identisch mit s p a t u l a 'Rührlöffel' sondern aus s c a p u l a 'Schulter' hervorgegangen, indem vulgäres *scapla zu *spacla umgestellt und in der Sprache der Ärzte hyperkorrekt in ein feineres s p a t u l a zurückgebildet worden sei. Die angenommene Entwicklung ist zu kompliziert, um wirklich zu überzeugen. Doch ist es möglich, daß das lautähnliche s c a p u l a 'Schulterblatt' auf die Bedeutungsentwicklung von s p a t u l a von Einfluß gewesen ist. – Bemerkenswert ist, daß in den Reichenauer Glossen h u m e r u s nicht mit s p a t u l a, sondern mit s c a p u l a erklärt wird (no. 228 und 1146).

(z. B. aus der Sprache der Ärzte) in die Volkssprache gelangt ist. Es bleibt aber doch merkwürdig, daß vom Ärmelkanal bis nach Sizilien nirgends eine Form nachweisbar ist, die eine ältere volkstümliche Entwicklung (*spatla > *spacla) erkennen läßt, wie sie in der Entwicklung von vetulus > vetlus > veclus (ital. *vecchio*) oder mutulus > mutlus > muclus (ital. *mucchio*) eingetreten ist. Es hat daher schon Lausberg vermutet, daß die romanischen Reflexe von spatula sich erst im Mittelalter (in vorliterarischer Zeit) von Frankreich ausgebreitet haben.[221] Jedenfalls beruht franz. *épaule* auf einem älteren *espalla* (mit Doppelkonsonanz), das erst zu einer Zeit aus *espatla* oder *espadla* entstanden sein kann, als altes *ll* bereits zu *l* vereinfacht war.[222] In Südwestfrankreich, obwohl auch hier die alten Doppelkonsonanten (außer *rr*) beseitigt sind, ist diese Doppelkonsonanz noch heute erhalten (gask. *espallo*).

Die für Frankreich vorauszusetzende Form lebt noch heute im Rätoromanischen als *spatla* und *spadla*.[223] Dagegen ist katal. *espatlla* latinisierende Orthographie: die wirkliche Aussprache ist *espalla* = *espala*; vgl. die Orthographie von *guatlla* 'Wachtel' (= *guala*). Auch ital. *spalla* (in Süditalien *spaḍḍa*) beruht auf einem spät synkopierten *spatla* (oder *spadla*).[224] – Restformen eines sehr alten Sprachzustandes findet man in Sardinien und im Ladinischen des Dolomitengebietes. Dort (sard.) wird die Schulter *pala* genannt < lat. pala;[225] hier (dolom.) hat sich altes lat. scapula in der Form *sciabla* lebendig erhalten. – Neben *espatlla* ist in Katalonien im Sinne von 'Schulter' auch *muscle* (musculus) üblich, während in Spanien (kastilisch) *muslo* den Oberschenkel, franz. 'cuisse' bezeichnet.

---

[221] Siehe RF, Bd. 61, 1948, S. 131.

[222] Die Entwicklung von *espalla > espaule* ist aufzufassen wie diejenige von fränk. salaha (> *salha > salla*) zu *saule*, fränk. Walaha (> *Walha > Walla*) zu *Gaule*, indem das vorkonsonantische *l* in der Verbindung *ll* genau so *u* vokalisiert wurde wie vor anderer Konsonanz; s. dazu E. GAMILLSCHEG, Rom. Germ. I S. 249. Ähnlich in Katalonien (in regionaler Entwicklung) *caldaria* über *cal·lera > caulera*, als Ortsname *Caules = Caldes* (AM, III, 58).

[223] Neben *spatla, spadla* (im oberen Engadin *spedla*) kennt das Rätoromanische von Graubünden in gleicher Bedeutung auch *žuí, giuuí* (< *jugellum).

[224] Auch span. *espalda* (aus älterem *espadla*), das semantisch dem franz. *dos*, ital. *dorso* entspricht, zeigt die Wirkung später Synkopierung; vgl. capitulu > *cabildo*, titulu > *tilde*. Zu *dl > ld*, vgl. span. *Roldán* = prov. *Rodlan*.

[225] Lateinisch pala 'Schulterblatt' ist belegt in der Mulomedicina des Chiron und bei Caelius Aurelianus. – Dazu gehört auch kalabr. *pala de spalla* 'scapola' (DTC) und in Corsica *pala* 'parte del maiale che corrisponde alla spalla' (DES, II, 205).

§ 60. Mehrere Schichten der Wortablösung lassen sich bei dem Begriff 'finden' erkennen (s. Karte 35). Schon im klassischen Latein sind die beiden Verben r e p e r i r e und i n v e n i r e so verteilt, daß ersteres dem höheren Stil eignete, während i n v e n i r e in der volkstümlichen Alltagssprache vorgezogen wurde.[226] Dazu paßt, daß von r e p e r i r e im Romanischen sich keine Spur nachweisen läßt, während i n v e n i r e noch in einigen (allerdings sehr spärlichen) Reflexen in den ältesten romanischen Texten erscheint.[227] Ein Ersatzwort ist a f f l a r e geworden; vgl. in den altspanischen 'Glosas Emilianenses' (9. Jh.) *aflar* als Übersetzung von *invenire*. Es ist über die Bedeutung 'anblasen', 'anhauchen', 'wittern', 'treffen' zu 'finden' gelangt.[228] Auf ihm beruhen: rum. *afla*, port. *achar*, span. *hallar*[229] und südital. *aχχare, asciare, acchiare*.[230] In Graubünden (Rheintal) hat das verwandte i n f l a r e (> *anflar*)

---

[226] Vgl. Löfstedts Kommentar zur Peregr. Aetheriae S. 233 und 359: bei Petronius begegnet i n v e n i r e 45mal, r e p e r i r e einmal; bei Vitruv i n v e n i r e über 100mal, r e p e r i r e 6mal; in der Mulomedicina Chironis i n v e n i r e 80mal, r e p e r i r e 2mal. – In den Reichenauer Glossen (7.–8. Jh.) dient *invenerunt* dazu, das unbekannte *repperunt* des glossierten Bibeltextes verständlich zu machen (Glosse 211).

[227] Der unbekannte Verfasser der 'Passion du Christ' (Ende des 10. Jh.) verwendet es in v. 175 *non fud trovez ne envenguz*. In dem aus dem Anfang des 13. Jh. stammenden 'Libro' des Uguccione da Lodi begegnet es in v. 1645 *ja lo poras ben envenir*. – Das ital. *rinvenire* 'finden' ist ein Latinismus der Schriftsprache.

[228] Charakteristische Beispiele, die den Beginn des semantischen Wandels beleuchten, sind aus dem 2. Jh. *urbem Roman regius terror adflabat* (Flor. 1, 40, 9); aus dem 5. Jh. *me sinistrae rumor ac fumus opinionis afflavit* (Sidon. Apoll. epist. 1, 11, 2). Der letzte Anstoß zu der romanischen Bedeutung könnte aus der Sprache des Jägers stammen: *canis leporem afflat* (s. Schuchardt, ZRPh. 32, S. 231).

[229] Die altspanische Form war *fallar*. Sie scheint auf einer Metathese (**aflar > falar*) zu beruhen, ähnlich wie i n f l a r e zu *hinchar* geworden ist (DELC). – Noch heute sagt man *fayar* in Asturien (z. B. in Ponga). – Auf unserer Karte mußte auf die Abgrenzung von *hallar* gegenüber dem heute volkstümlicheren *encontrar* verzichtet werden.

[230] Meyer-Lübke (REW 261) und Merlo (Italia Dial. 15, 51) bestreiten die Zugehörigkeit von apul. *acchiare* zu a f f l a r e. Doch ist an der Identität von apul. *acchiare* mit kal. *aχχare* und siz. *asciari* nicht zu zweifeln. Es genügt, eine Zwischenstufe **applare* anzusetzen, die genau der Entwicklung von s u f f l a r e zu span. *soplar*, ven. *sopiare*, trent. *soplar* entspricht (s. Verf., HGI, § 249). Zur Entwicklung von **applare* zu *acchiare*, vgl. planu > südital. *chianu*, plumbu > südit. *chiumbu*. In ähnlicher Weise findet sich neben kal. *uχχare* 'gonfiare', das auf einem **unflare* beruht, in anderen Zonen Kalabriens ei unchiare, das assimiliertes **umplare* voraussetzt. – Die Zugehörigkeit von apul. *acchiare* zu a f f l a r e verteidigt mit guten Gründen auch M. Bartoli, I riflessi di *afflare* e *conflare* nell'Italia meridionale (Atti della R. Accad. delle Scienze di Torino, vol. 75).

die gleiche Bedeutung angenommen. Die geographische Verbreitung von afflare legt den Gedanken nahe, daß sein Einrükken in die Bedeutung 'finden' in verhältnismäßig alter Zeit erfolgt sein muß. Das Auftreten von afflare im äußersten Westen und im äußersten Osten der Romania, zugleich an der nördlichen und südlichen Peripherie von Italien, muß so ausgelegt werden, daß afflare offenbar als ältestes Ersatzwort von invenire zu betrachten ist. Diese Entwicklung dürfte noch vor dem 5. Jahrhundert liegen, d. h. vor der Isolierung des Rumänischen. Es dürfte also afflare ursprünglich viel weiter verbreitet gewesen sein als es die heutigen Verhältnisse zeigen: in der Tat ist es bezeugt für die alte Sprache der Marken in Mittelitalien[231] und das alte Dalmatische.[232]

Die ältere vulgärlateinische Einheit von afflare ist im Laufe des frühen Mittelalters durch das Aufkommen neuer Bezeichnungen gestört worden. Ein solches Ersatzwort wurde captare. Von seiner alten lateinischen Bedeutung 'fassen', 'packen', 'fangen' (leporem, pisces, muscas) ist captare in der Südwestromania zur Verwendung im Sinne von 'sehen', 'betrachten' gelangt, z. B. im Cidepos v. *2 tornava la cabeça i estávalos catando,* im Poema de Fernán González, v. 365 d *cata aquí don Fernando* 'sieh hier'. Diese Bedeutungsstufe muß ziemlich alt sein, da sie durch die Glosse von Isidor cattat id est videt (Glotta 17, S. 14) bereits für das 6.–7. Jahrhundert bezeugt ist. Von hier aus haben sich zwei neue Bedeutungen abgespalten. Während im Galizisch-Portugiesischen *catar* dem Sinne von 'suchen' (auch in altspanischen Texten) entspricht, hat es im östlichen Oberitalien (ven. *catar,* emil. *catèr*), im Rätoromanischen (eng. *chattar,* friaul. *ciatar*) und im alten Dalmatischen von Veglia *(catuar)* die Geltung von 'finden' erhalten (s. AIS, Karte 1628).[233] – Zu der Sippe von captare gehören auch die in Sardinien auftretenden Verba *accattare* (Zentrum) und *agattái* (Süden), die hier den Begriff 'finden' ausdrücken.

Ein anderes Ersatzwort ist franz. *trouver,* prov. katal. *trobar,* ital. *trovare.*[234] Seine Heimat scheint in Frankreich zu liegen. Von

---

[231] Es ist belegt im 'Ritmo su Sant Alessio': *em quella estesse civitate loco afflao sta santitate* (Monaci, Crest., 1912, S. 542 v. 216).
[232] Bezeugt durch eine Urkunde des 13. Jh. aus Ragusa (M. BARTOLI, *Das Dalmatische* II S. 266): *aflar.*
[233] Vgl. noch rum. *căta* 'suchen', 'blicken', das sich mit dem synonymen *căuta* (*cavitare) vermischt zu haben scheint.
[234] Auch in altspanischen Texten (Berceo, Alexanderroman, Libro de Apolonio) begegnet *trobar*: offenbar ein Gallizismus; heute erscheint es als *trobar* im nördlichen Aragón.

6*

hier hat es sich nach Italien ausgebreitet, indem es die hier einheimischen Bezeichnungen (afflare, captare) zurückgedrängt hat.[235] Die Herkunft des Wortes ist in ziemliches Dunkel gehüllt. Während man früher geneigt war, es mit turbare 'das Wasser trüben' in Verbindung zu bringen, gibt man in neuerer Zeit dem Ansatz *tropare den Vorzug.[236] Das Verbum *tropare kann aufgefaßt werden als Ableitung von griech. τρόπος im Sinne von 'Redefiguren gebrauchen'. Das würde voraussetzen, daß altprov. *trobar* 'dichten' (*trobador* 'Minnedichter') älter ist als *trobar* 'finden'. Das ist möglich, doch hat es sich bisher nicht beweisen lassen.[237] – Als jüngere Ersatzwörter sind ferner rum. *găsi* 'finden'[238] und das in der spanischen Umgangssprache (besonders in Amerika) sehr beliebte *encontrar* zu erwähnen. In einigen spanischen Landschaften (z. B. Asturien) ist *topar* als grober Ausdruck gebräuchlich, das eigentlich 'chocar', 'stoßen' 'zufällig treffen auf etwas' bedeutet (s. DELC 4, 498); im Judenspanischen (Balkan, Stambul) gilt *topar* in gleicher Bedeutung wie *ayar* 'hallar'.

§ *61.* Ein ungleiches Schicksal ist dem lateinischen Wortpaare equus: equa widerfahren. Schon in den vorchristlichen Jahrhunderten der Latinität (Lucilius, Varro) erhält equus in dem vulgären caballus ein Konkurrenzwort.[239] Es bezeichnete ursprünglich das gemeine Pferd, das als Tragtier oder zum Ziehen

---

[235] Der lehnwörtliche Charakter von *trovare* ergibt sich (bei Annahme eines Etymons *tropare) aus der einheitlichen Form *trovare* auch in den Gebieten Mittel- und Süditaliens, wo intervokalisches *p* erhalten bleibt *(capo, sapere).* – in Sizilien, neben der parola rustica αχχαρι (s. o.), beruht *truvari* auf nördlichen Einflüssen (italianismo). In mittelalterlichen Texten 'è certamente forma normanna' (Bonfante, BCSic, VI, 1962, 207).

[236] Interessante Belege aus Sardinien, die sard. *trubare* 'scovare i pesci' < turbare (DES) als einen Fachausdruck der Fischer und der Treibjagd erweisen, gibt M. L. WAGNER, *Das ländliche Leben Sardiniens* (Heidelberg 1921) S. 93. – Über die Gründe, die eher für *tropare sprechen, s. FEW XIII, 2, 322 und DELC IV, 608 ff.

[237] Rätoromanisch *truar* 'das Urteil finden', *trueder* 'Urteilsfinder', *truament* 'richterliches Urteil' können der deutschen Rechtsterminologie nachgebildet sein, s. K. JABERG, *Kultur und Sprache in Romanisch-Bünden* (Bern 1921) S. 14.

[238] Rumänisch *găsi* 'finden' ist nicht zu trennen von slav. *gasiti* 'Feuer oder Durst löschen'. Über die eigenartige Bedeutungsentwicklung, s. P. SKOK, Docoromania 9, 1938, S. 217. – Nicht überzeugend ist die Verknüpfung mit einem konstruierten gepidisch-germanischen *gasihts 'la vue' (zuletzt bei E. Gamillscheg, Romania Germanica II S. 252); reine Phantasie eine Herleitung aus dem Dakischen (Reichenkron 120).

[239] Das lateinische Wort dürfte durch Vermittlung des Griechischen (καβάλλης) aus einer Balkansprache (Illyrisch ?) oder aus Kleinasien stammen.

von Wagen Verwendung fand, während e q u u s dem vornehmen
Reittier vorbehalten blieb. Die rasche Verbreitung des neuen
Wortes, das in seinem ursprünglichen Wert dem franz. *rosse*,
span. *rocín*, ital. *ronzino*, deutsch *Gaul* entspricht, dürfte durch
Troßknechte und den 'sermo castrensis' erfolgt sein. Schon in
einer aus Westspanien stammenden dem ersten nachchristlichen
Jahrhundert angehörigen Inschrift erscheint im Sinne einer Ge-
schlechtsdifferenzierung neben e q u a s nicht mehr e q u o s sondern
c a b a l l o s.[240] Während e q u u s noch lange dem gehobenen Stil
der Schriftsprache angehörte, wurde c a b a l l u s früh zum allgemeinen Ausdruck der Umgangssprache:

ital.	*cavallo*	franz.	*cheval*
sard.	*caḍḍu*	katal.	*cavall*
rum.	*cal*	span.	*caballo*
rätor.	*chavagl*	port.	*cavalo*

Dadurch daß e q u a nicht die gesamte Gattung bezeichnete,
sondern nur das Geschlecht ausdrückte, konnte dieses Wort als
Spezialterminus länger erhalten bleiben (s. Karte 36). Tatsächlich ist es auf der ganzen Pyrenäenhalbinsel bis heute der herrschende Ausdruck geblieben: span. *yegua*, port. *égoa*, katal. *egua*
(euga). Auch in Südfrankreich war e q u a bis an das Ende des
Mittelalters das allein herrschende Wort: altprov. *egoa (ega)*.
Uneingeschränkt hat sich e q u a erhalten auch in Sardinien
(ebba, ègua) und im Rumänischen *(iapă)*.

In Nordfrankreich ist der Geltungsbereich von e q u a seit dem
frühen Mittelalter durch das Aufkommen von j u m e n t u m
(franz. *la jument*) eingeschränkt worden. In der neuen spezi-
ellen Bedeutung 'Stute' (gegenüber der älteren Bedeutung 'Lasttier') ist j u m e n t u m seit dem 6. Jahrhundert bezeugt, vgl. in der
Lex Salica *quis jumentum pregnantem furaverit* (38, 5), später
im 'Capitulare de Villis' *ut iumenta nostra bene custodiant et*
poledros ad tempus segregent (14). Das Aufkommen des neuen
Wortes im fränkischen Kulturbereich hängt damit zusammen,
daß in Frankreich vorzugsweise das sanftere weibliche Pferd als
Trag- und Lasttier Verwendung findet.[241] Noch in den nordfranzösischen Texten des 12.–14. Jahrh. ist das auf e q u a be-

---

[240] Siehe oben § 22.
[241] So erklärt sich auch das provenzalisch-gaskognische *sauma* 'Eselin',
weil im Gegensatz zu Spanien, wo der männliche Esel bevorzugt wird, in
Frankreich der weibliche Esel die besondere Rolle des Lasttieres (s a g m a,
s a u m a 'Packlast') ausfüllt.

ruhende *ive (ieve, egue)* gut bezeugt. Seitdem ist es ausgestorben und im Norden des Landes weithin durch *jument* ersetzt worden.[242] Besser erhalten hat sich e q u a in Südfrankreich (besonders in der Auvergne) und im Gebiet des Genfer Sees *(ega, ego)*. Im italienischen Sprachgebiet ist e q u a schon seit den ältesten Texten nicht mehr nachzuweisen. Die Parallele von a s i n u s : a s i n a , m u l u s : m u l a hat in Italien früh dazu geführt, daß neben c a b a l l u s ein weibliches c a b a l l a getreten ist. Dieses Wort *(cavalla, cavala)* herrscht heute in ganz Nord- und Mittelitalien.[243] – Durch französisch-italienische Kulturbeziehungen ist es zu einem merkwürdigen Austausch des italienischen und des nordfranzösischen Wortes gekommen. Unter dem Einfluß der normannischen Kultur hat *jument* in den italianisierten Formen *jumenta, jimenta, sciumenta* in ganz Süditalien Fuß gefaßt, und zwar fast genau bis zu der Linie (Gaeta-Chieti),[244] an der das aus dem Normannischen gewonnene süditalienische *accattare* haltmacht (vgl. Karte 72).[245]

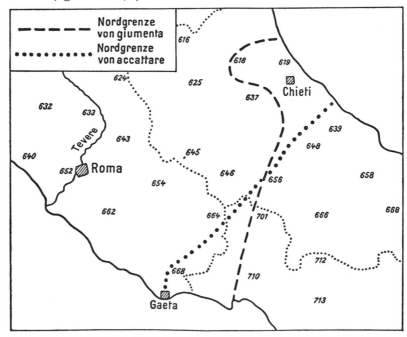

---

[242] Siehe ALF Karte 736.

[243] Siehe AIS Karte 1062.

[244] Siehe dazu unsere Karte.

[245] Gegen die Abhängigkeit von dem französischen Wort spricht der Umstand, daß weibliches *jumenta* 'Stute' bereits seit dem 10. Jh. in den Urkunden

Auch in Korsika sagt man *jumenta* (ALEIC, 1172), doch dürfte das Wort hier durch die jüngeren französischen Einflüsse sich verbreitet haben. – Andererseits ist seit dem 16. Jahrhundert das ital. *cavalla* in weiten Gebieten Südfrankreichs herrschend geworden; durch den Import von italienischen Zuchtpferden ist *cavale* auch in Teilen von Lothringen und im wallonischen Belgien in Aufnahme gekommen.[246] – Wie leicht, durch den Pferdehandel bedingt, die Namen für 'Stute' als Lehnwörter in andere Sprachen wandern können, zeigt auch südsardisch *ègua*, das wegen der unsardischen Entwicklung von *qu* (vgl. sard. *abba* < aqua) als Import aus Katalonien *(ègua)* aufzufassen ist.[247]

§ 62. Während das lateinische Adverbium nunc 'jetzt' in den romanischen Sprachen nirgends fortgeführt worden ist, hat das präteritale tunc 'damals' in der erweiterten Form *intunc und *adtunc eine stärkere Widerstandskraft bewiesen, wenn es auch auf die äußere Romania im Westen und im Osten zurückgedrängt worden ist (s. Karte 37): span. *entonces* (dial. *entonce, entuences),* altport. *entonce,* galiz. *enton,* port. *então,* rum. *atunci.*[248] – Auf einer Nebenform dunc beruht altfranz. *donc, adonc* 'alors', franz. *donc,* neuprov. *adounc,* dessen Bedeutung zwischen 'donc' und 'alors' liegt: offenbar eine Vermischung von dum und tunc (FEW III, 179).

Ein offenbar ziemlich altes Ersatzwort für tunc ist das nach dem Modell quantu: tantu zu quando gebildete *tando,* dessen frühe Existenz aus rum. *tînd (tând)* erschlossen werden kann.[249] Auch seine geographische Verbreitung, die ganz Süditalien *(tandu, tannu, tannə),* Sizilien *(tannu),* Sardinien *(tandu,*

---

des Codex Cavensis *(tres caballos et due iumente,* a. 966, s. Arch. glott. 15, 346) und des Codex Cajetanus bezeugt ist. – Es ist möglich, daß durch die Ausfuhr des berühmten neapolitanischen Zuchtpferdes nach Frankreich der französische Name der Stute schon vor der Normannenherrschaft nach Süditalien gelangt ist. Jedenfalls dürfte die heutige Verbreitung von *jumenta* in Süditalien durch die normannischen Kultureinflüsse bedingt sein.

[246] Siehe E. Tappolet, AStNSp. Bd. 131, 1913, S. 104–110; FEW II, 3; Camproux 591.

[247] M. L. WAGNER, *Hist. Lautlehre des Sardischen* (Halle 1941) S. 138.

[248] Ob in span. *entonce* (vgl. rum. *atunci)* ein 'latino arcaico' *tunce (*tum-ce) sich erhalten hat (DELC), bleibt sehr zweifelhaft. Es handelt sich doch wohl eher um eine spätlateinisch-romanische Umformung, vgl. lat. hinc > altit. *inci,* altneap. *ince,* modern in Süditalien *nci* 'dort', eccu – hic > altit. *quici,* illac > altit. *laci* (HGI § 907, 892, 894).

[249] Das rumänische Wort (heute veraltet) nur in der Verbindung *tînd – tînd* = modern *cînd – cînd* 'bald – bald'.

altlog. *tando)* und Corsica *(tandu)* umfaßt, läßt hohes Alter ver-
vermuten. Als Beispiel für die enge korrelative Beziehung nennen
wir kalabr. *tandu vegnu quandu mi piaci.* So wie altgriech.
νῦν 'jetzt' in der Vulgärsprache durch τώρα
'zu dieser Stunde' (τῇ ὥρᾳ) ersetzt worden ist, so beruhen auch
im Romanischen andere Neubildungen auf der Verwendung von
h o r a : in Sardinien *issara, insara,* < i p s a h o r a, *assòra* < *a
iss'ora* (DES I, 139, 683), altspan. *essa hora;* ital. *allora,* altprov. *loras,* altspan. *a la hora,* franz. *alors, lors* < (ad) i l l a
h o r a ;[250] alles in Parallele zu ital. *ora,* altit. *aora,* altprov. *aora(s),*
neuprov. *aouro, aro,* span. port. *agora* < h a c h o r a ;[251] vgl. pik.
norm. *asteure,* altprov. *astora* 'maintenant' < 'à cette heure'.

Gleichbedeutend mit *allora* war altital. *allotta* (in der Divina
Commedia fünfmal im Reim), zusammengesetzt mit altit. *otta*
'Stunde' (z. B. *in poca d'otta, bon'otta, a bell'otta, ogni otta, otta
cat'otta),* das noch heute in toskanischen Mundarten nicht ausgestorben ist.[252] Die Herkunft des Wortes ist bisher nicht geklärt.[253]

---

[250] Katal. *aleshores, llesores, llavores, llavors* scheint auf a d i l l a s h o r a s
(AM) zu beruhen.

[251] Das auslautende *s (alors, entonces)* ist das sogenannte adverbiale *s.* –
Über das jüngere *ahora,* s. DELC, II, 943.

[252] Erschöpfende Belege für das altit. *otta* in seiner vielfachen Verwendung
gibt Raphael G. Urciolo in Homenaje Dámaso Alonso, tome III, 1963,
S. 539ff. und Teresa Poggi Salani in Accad. Naz. dei Lincei, quaderno 129,
1969, S. 235. – Aus moderner Zeit findet man *nsin'allotta* 'fin' allora' in der
sizilianischen Version der Boccaccio-Novelle aus Caltanisetta bei Papanti,
S. 170.

[253] Deutungsversuche aus *quotta (quota) h o r a (Migliorini-Duro, Olivieri, Devoto), ital. v o l t a (Urciolo), oder Verknüpfung mit o p t a r e (Spitzer),
altgriech. ἄλλοτε (Alessio, Atti Accad. Pontaniana, 1965) sind unmöglich
oder können nicht befriedigen. Das Problem kompliziert sich durch die Existenz eines Substantivums *dotta* 'breve tratto di tempo' (Sacchetti, Pulci, Sermini), das vielleicht aus ad otta 'zur Stunde' entstanden ist.

XI. GRIECHISCHE EINFLÜSSE[254]

§ 63. Zur Bezeichnung der Frucht des Apfelbaumes (s. Karte 38) hat das Lateinische sehr früh das griechische Wort entlehnt, was wohl bedingt ist durch die Einführung der veredelten Apfelsorten aus den griechischen Mittelmeerländern. Es lag nahe, daß man in Italien die dorische Form der Magna Graecia (μᾶλον) übernahm. Erst in den späteren Jahrhunderten hat sich neben malum die ionisch-attische Form μῆλον > melum eingebürgert. Diese Form scheint hauptsächlich der gesprochenen Volkssprache angehört zu haben, während malum die feinere Form der Schriftsprache blieb. Seit dem 5. Jahrhundert findet man melum in lateinischen Texten: Palladius, Dioscorides Latinus, Oribasius.[255] Jedoch nur melum ist in den Sprachen der romanischen Völker lebendig geblieben: rum. *măr* (vgl. *păr* = ital. *pelo*, *făt* < fetus), ital. *melo (mela)*, sard. *mela*, rätorom. *mail*. In der Galloromania hat sich statt melum das allgemeinere pomum als die Baumfrucht κατ' ἐξοχὴν durchgesetzt: franz. *pomme*, prov. *pouma* bzw. männliches *poum*.[256] Mit Frankreich geht Katalonien *(poma)* und der größte Teil der Gallia Cisalpina: piem. *pum (puma)*, lomb. *pom*, tess. *poma*, emil. *pom*, venez. *pomo*.[257]

---

[254] Über die besonders starke griechische Durchdringung von Süditalien bedingt z. T. durch Einflüsse der Magna Graecia, z. T. durch das lange Fortleben der griechischen Sprache mit letzten Resten (Kalabrien, Südapulien) bis in die heutige Zeit, s. unsere 'Scavi linguistici nella Magna Grecia' (Roma 1933) und LexGr.; s. hier § 43. – Der griechische Einfluß zeigt sich hier sehr oft auch in Lehnübersetzungen ('calques'), z. B. *bello* im Sinne von 'buono' (griech. καλὸς 'bello' > 'buono'); s. dazu unsere Studie 'Griechischer Sprachgeist in Süditalien' (SBAW, 1947, Heft 5).

[255] Siehe dazu J. SVENNUNG, *Untersuchungen zu Palladius* (Uppsala 1935) S. 116. – Vgl. die Notiz bei Rufinus: Dicamus nos arborem *meli*, graeco quidem nomine utentes, sed simplicioribus quibusque Latinorum plus notiore quam *mali* (Orig. in cant. 3, p. 180, 5).

[256] Der erste Beleg für pomus im Sinne von Apfelbaum begegnet bei dem Burdigalesen Marcellus Empiricus: *mali, id est pomi* (19, 57).

[257] In Süditalien findet sich *puma (pumu)* in den neukolonisierten Gebieten (Sizilien, Südkalabrien), zweifellos unter norditalienischem Einfluß. Auch sein sporadisches Auftreten an der lukanisch-kalabrischen Grenze (VTC 266) dürfte mit der gallo-italienischen Einwanderung zusammenhängen, die in dieser Zone nachweisbar ist; s. Verf. *Galloitalienische Sprachkolonien am Golf von Policastro*, in ZRPh, Bd. 61 (1941) S. 79ff.

Eine besonders geschätzte Apfelsorte waren die m a l a M a t-
tiana.[258] Sie müssen auf der Iberischen Halbinsel sehr verbreitet
gewesen sein: auf ihrem Namen beruht span. *manzana,* astur.
mazana, altspan. *maçana,* port. *maçã* 'Apfel'.[259] In Katalonien
hat man *maçana* (Lehnwort aus dem Kastilischen?) nur in einigen Zonen; hier bezeichnet es z. T. 'una varietat de poma'
(Alcover-Moll VII, 99).[260]

§ 64. Ein griechisches Lehnwort späterer Zeit ist in die römischen Verwandtschaftsbezeichnungen eingedrungen. Die lateinische Bezeichnung für den 'Oheim' (s. Karte 39) war a v u n c u-
l u s. Dies Wort ist im ganzen Bereich des Galloromanischen erhalten geblieben (frz. *oncle,* prov. *ouncle*), mit Einschluß des Katalanischen *(oncle,* Balearen *conco* und *blonco).*[261] Auch das rumänische *unchiŭ* (modern *unchi*) und alb. *unq* (= *unkj*) oder
ungji ist eine Fortsetzung des lateinischen Wortes. Das im mittleren Graubünden vertretene *aug* scheint auf einem *avicus zu
beruhen (DRG I, 536).

Zu einer Zeit, die sich bisher nicht mit Sicherheit hat bestimmen lassen, die zweifellos aber diesseits des Hadrianschen Zeit-
alters liegt, ist in Rom bzw. im südlichen Italien das griechische
Modewort ϑεῖος in der Form t h i u s in Aufnahme gekommen.[262]
Von hier hat es sich nach Sardinien (heute *tíu, ϑíu, zíu*) und nach

---

[258] Die m a l a M a t t i a n a (M a t i a n a) werden erwähnt von Sueton und Columella. Über die Herkunft des Namens war man schon im Altertum nicht im
klaren. Während Plinius sie nach einem gewissen M a t i u s *(a Matio aliquo
nominata,* Hist. nat. 15, 5) benannt wissen will, glaubte Athenaios, daß sie
nach einem kleinen Ort im Gebiet von Aquileia ihren Namen tragen (3, 82c);
vgl. auch bei Isidor: *malum Matianum a loco vocatum unde prius advectum
est* (Orig. 7, 5).

[259] Über die romanischen Namen des Apfels nach mittelalterlichen Quellen,
s. P. AEBISCHER, in *Estudios de toponimia y lexicografía románica* (Barcelona
1948).

[260] Über *poma* in altspan. Texten, gal.-port. *pomar, pomareiro* 'manzanar'
und toponomastische Reflexe, s. Alvar, DL 33 und in BolFil. XX, 1961,
pp. 165–203.

[261] Die Form der Balearen *(conco)* ist im Munde der Kinder entstanden,
ähnlich wie franz. *tante* (< *ante* < a m i t a). Aus dem Katalanischen ist *conco*
nach Sardinien gelangt, wo *cuncu* älteren Personen als Respektstitel *(cuncu
Perdu* 'zio Pietro') gegeben wird; s. M. L. WAGNER, *Studien über den sardischen Wortschatz* (Genève 1930) S. 17.

[262] Das Wort findet sich in der überlieferten Literatur in der weiblichen Form
t h i a seit dem 4. Jh. Es ist zum ersten Mal belegt bei Rufinus von Aquileja
(cum matre vel sorore vel thia, Hist. 10, 6, p. 966, 11), dessen Sprache besonders reich an Gräzismen ist. Im 6. Jh. liest man es bei Gregor dem Großen: *dom-
nae Pateriae thiae meae* (ep. I 39).

der Pyrenäenhalbinsel (span. *tio*, port. *tio*) verbreitet und hat dort das ältere lateinische Wort verdrängt. Aus den Forschungen von Aebischer wissen wir, daß in Italien die heutige Form *zio* (aus älterem *tio*) erst verhältnismäßig spät entstanden ist und daß erst nach dem 9. Jahrhundert das süditalienische Wort größere Gebiete der Halbinsel erreicht hat.[263] In Mittel- und Norditalien hat es nicht etwa das lateinische a v u n c u l u s zurückgedrängt, sondern sein Vormarsch nach Norden ist erfolgt auf Kosten eines germanischen Wortes, das im Zeitalter der Langobarden sich große Gebiete von Italien erobert hatte.[264] Dieses germanische Wort, das in der Form *barba* (< b a r b a s) erscheint, findet sich heute nur noch in den Randgebieten von Oberitalien (Ligurien, Piemont, Tessin, Engadin, Dolomiten, Venezien), während die oberitalienische Mitte bereits von dem italienischen Expansionswort *zio* okkupiert worden ist.[265] Bei dem Ersatz des lateinischen Wortes durch *thius* handelt es sich ganz offenbar um ein Modewort, dessen 'fortuna' sich der weiten Verbreitung des französischen Modewortes *oncle* in Mitteleuropa (deutsch *onkel*, engl. *uncle*) vergleichen läßt. Eine weitere Folge des Eindringens von t h i u s bestand darin, daß an Stelle der semantischen Dualität der römischen Tradition (a v u n c u l u s 'Onkel', a m i t a 'Tante') eine semantische Einheit trat, indem der Genusunterschied nur noch durch die Endung ausgedrückt wurde: ϑεῖος – ϑεία, ital. *zio* – *zia*, span. port. *tio* – *tia*, gegenüber franz. *oncle* – *tante*, piem. *barba* – *magna*, bergam. *barba* – *meda*, lig. *barba* – *lala*, ven. *barba* – *amia*, rum. *unchiu* – *mătușă*.[266] In einer Zwischenstellung zwischen der galloromanischen und der hispanoromanischen Regelung befindet sich Katalonien mit *oncle* und *tia;* ebenso die

---

[263] Siehe P. Aebischer, *Protohistoire des deux mots romans d'origine grecque thius 'oncle' et thia 'tante'* (Ann. della R. Scuola Norm. Sup. di Pisa, Lettere, ser. II vol. 5, 1936, fasc. 1). Historische Überlegungen zum Eindringen des griechischen Wortes auch bei Bonfante (Iberia) 46 ff.

[264] Zur langobardischen Herkunft von *barba*, ursprünglich speziell der Bruder des Vaters, s. J. Jud, AStNSp, Bd. 121, 1908, S. 100.

[265] Das altgermanische Wort findet sich in vereinzelten Resten auch im Kulturgebiet (byzant. *Langobardía*) der süditalienischen Langobarden (Benevent, Bari): apul. tarant. *varvanə*; und so schon auf einer spätlateinischen Inschrift *cum Ezihiel barbane suum* (CIL IX, 6402), beruhend auf einem germanischen Akkusativ (*-ane*). Als *vávro* 'Onkel' mit dem fem. *vávri* 'Tante' lebt es bei den otrantinischen Griechen im Salento. Auch in Griechenland ist *bárbas* (orthogr. μπάρμπας) 'Onkel' ziemlich verbreitet (Epirus, Corfù, Thessalien, Peloponnes), wohl als Lehnwort aus dem Venezianischen; s. Verf., LexGr, 79.

[266] Zur allgemeinen Terminologie, s. Karl Neubert, Die Bezeichnungen von Onkel und Tante in den romanischen Sprachen. Diss. Erlangen 1967.

westliche Gascogne (Béarn, Landes) mit *ouncle* und *sian* <
*thiane (wegen -*ane*, s. Anm. 265).

§ 65. Noch sehr ungeklärt in ihren Anfängen ist die Geschichte
eines anderen Gräzismus (s. Karte 40), der in alle romanischen
Sprachen eingedrungen ist. Dem echt lateinischen jecur 'Leber'
entstand ein gefährlicher Konkurrent in dem griechischen (seit
Galenos bezeugten) συκωτόν 'Leber', eigentlich wohl 'Schweins-
leber (oder Gänseleber), die durch Mästung mit Feigen (σῦκα)
einen besonders feinen Geschmack erhielt'. Das griechische Wort
fand, zunächst als Modewort der kulinarischen Terminologie,
sehr bald Eingang in das Vulgärlatein. Doch hat es sich nicht
in der griechischen Wortform erhalten, sondern es wurde dem
lateinischen ficus 'Feige' angepaßt. Auf diese Weise entstanden zwei Worttypen: fícatum und ficátum.[267] Die erste Form
zeigt in stärkerem Maße direkte Abhängigkeit von dem griechischen Fremdwort, indem die dem Lateinischen ungewohnte
oxytone Akzentuierung, ähnlich wie in anderen Fällen (ὀρφανός
> órphanus, μοναχός > mónachus, ἀπαλός > ápulus,
ποντικός > pónticus, δαμασκηνός > damáscinus, ἑβδομάς
> hébdomas) durch proparoxytonen Akzent (fícatum) er-
setzt wurde. Als ein Produkt fortgeschrittener Latinisierung darf
man die Form ficátum ansehen, die an den latinisierten Stamm
eine rein lateinische Endung fügt.[268] Diese letztere Form liegt
zugrunde dem Rumänischen *(ficát)*, dem Venezianischen *(figá)*,
dem Friaulischen *(fiát)*, dem Engadinischen *(fió)* und den Mundarten des südlichen Sardiniens *(figáu)*.[269] Alle übrigen Gebiete

---

[267] Die Form ficatum ist seit dem 4. Jh. belegt (bei Apicius, Marcellus
Empiricus, Anthimus). Ob diese Form als fícatum oder ficátum zu lesen
ist, läßt sich nicht erkennen.

[268] Die Annahme Wartburgs, daß ficátum als die ältere Form anzusehen
sei (FEW Bd. 3 S. 491 ff. und ZRPh, 70, 1954, 65 ff.) kann kaum akzeptiert
werden. Die Gründe, warum fícatum als die ältere Form betrachtet werden
muß, hat M. L. Wagner (Rom. Forsch., Bd. 64, 1952, S. 405 ff.) überzeugend
dargelegt; s. auch DES, I, 518. Wartburg verteidigt seine Auffassung in
Zeitschr. für roman. Phil. 70, 1954, S. 65 ff.

[269] Rumänisch *ficát* ist beschränkt auf den Süden des rumänischen Sprachgebietes (Walachei, südlicher Banat). Im Norden gebraucht man *maiu*, ein
Lehnwort aus dem Ungarischen *(máj)*. In einigen Teilen des Landes hat sich
unter dem Einfluß des Türkischen, das kara ciğer 'Leber' ('schwarze Leber')
von ak ciğer 'Lunge' ('weiße Leber') unterscheidet, der Ausdruck ficat negru
bzw. *maieră neagră* verbreitet (ALRM I 69); s. Reichenkron, Ungar. Jahr-
bücher 20, S. 24. Ebenso unterscheidet man in Albanien mushkëni e zezë
'schwarze Lunge' ('Leber') von mushkëni e bardhë 'weiße Lunge'.

der Romania zeigen Formen, die auf einer proparoxytonen Akzentuierung (*fícatum*) beruhen: südital. *fícatu*,[270] zentralsard. *fíkatu* und *fígadu*, ital. *fégato*, port. *fígado*, span. *hígado*, katal. *fetge*, südfranz. *fege (fedje)*, gask. *hidge*, franz. *foie*.[271] Diese Formen spiegeln also eine ältere Phase der Adoptierung des griechischen Fremdwortes: es sind in der Tat Gebiete mit besonders archaischem Sprachtypus (Zentralsardinien, Süditalien, Pyrenäenhalbinsel), die dieser Form den Vorzug gegeben haben.[272]

§ 66. Aus dem Griechischen stammt auch das Ersatzwort, das im vulgären Latein an die Stelle von crus 'Bein', 'Unterschenkel' getreten ist (s. Karte 41). Als ein Fachausdruck der Tierärzte wurde griech. καμπή 'Fußgelenk der Pferde' seit dem 4. Jahrhundert ins Lateinische übernommen. Es erscheint in den Handschriften (Pelagonius, Chiron, Vegetius) teils als camba, teils als gamba, dessen Anlaut in der Form anderer Fremdwörter seine Parallele findet: ital. *gámbero* (κάμμαρος), *gánghero* (κάγχαλος), *gobius* (κώβιος).[273] Beide Formen leben fort in der heutigen Ro-

[270] In Aragonien akzentuiert man (neben *fígado*) in der Regel *figádo* (in Zaragoza heute *higáo*), bedingt durch eine hier allgemein gültige Akzentverschiebung, z. B. *águila* > *aguíla*, *máquina* > *maquína*, *médico* > *medíco* (M. Alvar, El dialecto aragonés (1953), § 74). – Auch serbokr. *pìkat* an der dalmatischen Küste (im Wörterbuch der Akademie von Zagreb, Bd. IX, 845) kann sekundär aus ficátum entstanden sein.

[271] Der Typ fícatum zeigt einen doppelten Vokalismus, indem das Wort teilweise mit langem ī (port. *fígado*, span. *hígado*, gask. *hidge*), teilweise mit kurzem ĭ (ital. *fégato*, astur. *fégado*, südfranz. *fege*, katal. *fetge*, franz. *foie*) gesprochen wurde. Das kurze ĭ dürfte durch Kürzung des ī in der Antepänultima bedingt sein; vgl. zu dieser auch sonst zu beobachtenden Erscheinung Verf., HGI, § 8. Die Annahme einer Grundlage *fécatum mit ę aus griech. υ (REW 8494, FEW 3, S. 492) scheint mir unnötig und nicht berechtigt, zumal auch im Spätlatein nur ficatum belegt ist. – Zum Teil hat das Wort Konsonantenumstellung (*fiticum) erfahren, vgl. altprov. katal. *fetge*, lomb. *fídek*, emil. *fédek*, Isola del Giglio *fédigu*, in Sardinien (logud. sett.) *fídigu*; s. dazu FEW Bd. 3 S. 490ff.

[272] Wegen weiterer Einzelheiten zur Geschichte des Wortes s. S. DA SILVA NETO, As designações para *fígado* nas línguas românicas in RP, vol 23, 1958, 339–346; B. CAZACU, Les dénominations du foie et du poumon d' après l' ALR, in Bull. ling. (Bucarest), IX, 1941, S. 83–94.

[273] Auffällig scheint die frühe Umsetzung von griechisch *mp* durch *mb*, weshalb gelegentlich eine Herleitung von gallisch *kamba erwogen worden ist (EWFS, DELC). Doch ist die Sonorisierung in postnasaler Stellung im Vulgärgriechischen seit dem 2. nachchristlichen Jahrhundert gesichert; s. Verf., Neue Beiträge zur Kenntnis der unteritalienischen Gräzität, in SBAW 1962, Heft 5, S. 97. – Für griechische Herkunft spricht auch die Existenz des Wor-

mania: camba im Provenzalisch-Katalanischen, im Frankoprovenzalischen und im Rätoromanischen *(comba* oder *chamma)*,
während in Italien und im nördlichen Frankreich gamba sich
durchgesetzt hat. In Sardinien gilt *kamba* in der Südhälfte der
Insel: *sas kámbas*, aber *sa gamba* (SALS, tav. 23). Auch das
ältere Spanische besaß noch ein *cama*, das erst nach der Assimi-
lierung von *mb* > *m* durch den Zusammenfall mit *cama* 'Bett',
zweideutig geworden, durch perna (span. *pierna*, port. *perna)*,
das eigentlich dem franz. *cuisse* entspricht, ersetzt worden ist.
Ähnlich ist im Nordteil von Sardinien, wie auch z. T. in Süditalien, germ. hanka 'Hüfte' (ital. *anca)* zur Bezeichnung des
Unterschenkels *(anka* 'Bein') geworden.[274] Den gleichen Übergang zeigt das Neapolitanische mit seinem *còssa* 'Bein' (< coxa
'Hüfte').

Ein ganz anderes Wort gilt im Rumänischen: *picior* aus spät-
lateinisch pecciolus (CGlL II, 144, 1), das eigentlich 'Fuß'
('kleiner Fuß') bedeutet; vgl. ital. *picciolo* 'Stiel einer Frucht'.
Diese Sonderentwicklung hat darin ihren Grund, daß in Rumänien die Volkssprache zwischen 'Fuß' und 'Bein' keinen Unterschied macht, in Übereinstimmung mit den anderen Balkansprachen (alb., serbokr.). Um diesen Mangel an Präzision zu be-
seitigen, hat man in moderner Zeit für Bein das ital. *gamba* >
gambă eingeführt.

§ 67. Die folgende Karte (42) vermittelt uns einen Eindruck von
den Geschlechtsveränderungen, die sich gelegentlich im Vulgärlateinischen bemerkbar machen.[275] In der guten Latinität wurde
venter als männliches Wort behandelt: *plenus venter non studet*

---

tes in Albanien: *kambë* (toskisch), *kamë* (gegisch) 'Bein', 'jambe', die nicht als
Italianismen betrachtet werden können.
[274] In Sardinien ist *anka* 'gamba', das im Süden der Insel (wie im Toskanischen) 'l'osso del fianco' bezeichnet, gewiß ein 'italianismo relativamente
recente' (Terracini, Commento al SALS, 66). – Das ältere einheimische Wort
Sardiniens war vermutlich *pèrra* (< perna), das heute nur in sekundären
Bedeutungen verwendet wird; siehe dazu M. L. WAGNER, Studien über den
sardischen Wortschatz (Genf 1930) S. 106 und DES, II, 248. – Zu anca
'coscia' und *anca* 'gamba', s. die sehr komplizierten Überlegungen durch
GAMILLSCHEG in Festschrift Wartburg (1958), S. 261ff.
[275] Unsere Karte beschränkt sich auf lateinisch venter in seinem unterschiedlichen Geschlecht. In der populären Umgangssprache sind oft andere
Bezeichnungen üblich, z. B. in Frankreich *bedaine, panse*, in Italien *pancia,
trippa*, in Spanien *tripa, panza, barriga*, in Rumänien *pîntece, foale* (follis),
burtă (etymol. dunkel).

libenter. Erst in der späten Latinität erscheint das Wort gelegentlich mit weiblichem Geschlecht. In der sogenannten Mulomedicina eines gewissen Chiron, die im 4. Jahrhundert aus einer griechischen Quelle übersetzt worden ist, lesen wir ad plenam ventrem. Als weibliches Wort lebt venter fort im Rumänischen: *vintre* (mot en agonie). Hier hat es sekundäre Bedeutungen angenommen: 'bas ventre', 'partie génitale', 'diarrhée'. Im Sinne von 'Bauch' (franz. *ventre*) ist es durch andere Wörter ersetzt (s. Anm. 275).[276] Dazu kommt weibliches venter in Sardinien *(sa vrente)* und in jenem Teil Italiens, den man einst als „Magna Graecia" bezeichnete *(la ventre)*.[277] Im Hinblick auf die geographische Verbreitung der beiden Typen ille venter und illa venter hat schon vor einer Reihe von Jahren Matteo Bartoli den Gedanken geäußert, daß das weibliche Geschlecht aus der Sprache der Ärzte stammen könne unter dem Einfluß des Griechischen, wo das dem lateinischen venter entsprechende Wort γαστήρ weiblich ist.[278] Ich halte diese Erklärung für sehr wahrscheinlich. Die geographische Verbreitung des Wortes entspricht in der Hauptsache den Gebieten, wo griechische Einflüsse vorzugsweise sich durchsetzen konnten.

§ 68. Es gibt einen zweiten sehr ähnlichen Fall (s. Karte 43). Bisher hat man keine überzeugende Erklärung dafür beibringen können, warum in einigen romanischen Sprachen der „Sonntag" männliches, in anderen dagegen weibliches Geschlecht hat. Es liegt zunächst nahe, daran zu denken, daß dies im Lateinischen sowohl als männliches wie als weibliches Wort behandelt werden konnte. Und in der Tat lebt dies in den romanischen Sprachen teils als männliches, teils als weibliches Wort fort. Aber die Übereinstimmung mit dem jeweiligen Geschlecht von dies ist keineswegs immer gegeben. In Italien ist vorherrschend das männliche Geschlecht von dies: und doch heißt auf der ganzen Halbinsel der Sonntag *la domenica*. Der gleiche Gegensatz besteht im

---

[276] Siehe ALRM I Karte 60–61 und S. PuşCARIU, *Die rumänische Sprache* (übers. von H. Kuen), Leipzig 1943, S. 230. – Über die Entstehung von *foale*, das vielleicht eine Lehnübersetzung unter dem Einfluß von bulg. *mešina* 'Blasebalg', 'Bauch' ist, s. G. Reichenkron in Zeitschr. für slav. Phil. 17, 1940, S. 156.
[277] Spärliche Zeugen für weibliches Geschlecht im nördlichen Piemont in alter und neuer Zeit (AIS, K. 128) können durch weibliches *pancia* bewirkt sein.
[278] Introduzione alla neolinguistica (Genf 1925) S. 45.

Rätoromanischen zwischen *il di* und *la dumengia*, im Frankoprovenzalischen zwischen männlichem „jour" und weiblichem
„dimanche".[279] Die wahrscheinlich richtige Lösung gibt uns die
sprachgeographische Betrachtung. Die Romania erscheint hier
in zwei Blöcke gespalten. Auf der einen Seite haben wir die westromanischen Sprachen mit span. *el domingo,* port. *o domingo,*
prov. *lou dimenche,* kat. *el diumenge,* franz. *le dimanche.* Auf der
anderen Seite Italien mit Corsika, Sardinien und Sizilien, das
Rätoromanische und das Rumänische mit illa domenica. Mit
Oberitalien geht auch ein Teil von Südostfrankreich im Umkreis
von Lyon *(la dimingi)* und die südwestliche Schweiz.[280] Da in
der griechischen Kirchensprache der Tag des Herrn mit einem
weiblichen Wort bezeichnet wurde (κυριακή ἡμέρα), darf man
vermuten, daß man in den Teilen der römischen Welt einem
dies domenica[281] den Vorzug gegeben hat, wo der Einfluß der
griechischen Kirchensprache besonders fühlbar gewesen ist.[282]

---

[279] Die Unabhängigkeit des Geschlechts unseres Wortes von dem jeweiligen
Genus von dies hat schon J. JUD (RLiR 10, 1934, S. 45) hervorgehoben.

[280] Siehe ALF 405, ALL 880 und FEW Bd. 3, S. 129.

[281] Die von BRUPPACHER, *Die Namen der Wochentage im Italienischen*
(Bern 1948) gegebenen Beispiele für dies dominicus und dies dominica
zeigen, daß dies dominica etwa ein Jahrhundert später auftritt (seit etwa
300) als dies dominicus. Bemerkenswert ist auch, daß in der Übersetzungs-
literatur griech. κυριακή vorzugsweise mit dominica wiedergegeben wird,
z. B. bei Rufinus in seiner Übersetzung der Kirchengeschichte des Eusebius
(z. B. IV 23, 11 τὴν σήμερον κυριακὴν ἁγίαν ἡμέραν = *beatam hodiernam do-
minicam diem)* und in dem Brief des Bischofs Theophilus an den Kaiser
Theodosius: ἐν κυριακῇ = *in dominica* (weitere Beispiele im Thes. Ling. Lat.,
Bd. 5 S. 1891). – Die Bevorzugung des weiblichen Geschlechtes im Frankoprovenzalischen dürfte bedingt sein durch die engen Beziehungen, die die
Kirchenprovinz Lyon mit den oberitalienischen Diözesen unterhielt.

[282] Man beachte, daß auch die Namen des Sonntags im Serbokroatischen
(nedjelja) und im Albanischen *(e dielë)* weiblich sind.

XII. DIE NACHWIRKUNG ETHNISCHER SUBSTRATE.

§ 69. Die Bedeutung, welche ein Einfluß der alten vorrömischen Sprachen auf die Entwicklung des Lateins in gewissen Provinzen haben konnte, ist früh erkannt worden. Schon Friedrich Diez hatte in seiner 'Grammatik der romanischen Sprachen' die Palatalisierung von *ct* zu *it* (factu > *fait*, nocte > port. *noite*, franz. *nuit*) mit einem ähnlichen Vorgang in Verbindung gebracht, der in keltischen Sprachen zu beobachten ist (Band I, 1856, S. 239). Später hat der italienische Sprachforscher G. I. ASCOLJ die Grundlagen einer förmlichen 'scienza del sostrato' entwickelt.[283] Ascolis Interesse blieb noch im wesentlichen auf die Lautentwicklung konzentriert: Wandel von *a* > *e*, *u* > *ü*, *ct* > *it*. Die Nachwirkung eines etruskischen Substrates in der sogenannten toskanischen '*gorgia*', z. B. *nella hucina la hoha hantava una hanzone*, ist besonders von Cl. Merlo vertreten und verteidigt worden.[284] Diese Theorien haben nur für einige Phänomene eine gewisse Wahrscheinlichkeit erlangt.[285] In anderen Fällen sind sie sehr hypothetisch geblieben oder haben Widerspruch und Ablehnung gefunden, weil diese Lautvorgänge meist erst aus einer Zeit bezeugt sind, wo an eine wirkliche Fortwirkung der alten ausgestorbenen Sprachen nicht mehr gedacht werden kann.[286]

Mit größerer Wahrscheinlichkeit ist es gelungen, das Fortleben lexikalischer Elemente aus den vorrömischen Sprachen nachzuweisen. Hier steht die Substratforschung auf festerem Boden. Seit einer ersten kritischen Prüfung durch R. THURNEYSEN (*Keltoromanisches*, Halle 1884) hat die Aufdeckung der präromanischen Wortschichten besonders durch die Arbeiten von J. Jud, V. Bertoldi, M. L. Wagner und J. Hubschmid zu vielen neuen Erkenntnissen geführt.[287]

---

[283] Siehe 'I motivi etnologici nelle trasformazioni del linguaggio' in Riv. di filol. e d'istr. classica, X, 1882, S. 13–53.

[284] Siehe ID III, 1927, S. 84–93.

[285] Zur Sonorisierung von lacus > *lago*, litus > *lido*, sapere > span. *saber*, franz. *savoir*, s. hier § 34.

[286] Gegen die etruskische Theorie s. unsere Stellungnahme, zuletzt in IF 68, 1963, S. 295–308; ZRPh 83, 1967, S. 461–471 und 85, 1969, S. 367ff.

[287] Siehe die kritischen Berichte bei Tagliavini 63ff.; A. Kuhn, Die romanischen Sprachen (Bern 1951), 41ff.; Vidos, Manuale 215ff. = Handbuch 232ff.

§ 70. Wie das Auseinanderfallen der lateinischen Einheit durch
das Fortwirken von verschiedenen Substraten aus den alten
vorrömischen Sprachen bedingt sein kann, soll an den Namen
der Eiche (Quercus robur) gezeigt werden.[288] Wir sehen auf der
Karte 44 die verbreitetsten Namen für die Eiche. In Italien
hat sich das alte quercus gut gehalten. Wir finden es teils in
der Form *quercia* (< arbor quercea) in der Toskana, teils als
cerqua im übrigen Mittelitalien (Umbrien, Latium, Marken,
Abruzzen), teils als *cèrza* in Süditalien.[289] Spanien[290], Katalonien, die Provence und Oberitalien haben einem anderen lateinischen Namen der Eiche (robur) den Vorzug gegeben: span.
roble, katal. *roure*, prov. *roure*, nordital. *rovere*.[291] Beide Worttypen sind in Sardinien vertreten: *kérku* im Norden, *orròele* im
Süden (AIS, Karte 591). Im übrigen aber finden wir fünf über-
lebende Wörter aus vorrömischen Sprachen: keltisch kassanos[292]
im größten Teile von Frankreich (franz. *chêne*, südfranz. *casse*,

---

[288] Außer Betrachtung bleiben hier die Namen der Steineiche (Quercus
ilex), für die überall eine besondere Bezeichnung besteht: franz. *yeuse* ('chêne
vert'), ital. *elce* oder *leccio*, span. *encina*, port. *azinheira*, sard. *élike*, prov.
éuse.

[289] Das Verhältnis der modernen Formen zu der lateinischen Grundform ist
verschiedener Auslegung fähig. Aus einem vulgären *querca scheint durch
Konsonantenumstellung *cerqua hervorgegangen zu sein, so wie in Süditalien
digitus zu *jídita* geführt hat. Auf (arbor) *cercea beruht südital.
cèrza. Toskanisch *quercia* scheint arbor quercea (belegt ist corona quercea) fortzusetzen. Nach anderer Meinung, da *qu* vor hellen Vokalen im Italienischen *k* ergibt *(chiedere, chi, cheto)*, wäre *quercia* erst sekundär durch neue
Konsonantenumstellung aus *cèrqua* hervorgegangen; s. dazu P. Aebischer,
RFE 21, S. 351.

[290] Daß quercus bzw. die umgestellte Form *cerquus, *cerqua einst auch
auf der Pyrenäenhalbinsel existiert hat, ist aus Ortsnamen *(Cerch, Cerqueda,
Cercedo)* und anderen Sprachresten (port. *cerqual, cerquinho*, mozarab.
chirqua) von P. Aebischer (a. a. O.) sehr wahrscheinlich gemacht worden.

[291] Vereinzeltes *rúvula* in Nordostsizilien und im südlichen Kalabrien erklärt
sich wieder aus der piemontesischen Einwanderung; s. § 145.

[292] Auch im gallischen Oberitalien muß kassanos einst verbreitet gewesen
sein. Meyer-Lübke zitiert in REW (no. 1740) ein piem. *casna* 'Eiche' für die
Gegend von Cuneo. Auf kassanos führt Giand. Serra die Ortsnamen *Cas-
sineto, Cassinetto, Casne, Casneda* im piem.-lombardischen Gebiet zurück
(ZRPh 57, S. 534). Deutlich wird die einstige Existenz des keltischen Wortes
im Piemont durch das im nordöstlichen Sizilien ziemlich verbreitete *cássanu*
(Bronte, Montalbano, Roccella Valdemone, Tortorici), *cássinu* (Naso, Patti,
Tripi) 'querciuola' bewiesen, das durch die piemontesischen Kolonisten nach
Sizilien gelangt ist; dort ein *Monte Cassano*. Auch im Bereich der gallo-
italienischen Einwanderung in Lukanien muß das Wort einst existiert haben,
wie erhellt aus den Ortsnamen *Cassaneto* (bei S. Arcangelo) in der Prov. Potenza, *Bocca di Cassaneto* bei Morano (an der Nordgrenze von Kalabrien).

cássou), ein altes Wort der Pyrenäenhalbinsel in Portugal *(carvalho)* und im westlichen Spanien *(carvajo, carbayu)*[293], ein Wort vermutlich iberischer Herkunft im nördlichen Aragonien: *cašico, cajico, cajigo* < *kaxiku*[294], ein Wort ligurischer oder iberischer Herkunft im inneren Languedoc: *garric* < *garriku*[295], und ein Wort aus einer untergegangenen Balkansprache in Rumänien: *gorún.*[296] – Als 'Baum' katexochen wird die Eiche in den Randzonen des griechischen Sprachgebietes in Kalabrien bezeichnet: kal. und sizil. (messin.) *árburu* = kalabr. griech. *dendrò*, in Griechenland δένδρο 'Eiche' (LexGr 124). – Aus einer vorrömischen Sprache stammt auch span. *chaparro* 'mata de roble o encina' (DELC II, 21). Aus einer keltischen Grundlage (*derullia) in westfranzösischen Mundarten (Saintonge, Périgord, Landes) *droulh* als Name von Quercus pubescens.

[293] Zur Verbreitung des Wortes (Galizien, Asturien, León, Zamora, Portugal), s. J. M. PIEL, Os nomes das 'quercus' na toponimia peninsular (RPF-4, 1951, 314ff.).
[294] Das Wort ist auf der Pyrenäenhalbinsel weiter verbreitet, doch bezeichnet es außerhalb von Aragonien eine Art Steineiche oder die junge Eiche (kastil. *quejigo*, galiz. *caxigo*). Nur in Aragonien hat es den Wert von kast. *roble*, franz. *chêne*. – Zur Etymologie (cax-), siehe besonders DELC, 3, 939. Das Suffix dürfte das gleiche sein, das im südfranz. *garric* 'chêne' enthalten ist (s. Anmerkung 295). – Eine Verknüpfung mit bask. *gastigar*, sard. *kóstike* 'Ahorn' wie sie von anderer Seite (Bertoldi, Hubschmid, Krüger, Kuhn) vertreten wurde, kann nicht in Frage kommen.
[295] Das Wort bezieht sich ursprünglich auf die niedrige und stachlige Buscheiche ('chêne kermès' = Quercus coccifera), die den typischen Baumbestand der provenzalischen *garrigue* 'terrain inculte couvert de ces chênes' bildet. In dieser Bedeutung ist das Wort weiter verbreitet: katal. *garrik*. Dazu kommt altfranz. *jarrie*, provenz. *garriga* 'lande', 'terre inculte' (s. FEW II 409), arag. *garrico* 'campo yermo', katal. *garriga*. Als ein naher Verwandter kann kastil. *carrasca* 'niedrige Steineiche', arag. *carrasca* 'Steineiche' betrachtet werden. Ob der Stamm mit bask. *harri* 'Stein' zu verknüpfen und auf eine vorindogermanische Basis *karra 'Stein' (FEW 2, 408) zurückzuführen ist, bleibt sehr problematisch. – In Kalabrien ist *carrigliu (carigliu)*, bei den kalabresischen Griechen (Bova) *karro* der Name von Quercus Cerris (ital. *cerro*), was eher an Verwandtschaft mit lat. cerrus, albanisch *qarr* (= *kjarr*) id. denken läßt (VTC 439, LexGr 217). – Siehe dazu J. Hubschmid, Sardische Studien (Bern 1953), 93–97.
[296] Das Wort bezieht sich genauer auf Quercus pedunculata (ital. *farnia*), die auch bulg. und serbokr. *gòrun* genannt wird: sicher aus einer alten Balkansprache (s. Russu, Elem. autoht. 101); vgl. bulg. *granica* 'Art Eiche' (Quercus conferta). – Ein anderer Name der Eiche in Rumänien ist *stejár*, vgl. kroatisch *sterž* 'sorte de chêne' (Cihac, Dict. 366). Dieser Name wohl identisch mit serbokr. *stežer* 'Stamm', bulg. *stožar* 'Pfahl', cech. *stožar* 'Stange'. – Ein altes Substratwort ist enthalten in rum. *bunget* 'alter dichter Eichenwald', dessen Stamm mit alb. *bungë* 'chêne vert' zu identifizieren ist.

7*

§ 71. Ein anderer Waldbaum, dessen romanische Terminologie aus verschiedenen Sprachen vorrömische Relikte bewahrt hat, ist der Ahorn (Acer pseudoplatanus) mit seinen verschiedenen Unterarten, z. B. Acer campestris, franz. érable des champs (Karte 45). Wir verzeichnen hier kurz: in den nordspanischen Provinzen, mit dem baskischen Substrat zusammenhängend, *escarrio (escarro, escarrón)*[297], in Südfrankreich (langued.) vielleicht aus dem ligurischen Substrat *agàst (agàs, ajàst)*[298], im einst griechischen Süditalien *žijía* und *ssèndamu.*[299] In Sardinien wird der Feldahorn *kóstike*[300] genannt; in Rumänien heißt der gleiche Baum *páltin.*[301] Beide Wörter sind einem alten Substrat zuzuweisen.

Derivate von a c e r sind catal. *auró,* arag. *acerón* (-one), gasc. *auseró* (-eolu), in Graubünden *aschér* (= *ažér*) und *ischí* (= *iži*) < a c e r e u s (DRG I, 445). In Rumänien wird der Ahorn *arțár* genannt. Die Herkunft des Wortes ist noch nicht geklärt. Eine Verknüpfung mit siz. *azzaru* (Pușcariu, EWRS) ist nicht denk-

---

[297] Spanisch *escarrio* ist für die Prov. Burgos bezeugt; in Alava und Navarra hat man *ascarro, ascarrio* und *escarro,* die genau dem bask. *askarr* 'Ahorn' entsprechen. Dazu gehört in Aragon *escarrón* und *escarronero,* in den Pyrenäentälern der Gascogne *escarroué* als Name von 'érable des champs' (Rohlfs, Gascon § 19).

[298] Das Wort wird als ἄκαστος von dem Lexikographen Hesych (5. Jahrh.) mit der Bedeutung 'Ahorn' verzeichnet. Es ist uns aber aus keiner anderen altgriechischen Quelle bezeugt; auch im heutigen Griechenland und in seiner Toponomastik ist es völlig unbekannt. Nach Wartburg (ZRPh 68, 1952, 22) wäre das Wort dem phokäischen Griechentum von Massalía (Marseille) zuzuweisen. Die Einmaligkeit seiner südfranzösischen Existenz läßt eher daran denken, daß es sich um ein altes ligurisches Wort handelt, das von den massaliotischen Griechen übernommen wurde (dies meint auch Alessio, Arch. Rom. 25, 144). Man muß bedenken, daß Hesych aus seinen z. T. unbestimmbaren Quellen gelegentlich Wörter verzeichnet, die anderen Sprachen (italisch, keltisch, etruskisch) angehören.

[299] Als *žijía* im südlichen Kalabrien, *sijía* im nördlichen Kalabrien aus altgriech. ζυγία, überliefert als Name eines Waldbaums, als *žijía* auch bei den kalabrischen Griechen (*LexGr* 171); im heutigen Griechenland unbekannt. Als Name des 'acero campestre' lebt im südlichen Kalabrien *ssèndamu,* in Sizilien (Prov. Messina) *sfánnamu* oder *spánnamu* < σφένδαμνος 'Ahorn' (ib. 494).

[300] Für dieses Wort gibt Wagner (DES I, 392) die Bedeutung 'Acer monspessulanum', nach anderer Quelle 'bosso' (Buxus). Nach eigenen Feststellungen handelt es sich überall um den 'acero campestre'. – Es ist denkbar, daß eine ferne Verwandtschaft mit dem Typ *ákastos* (s. Anm. 298) besteht.

[301] Man hat das Wort bisher zu lat. p l a t a n u s (umgeformt zu *platinus*) gestellt. Eine neuere Deutung verbindet das Wort mit alb. *palnje* 'Acer pseudoplatanus', für das man eine Grundform *paltnje* angesetzt hat (Çabej, ZB II, 1964, 30).

bar, da dieses auf der ersten Silbe accentuiert wird: *ázzaru* = ital. *ácero*. Auch eine Rekonstruktion *acerariu, deformiert in *arcerariu durch Einfluß von arcus (Cioranescu), bleibt problematisch. Der rumän. Name läßt am ehesten an span. *arce* denken, das aus *azre* umgestellt ist. – Was franz. *érable* (dauph. *alezabre*, südfranz. *arjelabre*) betrifft, so wird es von Wartburg (FEW, BW) als eine Komposition von acer mit einem keltischen *abolos 'sorbier' aufgefaßt, was ganz hypothetisch ist. Überzeugender ist die vom REW und EWFS vertretene Deutung acer-arbore, bedingt durch die Kollision von acer (Baum) und acer 'aigre'. – Das im Languedoc bezeugte *agazabre* beruht auf Vermischung von *agàs* mit *arjelabre*.

In Portugal wird der Ahorn *bordo* genannt, das von Nascentes und Fontinha mit lat. laburnus 'Goldregen' verknüpft wird: wenig überzeugend. Man könnte eher an lat. bŭrdus 'Bastard' > 'hybride Eiche' denken. Als Name von 'Acer monspessulanum' gilt in Portugal *zelha*, was sich als *acĭcula (dim. von acer) deuten läßt.[301a]

§ 72. Die Tatsache, daß es sehr oft Namen von Bäumen und Pflanzen sind, deren Namen aus einem alten vorrömischen Substrat sich erhalten haben, soll an einigen weiteren Beispielen dokumentiert werden, die uns keltische Wortstämme in einer über die Grenzen Frankreichs hinausgehenden Verbreitung zeigen (s. Karte 46).

Als Name des Heidekrautes (Erica) ist das keltische *vroicos (vgl. irisch *froech*) als *brūcus ins Lateinische übernommen worden: altfranz. *brui*, altprov. *bruc*, noch heute in den Mundarten des Midi in den verschiedenen Formen *brük* (gir.), *brügo* (langued.), *brüs* (prov.), im Norden meist in der Form *bruyère*, womit ursprünglich ein mit Heidekraut bestandenes Terrain bezeichnet wurde.[302] Nach Süden findet das Wort seine Fortsetzung über die Pyrenäen hinaus in katal. *bruc*, arag. *bruco*. Gegen Osten läßt sich das Wort über die Alpen bis an den Gardasee verfolgen:[303] *brügu* (lig.), *brük* (lomb.), *brü* (piem.); dazu in Graubünden *brukj* (rheint.), *bruokj* (engad.). – Damit im Stamm verwandt

---

[301a] Siehe dazu Gamillscheg, Histoire des mots galloromans qui désignent l'érable, RLiR 25, 1961, 290–307.

[302] Vgl. katal. *bruguera* 'lieu couvert de *bruc*'.

[303] Über die einzelnen Formen und ihre Beziehung zueinander, s. FEW I, 557 und DELC I, 517. – Zu Südfrankreich s. Camproux 691 und Rohlfs, Gascon (1970) § 322.

sind die Sonderformen *bròk* in der Gascogne und spanisch *brezo*
mit den dialektalen Varianten *berezu* (Asturien), *beruezu* (Navarra), *berozo* (Alava, Rioja).
Gegenüber dem franz. *aune* aus lat. alnus[304] wird die Erle im
ganzen südlichen Frankreich von der Loiremündung bis in das
südliche Elsaß *vern* oder *verna* genannt, das in altfranz. Texten
als *verne* bezeugt ist. Die keltische Grundform *vernu ergibt
sich aus irisch *fern*, breton. *gwern* (FEW XIV, 301). Jenseits der
französischen Grenze finden wir *vern* im Katalanischen bis in die
Gegend von Barcelona; ebenso im benachbarten Oberitalien als
verna (piem., ligur.).[305]
Als Name der Erdbeere gilt auf einem großen südfranzösischen
Gebiet, das (z. T. in zerstreuten Zonen) sich bis in den Poitou
und in den Dauphiné erstreckt, ein besonderes Wort, das in verschiedenen Varianten erscheint: altprov. *majofa* und *majossa*, in
den modernen Mundarten *majòfo* (Toulouse, Gers), *madzoufo*
(lim. auv.), *mayoufo* (lyonn.), *mayoussa* (dauph.), *máousso* (prov.),
mousse (poit.). Man hat dafür ein vorrömisches *majosta < *ma-
giusta rekonstruiert.[306] Losgelöst von dem französischen Verbreitungsgebiet finden wir das gleiche Wort im zentralen Oberitalien
(Lombardei, Emilia, Tessin) in der Form *magiostra*.[307] – Wenn
es auch schwierig ist, die verschiedenen Worttypen unter einer
einheitlichen Basis zu vereinigen, so besteht jedenfalls kein Zweifel, daß wir es mit den Relikten aus einer vorrömischen Sprache
zu tun haben.[308]

§ *73.* Als Bezeichnung der Wiege hatte das Lateinische cuna.
Dies Wort hat sich in mehreren romanischen Sprachen einen
guten Platz behauptet (s. Karte 47): span. *cuna*, in Oberitalien
cüna (lomb. piem. lig.), *cuna* (ven.), *cona* (emil.), rätorom. *chüna
(tgina)*; dazu *cüo* in einem kleinen Teil der Gaskogne.[309] In Mit-

---

[304] Die von Jud vertretene Deutung von franz. *aune* aus einer germanischen
Grundlage *alira > *alinus (so akzeptiert in FEW und BW) statt aus lat.
alnus hat wenig Zustimmung gefunden.
[305] In Süditalien (Lukanien und Prov. Messina) hat man *verna* in einigen
Zonen, wo Einwanderung aus dem Piemont stattgefunden hat.
[306] Siehe dazu Hubschmid, Pyr. 41 und im FEW VI, 1, 19.
[307] Die einstige weitere Verbreitung des Wortes erkennt man aus friaul.
majùrsula. – Ein isoliertes *majùrsula* in Kalabrien gehört einer Zone an, wo im
Mittelalter waldensische Einwanderung erfolgt ist (DTC).
[308] Über eine südfranz. Variante *madoufe* (Corrèze, Auvergne), die mit
catal. *maduixa* Erdbeere verwandt ist, s. Hubschmid, FEW XXI, 95.
[309] Auch in einigen baskischen Mundarten: *cua (cuba)*. Ein rumän. *cună*
nur in Mazedonien.

telitalien und im nördlichen Teil des italienischen Mezzogiorno ist c u n a durch die Diminutivform c u n u l a ersetzt worden: tosk. *culla* (< *cunla*), röm. *cúnnola*, neap. *cònnələ* (AIS Karte 61).[310] Eine jüngere Diminutivform (c u n e l l a) lebt in der Gaskogne in der Form *cugnèra* fort. – Im übrigen hat sich in Frankreich ein Wort keltischer Herkunft behauptet. Es begegnet im Altfranzösischen als *berz*, im Altprovenzalischen als *brès*, heute nur noch in einigen Mundarten: *bèr* in der Normandie und im Gebiet der Loire, *brè* in Burgund, *bri* in der Westschweiz, *brès* in vielen Teilen Südfrankreichs.[311] Daneben ist schon im Mittelalter eine Diminutivform bezeugt: altfranz. *berçuel*, altprov. *bressòl*, altspan. *breçuelo (berçuelo)*. Diese Form lebt fort in franz. *berceau*; dazu in der Champagne *berseuil*, in Südfrankreich (Haute-Loire) *brassòu*. Der gleiche Wortstamm ist auch im westlichen Teil der Pyrenäenhalbinsel vertreten: port. *berço*, galiz. *berce*, Sanabria *brizo* und *bricio*, Salamanca *brizo*, leon. *briciu*, astur. *bierzo* und *brizo* (< *briezo*), santand. *berzo*. Das Katalanische schwankt zwischen den beiden Formen *bres* und *bressol*, entsprechend den altprovenzalischen Formen *bres* und *bressol*. Von Katalonien hat sich durch die aragonesische Herrschaft *bressol* auch großen Teilen von Sardinien *(brazzolu, brassolu)* mitgeteilt. Die geographische Verbreitung der Wortsippe läßt auf einen alten keltischen Wortstamm schließen, den man als *bertiu oder *berciu rekonstruieren kann.[312]

§ 74. Auch in Süditalien ist lat. c u n a nicht vertreten. Im gesamten süditalienischen Raum von Sizilien bis in die Gegend von Foggia hat sich aus dem hellenistisch gefärbten Latein der Magna Graecia ein griechisches Wort erhalten: *naca* < νάκη 'Schafvlies'. Der Übergang zur Bezeichnung der Wiege erklärt sich daraus, daß die im südlichen Italien übliche Wiege dem

---

[310] Auf ein ital. *cunnia* (so in Latium) läßt sich neugriech. κούνια 'berceau' zurückführen.

[311] Siehe ALF Karte 126. – In einigen Landschaften ist das Wort weiblich: langued. *brèsso* und wallon. *berce*; vgl. auch weibliches *bressola* im Roussillon.

[312] Es ist möglich, daß die ältere Bedeutung des Wortes 'Korb' war, da die einheimische Wiege in Frankreich und in Oberitalien aus Weidenruten geflochten war (DELC I, 523). – Weniger wahrscheinlich ist die im FEW (I 336) vertretene Annahme, daß von einem Verbum *bertiare 'wiegen' auszugehen sei, da auf der Pyrenäenhalbinsel ein solches Verbum nicht bezeugt ist. Von dem Begriff 'Wiege' konnte leicht ein Verbum 'wiegen' abgeleitet werden, so wie von ital. *culla* ein Verbum *cullare* gewonnen wurde.

Typus der Hängewiege entspricht.[313] In ihrer einfachsten Form
präsentiert sie sich in einem an der Zimmerdecke aufgehängten
rechteckigen Holzrahmen, in den ein Schaffell (heute meist ein
Tuch) so eingespannt ist, daß es einen wiegenartigen Bausch
bildet.[314] Unbekannt ist cuna auch in Rumänien.[315] Hier wird die Wiege
leagăn (dazu das Verbum *legăna* 'wiegen') genannt, vermutlich
aus altgriech. λῖκνον 'Korbwiege', latinisiert zu *lignus > *ligi-
nus (vgl. κύκνος > lat. cycnus und cygnus > vulg. cycinus);
s. Candrea 700, Niculescu 131.[316] Von Russu wird das Wort zu
den 'cuvintele preromane' (S. 101) gerechnet.

Andere Wörter haben eine geringere Verbreitung. Wir nennen
hier kurz südostfranz. (Lyonnais, Dauphiné) *cro, cròs*, das zu
altprov. *crossar* 'branler', 'secouer' gehört und ein aus keltischer Grundlage entstandenes *crottiare voraussetzt (FEW II,
1366).[317] In Korsika ist vehiculum zur Bezeichnung der Wiege
gelangt: *vèculu, vègulu, vículu, vígulu* (Bottiglioni, ALEIC 446).
Das Wort findet sich in der gleichen Bedeutung auch in den
Mundarten der westlichen Toskana: lucch. *ghiècolo* (Nieri, Vocab.
68), auf Elba *gècolo*; von Korsika ist es auch im äußersten Norden Sardiniens (Gallura) in Aufnahme gekommen: *ículu, jógulu*
(AIS, Karte 61). – In Teilen von Asturien wird die Wiege *trubiecu* genannt.[318] Das Wort ist eine Ableitung von dem im nordwestlichen Spanien sehr verbreiteten *trobo* 'ausgehöhlter Baum-
stamm, der als Laugengefäß oder als Bienenstock dient'.[319] Es

---

[313] Als Bezeichnung der auch in Griechenland verbreiteten Hängewiege
findet sich νάκα noch heute in verschiedenen Teilen des Peloponnes (Maina,
Messenien, Arkadien); s. LexGr 346.

[314] Verschiedene Typen der Hängewiege habe ich in Rev. de ling. rom. IX
S. 257, fig. 8 und 25 und in dem Sammelband *Estudios sobre geografía lin-
güística de Italia* (Granada 1952) fot. 25 und 26 reproduziert; s. auch in
Lengua y cultura (1966), S. 161, 177 und VTC, 1966, S. 208.

[315] Ein rumän. *cună* ist nur für die Mazedorumänen bezeugt.

[316] Das altgriechische Wort findet sich noch heute in der Diminutivform τὸ
λίκνι 'berceau' mit dem Verbum λικνίζω 'bercer' im nördlichen Griechenland (Thrazien). – Nach Pușcariu wäre in dem Verbum *legăna* ein latein.
*liginare 'anbinden' (EWRS) zu sehen, was nicht überzeugt. Eine Deutung
aus dem Dakischen (Reichenkron 137) ist eine irreale Konstruktion.

[317] In diesem Fall wird die Ableitung des Substantivums vom Verbum dadurch gestützt, daß das Verbum *croussà* 'remuer', 'bercer' viel verbreiteter
(von den Pyrenäen bis zu den Alpen) ist als das Substantivum.

[318] Siehe L. RODRÍGUEZ-CASTELLANO, *La variedad dialectal del Alto Aller*
(Oviedo 1952) S. 308; MARÍA JOSEFA CANELLADA, *El bable de Cabranes* (Madrid 1944) S. 360: *trubiecu* 'cuna pequeña y rustica'.

[319] Das Wort ist bezeugt aus Asturien, León und Galizien; s. W. BRINK-
MANN, *Bienenstock und Bienenstand in den romanischen Ländern* (Hamburg

handelt sich hier offenbar um eine ursprünglich sehr primitive Wiege, die der von M. L. Wagner in Sardinien festgestellten 'Wannenwiege' ('fatta semplicemente di un tronco di legno incavato') entspricht.[320]

1938) S. 86. Eine andere Ableitung von dem gleichen Stamm ist astur. leon. *truébanu* 'Bienenstock'. Die Wortsippe dürfte vorrömischer Herkunft sein. – Eine Identifizierung mit dem germanischen Stamm trog (nach Malkiel, Univ. of Calif. Publ. in Ling., vol. 4, no 3, S. 160 und L. M. Wagner, ZRPh 69, 1953, S. 375) scheint mir aus lautlichen Gründen nicht wahrscheinlich.

[320] M. L. WAGNER, RLiR 4, 1928, S. 46. – Hier erwähnt Wagner einige andere sardische Namen der Wiege, z. B. *laccu* und *iskiu*; beide Wörter sind ursprünglich Bezeichnungen des Backtroges (laccus, scyphus). – Andere sardische Namen sind *bánziku* (zum Verbum *bantsikare* 'dondolare') und *killia*; s. DES I, 174, 336 und SALS c. 40.

XIII. DIE GERMANISCHE DURCHDRINGUNG DER ROMANIA

§ 75. Verglichen mit dem Fortwirken des ethnischen Substrates kommt den Einflüssen, die man als *Superstrat* zu bezeichen pflegt, eine viel größere Bedeutung zu.[321] Dies hat darin seine Ursache, daß wir es hier nicht nur mit jüngeren Sprachströmungen zu tun haben, sondern mit Sprachen, deren Elemente und deren historische Einflüsse wir kennen und genau überblicken können. Es sind besonders die germanischen Völker, die im Zeitalter der Völkerwanderung den in Entwicklung befindlichen romanischen Sprachen wesentliche Beiträge geliefert haben.[322]

Wie tiefgreifend die germanische Durchdringung der Romania gewesen ist, läßt sich noch heute daran ermessen, daß germanische Völker ganzen romanischen Ländern und Landschaften einen neuen Namen aufgedrückt haben. So wurde die G a l l i a zur F r a n c i a 'Frankenland'. Und selbst der alte Name G a l l i a hat in Frankreich keine direkte Fortsetzung gefunden, sondern an seine Stelle trat unter fränkischem Einfluß das 'Welschland', fränkisch W a l h a: *la Gaule*.[323] Das germanische Wort W a l h a liegt auch dem Volksnamen der *Wallonen* und der *Walachen (Wlachen)* zugrunde. Dieser letzte Name scheint den Donauromanen von den germanischen Gepiden gegeben zu sein. Der Name Burgund *(Bourgogne)* hat die Einschmelzung der Burgunder überdauert. Die Langobarden gaben ihren Namen der

---

[321] Zur linguistischen Anwendung des Begriffes *Superstrat* (durch Wartburg eingeführt), s. ZRPh 56, 1936, S. 48.

[322] Andere Formen des Superstrates in einer mehr begrenzten Auswirkung sind durch die arabischen Einflüsse in der hispanischen Romania und durch die slawischen Einflüsse in Rumänien bestimmt; s. die Hinweise bei Tagliavini (1969), 312 ff.

[323] Die Entwicklung von *Walha* zu *Gaule* entspricht den normalen Lautgesetzen. Die Entwicklung geht über *Walla* mit gedehntem 'doppeltem' *l*, dessen erstes *l* in vorkonsonantischer Stellung ebenso zu *u* wurde wie in m a l v a > *mauve*, caldus > *chaud*. Genau so hat sich entwickelt fränkisch s a l h a > *salla* > *saule* 'Salweide', s p a t u l a > *spadla* > *espalla* > *épaule* (vgl. Gamillscheg, RG I, S. 249).

Lombardei,[324] die Vandalen der spanischen Landschaft Andalusien.[325]

Die genauere Erforschung der germanischen Einflüsse auf die romanischen Sprachen ist besonders durch GAMILLSCHEGS dreibändiges Werk 'Romania Germanica' (1934–1936) entscheidend und umfassend vorwärts gebracht worden. Aber auch andere Forscher wie Brüch, Jud, Wartburg, Frings, Piel, Bonfante, Sabatini, Longnon, Vincent haben wertvolle und wichtige Bausteine geliefert; s. dazu die Zusammenfassung der wichtigsten Probleme bei TAGLIAVINI (1969), S. 283 ff. Einen sehr anschaulichen zusammenfassenden Überblick, mit persönlicher kritischer Stellungnahme, über die verschiedenen Schichten der germanischen Einflüsse in Italien und ihre Eingliederung in die italienische Romanität gibt G. BONFANTE in der Abhandlung 'Latini e Germani in Italia' (Brescia 1965).

Im wesentlichen sind es lexikalische Elemente, die sich den romanischen Völkern mitgeteilt haben. Ob die in einigen romanischen Sprachen durchgeführte Vokaldifferenzierung je nach freier und gedeckter Stellung mit besonderer Neigung zu Vokalverschiebung und Diphthongierung (in Nordfrankreich und Oberitalien) germanischen Einflüssen zuzuschreiben ist, wie dies durch Wartburg (Ausgliederung 74 ff.) begründet wird, ist sehr umstritten: diese Theorie hat mehr Widerspruch als Zustimmung gefunden. Das germanische *h* ist nur im fränkischen Kulturbereich übernommen worden.[326] Das germanische *w* wurde in eine ro-

---

[324] Im 8. Jahrhundert hat *Longobardia* sogar den historischen Namen *Italia* ersetzt, vgl. die Reichenauer Glossen, wo im Anschluß an das vierte Buch Moses (24, 24) *Italia* mit *Longobardia* glossiert wird. – Ebenso erhielt das nördliche Apulien (besonders das Gebiet der heutigen Provinz Bari) nach dem beherrschenden Einfluß, den hier die Langobarden von Benevent ausübten, im byzantinischen Sprachgebrauch den Namen Λογγοβαρδία. Oft wird dieser Name auf den gesamten byzantinischen Besitz in Süditalien bezogen; s. dazu MARGUERITE ZWEIFEL, Langobardus-Lombardus (Diss. Zürich 1921), S. 25 ff. – Noch in der Erdbeschreibung des arabischen Geographen Edrisi (12. Jahrh.) ist Langobardia (arabisch 'ankubardîah) die Bezeichnung von Apulien: als seine Hauptstadt wird Bari genannt.

[325] Zur Bildung des Namens Andalusien (span. *Andalucía*) siehe J. BRÜCH (RLiR 2, S. 74), der an griechische Vermittlung denkt, derart, daß zu Οὐάνδαλοι ein Adjektivum οὐανδαλούσιος gebildet wurde (wie zu Μαῦροι' Mauren' eine Bildung μαυρούσιος existiert).

[326] Franz. *hardi* gegen ital. *ardito*, span. *ardido*. Mit dem germanischen Lautwert heute nur noch in den nördlichen Randgebieten (Bretagne, wallonisches Belgien und Lothringen). Unabhängig davon mit dem alten aspirierten Laut auch in der Gascogne *(hounta* 'honte', *hardit)* in Lehnwörtern aus dem Norden, hier gestützt durch das aus *f* entstandene *h*: *la hilho, la hèsto*.

manische Form umgesetzt: *wardon > altfranz. *guarder*, ital.
guardare. Stärkere Wirkung zeigt sich im morphologischen Bereich. Aus germanischer Quelle stammen die produktiv gewordenen Suffixe *-ard (-ardo)*, *-aud (-aldo)* und *-ais* oder *-ois (-esco)*,
z. B. *têtard (testardo)*, *courtaud (cortaldo)*, *français (francesco)*,
altfranz. *tiois (tedesco)*.[327] Dazu gehört in Italien auch *-ingo*
(casalingo, guardingo), während in Frankreich das gleiche Suffix
verschiedene orthographische Formen angenommen hat: *lorrain*,
flamand (altprov. *flamenc*), *toulousain* (altprov. *tolosenc*); s. dazu
Bonfante LG 52 ff.

Da germanische Lehnwörter den romanischen Sprachen durch
Goten, Franken, Burgunder, Alemannen und Langobarden vermittelt worden sind, andererseits aber gewisse germanische Elemente vermutlich schon vor der Wanderungszeit in das Volkslatein eingedrungen sein können, ist es nicht immer leicht, die
genauere germanische Quelle zu bestimmen.[328] Sprachliche Kriterien sind ein wichtiger Anhaltspunkt. So erweist sich das französische Verbum *héberger* 'beherbergen' als fränkischer Herkunft
(umgelautetes fränk. heribergôn), während provenz. *alberc* und
italien. *albergo* 'Herberge' wegen ihres nicht umgelauteten *a* gotischer Herkunft sind.[329] In Italien lassen sich in gewissen Fällen durch das Vorliegen der hochdeutschen Lautverschiebung die
langobardischen Elemente von den gotischen Elementen scheiden, da das Langobardische im Gegensatz zum Gotischen die
Lautverschiebung noch mitgemacht hat. Aber in sehr vielen Fällen versagen solche Kriterien. Jedoch genügt oft allein schon die
geographische Verbreitung eines Wortes, um die Ursprungsfrage
aufzuklären. Ganz einwandfrei ist die fränkische Herkunft bei
Wörtern, deren Verbreitungsgebiet beschränkt ist auf Nordfrankreich. In diesem Falle liegen die Verhältnisse aus dem
Grunde besonders günstig, weil es sehr oft möglich ist, im germanischen Hinterlande noch heute die Wörter lebend festzustel-

---

[327] Aus germanischer Grundlage (gotisch *fra-* = deutsch *ver-*) mit Anglei-
chung an lat. foris stammt auch ein Präfix: franz. *forfaire*, altfranz. *for-
bannir*, ital. *forfare*, *forchiudere*.
[328] Daß auch mit dem Einfluß anderer germanischer Völker zu rechnen ist,
zeigt ein in einer kleinen Zone von Sardinien (Sulcis) üblicher Name für den
Marder: *márzu* oder *márciu*, den M. L. Wagner aus einem vandal. (= gotisch) márðus erklärt hat (DES II, 82). Man hat auch altgermanische Lehnwörter, durch die Gepiden vermittelt, im Rumänischen zu erkennen geglaubt
(Diculescu, Gamillscheg). Die kritische Beurteilung ist skeptisch geblieben:
'non riescono a convincere' (Tagliavini 256).
[329] Franz. *auberge* ist erst im 15. Jahrh. aus dem Provenzalischen entlehnt,
in Ersatz des alten *herberge*.

len, die durch die Franken dem Französischen vermittelt worden
sind.

§ 76. Ganz klar liegt der Fall bezüglich des Begriffes 'Wald'
(siehe Karte 48). Aus Nordfrankreich ist fränkisch b o s k 'Busch'
(vgl. ahd. *busc*), das später zu *bois* (vgl. f r i s k > *freis* > *frais*,
n a s c o > *nais*, t h e u t i s c u > *tieis* > *tiois*) geworden ist, bis
nach Südfrankreich *(bosc)* vorgestoßen und ist im Zeitalter des
großen fränkischen Kultureinflusses auch vom Spanischen *(bosque)*, Portugiesischen *(bosque)* und Italienischen *(bosco)* übernommen worden[330]. Im Spanisch-Portugiesischen weist das auslautende *-e* (statt des zu erwartenden *-o*) deutlich auf ein Lehnwort.[331] Aber auch im Italienischen ist *bosco* ein jüngerer Ein-
dringling. Es erscheint in den mittelalterlichen Urkunden erst
seit dem 9. Jahrhundert (zunächst in Oberitalien) und dringt im
Laufe der folgenden Jahrhunderte langsam weiter nach dem
Süden.[332] Bevor *bosco* nach Mittelitalien gelangte, herrschte hier
ein anderes germanisches Wort (langobardischer Herkunft), näm-
lich *gualdo* (< langob. w a l d).[333] Dies Wort gelangte etwa im
8. Jahrhundert nach Korsika, wo es noch heute in den Formen
gualdu, ualdu, vallu als populäres Wort für 'Wald' lebendig ist.[334]
Als *gaut* oder *got* lebt das Wort auch im Rätoromanischen Graubündens, ist hier aber eher althochdeutscher Herkunft. – Rumänien geht auch in diesem Fall seine eigenen Wege: es nennt den
Wald *pădure*, eigentlich 'Sumpfwald' (latein. p a l u d e), in Übereinstimmung mit alb. *pyllë*, das aus der gemeinsamen balkani-

---

[330] Für keltischen Ursprung plädiert Gamillscheg (EWFS). Dazu das Urteil im REW: Annahme gallischen Ursprungs erledigt sich durch den Nachweis, daß deutsch *busch* nicht entlehnt, sondern alt ist. – Zur germanischen
Herkunft, s. jetzt auch die eingehende Diskussion des Problems bei Ludwig
Söll, Die Bezeichnungen für den Wald in den romanischen Sprachen (München 1967), S. 5–49; s. auch FEW I, 453.

[331] Vgl. *golpe, monje, Enrique, Felipe, cobarde.*

[332] Das langsame Vordringen des germanischen Wortes in Italien, sein spä-
tes Auftreten im Süden zeigt an der Hand der Urkunden Paul Aebischer,
ZRPh, Bd. 59, S. 417 ff.

[333] Im kontinentalen Italien reichen die sehr zahlreichen Ortsnamen des
Typus *Gualdo* bis an die Südgrenze der einstigen langobardischen Herzogtümer; s. die Karte bei Sabatini, Riflessi linguistici della dominazione longobarda nell'Italia mediana e meridionale, in Atti dell' Accademia Toscana di
Scienze e Lett. 'La Colombaria' (1963), S. 175; zu altfranz. *gualt*, s. § 151.

[334] Neben den nicht absolut synonymen *furesta* und *macchia*; s. dazu Söll
264.

schen Latinität stammen dürfte.[335] – Auch in den zentralen
Teilen von Sardinien findet sich ein originelles Wort *padente*,
eigentlich 'terreno boscoso aperto al pascolo' (zu lat. pateo);
s. Terracini, SALS, testo S. 49.

§ 77. Zu der Aufnahme von zwei fränkischen Wörtern für den
Wald im Französischen (*bois*, altfranz. *gaut*) fügen sich einige
Namen von Bäumen: *le hêtre* < haistr, *le saule* < salha, *le
houx* < hulst.[336] Auf unserer Karte (49) markieren drei Linien
ihre maximale Verbreitung gegen Süden. Im Westen sind die
drei germanischen Namen weit über die Loire in den Poitou,
Vendée und Saintonge vorgedrungen. Aber keiner von ihnen geht
über Bordeaux hinaus. Von der Gironde laufen die drei Linien
zunächst in einer bemerkenswerten Parallelität in der Richtung
auf die obere Loire. Erst östlich dieses Flusses differiert sich ihr
Verlauf in stärkerem Maße: *hêtre* reicht nur bis an die Südgrenze
von Luxemburg (bildet aber noch eine große Tasche in Lothringen und westlich der Vogesen), *saule* bis in die Gegend von Nancy,
houx bis in die Vogesen.[337]

Der stärkere Einbruch der germanischen Wörter im Westen
weit über die Loire hinaus ist bedingt durch die politische und
kulturelle Neuorientierung, die seit dem 12. Jahrhundert den
Poitou, Vendée und Saintonge enger an das nördliche Frankreich angeschlossen hat. Für diese Gebiete kann man von einer
wirklichen Französierung sprechen, die zu einer Loslösung aus
dem provenzalischen Verbande geführt hat.[338] Noch im 11. Jahrhundert war die Südgrenze des fränkischen Frankreich durch die
Loire bestimmt: 'à cette époque on va en France quand on passe
la Loire; on appelle Français les chevaliers qui composent la
suite du roi par opposition aux chevaliers du Berry' (Histoire du
Berry de Raynal).

§ 78. Karte 50 zeigt uns für den Begriff 'Garten' die Verbreitung des germanischen Wortes neben den Fortsetzern des lateini-

---

[335] Über viele andere Namenstypen (*selva, forêt, soto* usw.), die oft eine
feine Spezifizierung ausdrücken, s. die umfassende Arbeit von Söll.
[336] Zur lautlichen Entwicklung von *saule* s. Anm. 323.
[337] Die drei französischen Wörter finden sich im germanischen Hinterland
als deutsch *heister (hester)* 'junge Buche', *salweide* (engl. *sallow*) und *hulst*
(älter *huls*).
[338] Gamillscheg in Festschrift Ph. Aug. Becker (1922), S. 50ff.

schen *hortus*. In Nordfrankreich ausschließlich das germanische Wort in der Form *jardin* (altnorm. *gardin* > engl. *garden*). In Südfrankreich *jardin*, zum Teil neben h o r t u s, ebenso neben *hortus* in Spanien, Portugal, Italien und auf den Inseln, und zwar so, daß das germanische Wort mehr den 'Blumengarten' bezeichnet, das lateinische Wort dagegen in der Hauptsache den 'Gemüsegarten'. Nun erweist sich aber sowohl die italienische Form *(giardino)* wie die Form der iberischen Halbinsel (spanisch *jardín*, portugiesisch *jardim*) auf Grund des Anlauts als eine deutliche Lehnform aus Nordfrankreich.[339] Wir haben es also hier mit einem Wort zu tun, das im Zeitalter des fränkischen Kultureinflusses über die Alpen und die Pyrenäen gedrungen ist und in der südeuropäischen Romania dazu gelangt ist, den feineren Ziergarten der aristokratischen Gesellschaft zu bezeichnen.[340] – Was das Rumänische betrifft, so finden wir hier weder das lateinische noch das germanische Wort. Sondern hier ist aus der slawischen Umwelt ein slawisches Wort *(grădină)* bodenständig geworden und hat hier sogar das lateinische *hortus* ganz ausgelöscht.[340a]

§ 79. Solche Einbrüche aus den nichtromanischen Nachbarsprachen können sogar dazu führen, daß der lateinische Wortbestand völlig überwuchert wird. So ist es der lateinischen Bezeichnung für den Krieg gegangen (s. Karte 51). In keiner romanischen

---

[339] Als Grundlage kann angenommen werden eine adjektivische Ableitung von fränk. g a r d 'Gehege', in latinisierter Form etwa ein h o r t u s g a r d i n u s 'hortus circumdatus'. Die älteste Bedeutung des Wortes war 'Obstgarten', 'verger', vgl. Arno Zipfel, Die Bezeichnungen des Gartens im Galloromanischen, Diss. Leipzig 1943; s. auch Gamillscheg, Rom. Germ. I S. 192. Dem germanischen Etymon entspricht genau altfranz. *jart*, altpik. *gart* 'enclos', öfter mit dem Adjektivum *clos, enclos* verbunden, s. ToLo IV, 1591; vgl. *Le Gard* als Name von Weilern in Morbihan und Dordogne, *Bois du Jard* als Name eines Waldes (Haute-Marne), *Le Gard* als Name von zwei Wäldern (Aisne).
[340] Aus keltischer Grundlage (o l c a) findet sich in vielen französischen Dialekten (Normandie, Anjou, Poitou, Burgund) *ouche* in einer spezielleren Bedeutung 'petit jardin ou verger attenant à la maison' (FEW VII, 339). Ein anderes französisches Dialektwort ist *courtil* 'petit jardin potager' (c o h o r t i l e); s. ib. II, 853. Zum gleichen Stamm gehört rätorom. *curtín (curtgín)* 'Obstgarten', 'Ziergarten' in Graubünden (DRG IV, 583). – In der Gascogne ist h o r t u s im Sinne von 'Hausgarten', 'jardin potager' durch *casàu* < c a s a l e ersetzt worden.
[340a] Mit fränk. *gard* ist urverwandt rum. *gard* 'Hecke', alb. *garth* 'Zaun', bulg. *gradŭ* 'Stadt' (Russu 160).

Sprache findet sich, wenn man von den latinisierenden Neubildungen (franz. *belliqueux*, ital. *bellico*, span. *bélico*) absieht, eine Reminiszenz an das lat. bellum 'Krieg'. Schon in den romanischen Denkmälern des Mittelalters ist jede Erinnerung an das lateinische Wort ausgelöscht: *ceste grant guerre* (Roland), *en paz o en guerra* (Cid). Ein Wort westgermanischer (fränkischer) Herkunft wërra hat sich vermutlich im Zeitalter Karls des Großen von Frankreich *(guerre)* aus ganz Italien und die gesamte Pyrenäenhalbinsel *(guerra)* erobert.[341] Und was im Westen die kriegstüchtigen Franken bewirkt haben, das hat sich im romanischen Osten durch die slavische Domination vollzogen: rumän. *război* 'Krieg' ist ein Lehnwort aus altbulg. *razboj*.[342]

Die Gründe für den radikalen Untergang des lateinischen Wortes können in verschiedenen Umständen gesehen werden. Die lautliche Berührung mit bellus 'schön' mußte in einem Zeitalter, wo das Adjektivum immer mehr zum romanischen Normalwort geworden war, als irritierend und störend empfunden werden: *bellum non est bellum*.[343] Aber wirklich entscheidend für den Untergang des Wortes war wohl die fortschreitende 'désagrégation de l'organisation militaire romane' (Ullmann, Précis de sémantique française, Bern 1952, p. 220).[344]

§ 80. Karte 52 illustriert uns die Benennungen der Schusterahle (des 'Pfriems'). Wir sehen, daß die lateinische Bezeichnung su-

---

[341] Die Zeit der Aufnahme in die romanischen Sprachen ist umstritten. Während Meyer-Lübke (REW), Gamillscheg (RG I, 25) und Wartburg (FEW XVII, 568) für Spanien und Italien einen fränkischen Gallizismus annehmen, verteidigt Corominas einen älteren Germanismus 'que pudo ser ya en latín vulgar' (DELC). Das absolute Fehlen des Wortes im Rumänischen spricht eher für die erste Annahme.

[342] Über die Geschichte des aus literarischer Tradition stammenden Wortes (im Verhältnis zu anderen populären Bezeichnungen), s. Pia Gradea, Cercetări de lingvistică, VIII, 1963, S. 245–263. – Ungeklärt ist die semantische Beziehung zu rum. *război* 'Webstuhl' (in dieser Bedeutung auch bulgarisch und serbokroatisch *razboj*). – In Albanien wird der Begriff Krieg durch *luftë* (lat. lucta) ausgedrückt.

[343] Das Zusammentreffen der beiden Wörter hat schon römischer Zeit zu Wortspielen Veranlassung gegeben (TLL II, 1857): *bellum ita geris ut bella omnia auferas* (Varro, Men. 64), *bellum quod nequaquam bellum sit* (Hieronymus, epist. 78, 33).

[344] Man vergleiche dazu den Verlust von *miles, exercitus, gladius, ensis, proelium, pugna, castrum*; s. Puşcariu 449. – Schon MEYER-LÜBKE hat in seiner Abhandlung *Rumänisch und Romanisch* (1930) die Beobachtung gemacht, daß Rumänien in der Aufnahme fremden Wortgutes oft mit der westlichen Romania zusammengeht; vgl. PUŞCARIU 246.

bula erhalten geblieben ist im Westen der iberischen Halbinsel (galizisch *solla*, portugiesisch *sovela*), in Sardinien *(sula)*, im südlichen Italien *(suglia)*, im östlichen Oberitalien (venez. *subia)*, in Graubünden *(süvla)* und in Rumänien *(sulă)*. Es ist also das lateinische Wort in charakteristischer Weise auf die Randgebiete der Romania zurückgedrängt. Demgegenüber finden wir das germanische Wort (ahd. *alansa, alnsa*) in Frankreich *(alêne)*, Spanien *(lezna*, älter *alesna)* und im nördlichen Italien *(lèsina)*. Sizilien und das südliche Kalabrien, die das Wort *(lèsina)* ebenfalls haben, sind jüngere Kolonisationsgebiete. Auch hier hat man nach dem sprachgeographischen Bild ganz den Eindruck, daß das Wort erst im Zeitalter Karls des Großen von Frankreich ausgestrahlt ist, aber die entfernteren Gebiete noch nicht erreicht hat.[345] Bemerkenswert, daß im germanischen Hinterland von Nordfrankreich das Wort noch heute in der Form lebendig ist, die für das germanische Wanderwort bei den Romanen vorausgesetzt werden muß: alem. *alesne, alsne*, schwäb. *alsen*, niederl. *els, elsen*, rheinl. *älse*.

§ *81*. Sehr verschieden hat sich die Kontinuität der lateinischen Terminologie in den Farbbezeichnungen ausgewirkt. Während für 'grün', 'schwarz' und 'rot' die lateinischen Namen sich weithin oder generell erhalten haben, ist das lat. albus durch germ. blank sehr zurückgedrängt worden (Karte 53). Nur in Rumänien und im ladinischen Graubünden hat sich das lateinische Wort ohne Konkurrenz gehalten: *cal alb* 'cheval blanc', *chavels alvs* 'cheveux blancs'. Im Portugiesischen lebt es *(pão alvo)* noch neben dem jüngeren *branco (roupa branca)*. In Sardinien ist das ältere *alvu (arbu)* heute fast überall durch das ital. *biancu* ersetzt; doch existiert es noch in spezieller Verwendung: *s'arbu* 'le blanc d'oeuf', *linnarba* 'peuplier blanc'. – Geographische Namen in Frankreich *(Auberive, Auberoche, Peyraube)*, in Béarn *Peyres Aubes* und *Terraube*, in Corsica *Pietralba*, in Italien *(Fiumalbo, Sassalbo, Rivalba)* und in Spanien *(Castralvo, Pedralba, Rialbo, Hontoba, Torroba, Montobo, Ojosalbos* 'weiße Quellen')* zeigen, daß albus noch lange dem germanischen Fremdwort Widerstand geleistet hat. Man darf vermuten, daß es

---

[345] Das Wort wird meist der Verbreitung durch die Goten zugeschrieben: Brüch 88, REW, FEW, EWFS, BW, als frühes germanisches Lehnwort im Vulgärlatein. Dagegen schließt Corominas (DELC) auf westgermanische Herkunft.

erst allmählich im Laufe des Mittelalters als fränkischer 'modis-
mo' sich in die romanischen Nachbarländer verbreitet hat. Die
Lebenskraft von albus im Rumänischen spricht auf alle Fälle
gegen eine ältere Aufnahme ins Vulgärlatein.[346]
Etwas anders sind die Namen für 'blau' zu beurteilen.[347] Im
Lateinischen gab es für diese nuancenreiche Farbe keine so klare
und eindeutige Benennung wie für 'grün' und 'schwarz'.[348] In
Süditalien wurde mir 'blau' in ländlichem Milieu nicht selten mit
'verde' übersetzt. In einer primitiven Kultur scheint es kein populärer Begriff zu sein. Daher im Italienischen die schwankende
Benennung: *azzurro, turchino, celeste, blu,* modern auch *bleu.*
Daher auch hier die Entlehnung aus dem Germanischen der
fränkischen Zeit *(bleu, blu* katal. *blau,* altit. *biavo);* aber auch
aus dem Arabischen *(azzurro, azul).* Daher auch das seltene
Auftreten von 'bleu' in geographischen Namen, z. B. *Ayguablava* der Costa Brava.[349]

§ 82. Als ein germanisches Wanderwort, das aus dem fränkischen
Frankreich sich verbreitet hat, darf man auch die Nachkommen
von germ. frisk auffassen. Das Kartenbild (Karte 54) zeigt uns
das germanische Wort in ganz Frankreich, auf der iberischen
Halbinsel, in Italien und auf den Inseln. Die einzelnen Lautformen lassen es immerhin als möglich erscheinen, daß das
germanische Wort schon ins Vulgärlatein übernommen worden
ist. Aber die Tatsache, daß Rumänien das germanische Wort
nicht kennt, vielmehr einen eigenen Ausdruck lateinischer Herkunft *(rece* < recens) hat, spricht eher dafür, daß *fresco* in
Spanien, Portugal und Italien durch jüngere Expansion von
Frankreich her verbreitet wurde.[350]

---

[346] Für altgermanisches Eindringen ins Vulgärlatein plädierte Brüch 87;
dagegen aus fränkischen Einflüssen Gamillscheg (EWFS).
[347] Siehe dazu H. MARTIUS, Die Bezeichnungen der blauen Farbe in den
romanischen Sprachen. Erlangen (Diss.) 1947.
[348] Von den vielen okkasionellen Bezeichnungen hat sich venetus im Rumänischen *(floare vînătă)* und in Kalabrien *(vènatu, vènetru)* erhalten.
[349] Zu den germanischen Wanderwörtern fränkischer Herkunft gehören auch
ital. span. *bruno,* ital. *grigio,* span. *gris;* s. Gamillscheg, Rom. Germ. I, 36. –
Aus altfranz. *jalne* (galbinus) stammt auch port. *jalne,* ital. *giallo,* in Süditalien *jálinu* oder *sciálinu.*
[350] Die Vermutung v. WARTBURGS, daß das germanische Wort wegen der
sardischen Form *friscu* schon früh für das Vulgärlatein anzunehmen sei
(FEW III 811), ist aus dem Grund nicht stichhaltig, weil das *i* auch auf
'Proportionsbildung' (nach *pelo:* sard. *pilu)* beruhen kann, so wie *bosco* als

§ 83. Hat ein Wort dagegen seinen geographischen Schwerpunkt südlich der Loire und setzt es sich womöglich über die Pyrenäen nach Spanien fort, dann ist an westgotischer Herkunft nicht zu zweifeln (Karte 55). Zerstreut über ein Gebiet, das vom südlichen Anjou (südlich der Loire) bis über die Garonne hinausreicht, erscheint in den französischen Mundarten ein Verbum, das ein germ. wahsian 'croître' fortsetzt[351]: altfranz. *gaïssier,* Anjou *guesser,* Berry *gaïsser,* Aunis *gaïsser,* périg. *gueïssá,* Aveyron *gaïssá,* Agen *gachà* usw. Die Bedeutung ist 'spriessen', 'üppig wachsen', 'produire des rejets', 'drageonner', 'Wurzelschößlinge treiben'. Jenseits der Pyrenäen finden wir das Wort wieder in der aragonischen Form *guajar,* katal. *guaixar* 'keimen', 'üppig in Ähren stehen'.[352] Nur ganz vereinzelt begegnet das Wort außerhalb der Grenzen des Westgotenreiches. An seiner gotischen Herkunft ist nicht zu zweifeln.

§ 84. Ebenso klar ist die Situation bei Wörtern, die nur in den Grenzen des alten Burgunderreiches fortleben. Karte 56 zeigt uns ein solches Wort. Zur Bezeichnung der 'Kleidertasche' findet sich in der romanischen Westschweiz und in Savoyen das Wort *fata* (FEW III, 435). Es gehört zu einem ostgermanischen Stamm *fatt-,* der im Deutschen fortlebt in der Form *Fetzen* 'chiffon'.[353] Die geographische Verbreitung des Wortes in dieser

buscu, blondo als *brundu* übernommen wurde, vgl. WAGNER, Histor. Lautlehre des Sardischen S. 249 und 289. Wartburgs Meinung wird geteilt von Corominas (DELC), während Gamillscheg (EWFS) für fränkisch *frisk* plädiert.

[351] Siehe GAMILLSCHEG, Rom. Germ. I S. 378; die Angabe der Verbreitung im französischen Gebiet erfolgt nach der von v. WARTBURG in der Festschrift für Jakob Jud (S. 338) veröffentlichten Karte.

[352] Im südlichen und inneren Spanien erscheint das Verbum durch eine fälschliche volksetymologische Identifizierung mit *cuajar* < coagulare in der Form *cuajar* (Murcia, Kastilien) in der gleichen Bedeutung. Dazu als Substantivum span. *cuajo* und *cuajón,* synonym mit südfranz. *gays* und *gayssou,* Anjou *guesson* 'drageon d'une plante'.

[353] Die burgundische Herkunft des Wortes hat Brüch (ZRPh 38, 1917, S. 684) erkannt. Die begriffliche Verbindung zwischen 'Fetzen' (Lumpen) und 'Tasche' wird gestützt durch das unten (§ 92) zu besprechende süditalienische *pauta* Tasche (zu nordgermanisch *palta* 'Fetzen', 'Lumpen'). – Unsere Karte im Anschluß an die von Wartburg (Die Entstehung der romanischen Völker, Halle 1939, S. 120, auch in der Festschrift für Jakob Jud, S. 333) reproduzierte Karte, die das Verbreitungsgebiet einiger bisher als sicher erwiesenen burgundischen Reliktwörter veranschaulicht. – Eine neueste kritische Zusammenfassung der germanischen Elemente burgundischer Herkunft in Frankreich gibt WARTBURG, ZRPh 80, 1964, S. 1–14.

8*

besonderen Bedeutung[354], durch Schraffierung angedeutet, überschreitet nicht die Grenzen des ältesten Burgunderreiches vom Jahre 457.

§ 85. Eine sehr merkwürdige gegenseitige Durchdringung in den lehnwörtlichen Beziehungen zwischen der Romania und der Germania zeigt uns die Wortgeschichte des Begriffes 'Spinnrocken' (Karte 58). An die Stelle des lateinischen *cŏlus*, das nur noch bei den spanischen Basken aus frühen lateinischen Einflüssen als *goru*[355] fortlebt, ist in Vulgärlatein das diminutive c o l u c u l a getreten, das durch Dissimilation zu c o n u c u l a (c o n u c l a) umgeformt wurde[356]. Auf dieser Grundlage beruhen franz. *quenouille*, in Südfrankreich *counoulho* und *coulougno*, in Sardinien *conugla (cronuca)*, im südlichen Italien (wie auch in Sizilien) *conocchia*.[357] Als alter Latinismus ist das Wort in das südwestliche und westliche Germanien gedrungen, wo es als *kunkel* (Baden, Württemberg, Schweiz) noch heute das volkstümliche Wort ist.

Andererseits ist mit Ost- und Westgoten das germanische *r u k k a* in die romanischen Sprachen gelangt: ital. (in der Nordhälfte des Landes) *rocca* (lomb. *roka*, piem. gen. *ruka*), port. *roca*, span. *rueca*[358]. Es kann kaum ein Zweifel darüber bestehen,

---

[354] Die gotische Entsprechung des Wortes (mit allgemeinerer Bedeutung) lebt fort in langued. *fato* f. 'chiffon', gasc. *hatilhe* 'hardes', 'vêtements usés' (FEW III, 435), span. *hato* 'Kleidungsstück', 'ropa' (DELC II, 886); s. auch Gamillscheg, Germ. Rom. III, 56.

[355] Zur Lautentwicklung des baskischen Wortes, vgl. baskisch *gela* 'chambre' (c e l l a), *gorputz* < c o r p u s, *borondate* 'volonté', *gura* 'appétit' < g u l a.

[356] In Glossen colucula und conucula (CGlL III, 366 und V, 494). – Ein männliches *c o n u c u l u und *c o n i c u l u bildet die Grundlage für gewisse gaskognische Formen *(croulh, coelh)*; s. ZRPh 54, 1934, 744.

[357] Durch nördliche Einflüsse und durch die italienische Schriftsprache ist *rocca* auch in einige Zonen des Südens eingedrungen. Es ist sogar aus den italienischen Nachbarmundarten von den kalabrischen Griechen als *ròkka* übernommen worden; vgl. ρόκα im modernen Griechenland als Lehnwort aus venez. *roca*. Das ältere Wort bei den Griechen in Kalabrien war einst *klonúka*, das heute nur noch (wie auch kalabr. *cunòcchia*) den 'bosco' (Reisig) bezeichnet, wo die Seidenraupen sich einspinnen; vgl. in Griechenland (Peloponnes) κουνούκλα als Name der Zistrose, deren Zweige für den 'bosco' zum Einspinnen der Seidenraupen verwendet werden (LexGr. 256).

[358] Während ital. *rócca* auf einem germ. r u k k a beruht, muß für span. *rueca*, port. *ròca*, béarn. *arròko* ein *rŏ k k a angesetzt werden. Ob der schwankende Vokalismus schon durch das Germanische bedingt ist oder durch das offene *o* des lateinischen *cŏlus* hervorgerufen ist (s. FEW XVI, 741), ist schwer zu

daß es einst auch in der Gallia Narbonensis bestanden hat als 'trait d'union' zwischen der hispanischen und norditalienischen Romanität. Noch heute findet sich das germanische Wort in einer kleinen Zone der westlichen Pyrenäen (Béarn) in der gaskognischen Form *arròko*[359]. Doch dort, wo man das germanische Wort in der direkten Landverbindung zwischen Italien und Spanien am ehesten erwarten sollte, gilt heute das Wort *filouso* *(fielouso)*, das als *filosa* auch im gesamten katalanischen Sprachgebiet den Spinnrocken bezeichnet.

Das Wort, das dem französischen *fileuse* entspricht, setzt in seiner adjektivischen Form die Präexistenz eines weiblichen Substantivums voraus, das offenbar einst *rocca > prov. *roca gewesen ist. Wir gelangen auf diesem Wege zur Rekonstruierung eines altprov. *roca filosa* 'roca avec laquelle on file', so genannt zur Unterscheidung von prov. *roca* 'Felsen' *(roca pedrosa?)*. Der Untergang des germanischen Wortes in Katalonien und in Südfrankreich ist also offenbar durch die 'collision phonétique' bewirkt, die weder in Spanien eingetreten ist, wo der Felsen *peña* genannt wird, noch in Italien, wo für Felsen *sasso* oder *roccia* (< franz. *roche*) gelten.[360]

Ganz seine eigenen Wege geht die balkanische Romanität. In Rumänien wird der Spinnrocken *furcă* genannt, in Übereinstimmung mit bulgarisch *fyrka* und albanisch *furkë*. Der besondere aus dem Lateinischen gewonnene Name bezog sich ursprünglich auf eine spezielle Form des Rockens, der in sehr primitiver Form aus einem gegabelten Ast bestand.[361] Es ist dies eine Form, die auch im südlichen Italien in abgelegenen Gebirgszonen noch heute nachweisbar ist (s. § 91). – Zur sachlichen Begründung für das Eindringen des germanischen Wortes, s. § 91.

§ 86. Was Italien betrifft, so wird man für die Wörter, die auch auf der iberischen Halbinsel vorkommen, wie wir bereits gesehen

---

entscheiden. Wo in Italien offenes *o (ròcca)* erscheint, handelt es sich um sekundäre Öffnung (HGI, §§ 68, 69) aus regionalen Einflüssen.

[359] Verf., Le Gascon (1935), § 147; nouv. éd. (1970), § 196. – Zur besonderen lautlichen Form, vgl. gask. *arrat* 'rat', *arròdo* 'roue', *arré* 'rien'. Zu *arr-*, bedingt durch aquitanisches Substrat, vgl. bask. *errota* < lat. rota, *Erroma* 'Rome' (ib. § 465).

[360] Der Versuch von K. Maurer (RJb 9, 1958, S. 282–298), das roman. *rocca* und das german. *rocken* (anord. *rokkr*) aus einem konstruierten lat. *rotica abzuleiten, kann nur als eine phantastische und irreale Spekulation bezeichnet werden; s. ZRPh 75, 1959, S. 507 ff.

[361] Auch das in den gaskognischen Pyrenäen übliche *hoursèro* 'quenouille' erweist sich als ein alter gegabelter Rocken: furcella.

haben, an gotische Herkunft denken dürfen.[362] Schwieriger ist
die Entscheidung bei den Wörtern, die außerhalb Italiens nicht
nachweisbar sind, da neben den ostgotischen Einflüssen mit
langobardischen Elementen zu rechnen ist. Nur selten gestattet
das Kriterium der hochdeutschen Lautverschiebung eine sichere
Entscheidung zu treffen. Demnach wird man *zanna* 'großer
Zahn' dem Langobardischen zuzuweisen haben,[363] während für
tasca 'Tasche' mit einiger Wahrscheinlichkeit an eine gotische
Grundlage gedacht werden darf (vgl. § 92).

Bemerkenswert ist nun, daß in Italien je nach der verschiedenen Gegend sich bald die gotische Form, bald die verschobene
langobardische Form erhalten hat. So haben wir in der Lombardei *biott* 'nackt', in der Emilia *bioss* 'schmucklos' 'einfach'.
Das zweite entspricht genau dem hochdeutschen *bloß*; das erste
ist dessen unverschobene Vorstufe, die also auf das Gotische weist.
Bisher nicht bekannt war eine andere Lautparallele (siehe Karte
57). Die Erdscholle heißt schrifttalienisch *zolla*, ein typisches
Wort der Toskana. Seine Herkunft war bisher nicht geklärt. Das
Wort ist, wie ich glaube nachgewiesen zu haben, zusammenzustellen mit bayr. *zollen* 'Klumpen', schwäbisch *zolle* 'Butterballen'.[364] Würde das Wort in Italien in der gotischen Form sich erhalten haben, so müßte es als *tolla* erscheinen. Tatsächlich ist
dies der Name der Erdscholle in der Nordhälfte von Korsika
und in einigen Dörfern der Insel Elba.[365] Den nächsten Verwandten dieser gotischen Form haben wir in der niederdeutschen
Form *tolle* 'Haarbüschel'. Es hat sich also in der größeren Isoliertheit der beiden Inseln die ältere gotische Aussprachform
gehalten, während auf dem toskanischen Festland die zweifellos
auch hier einmal herrschende gotische Form durch die jüngere
langobardische Aussprache ersetzt worden ist.

Eine andere gotisch-langobardische Lautdublette findet sich
im gleichen Begriffskreis noch einmal in Italien. In dem Gebiet
zwischen Rom und Ancona wird die Erdscholle *toppa* (bzw.
tuppa) genannt.[366] Das Wort ist zusammenzustellen mit altnord.

---

[362] Über die gotischen Elemente in Italien, s. die umfassende Behandlung
durch E. GAMILLSCHEG, Romania Germanica, Bd. II, 1935, S. 1 ff.; s. dazu
auch BONFANTE LG 31 ff. ,

[363] Das weibliche Geschlecht des Wortes entspricht dem altnordischen femininen *tonn*.

[364] Siehe AStNSp, Bd. 179, 1941, S. 34 f.

[365] In Rio Elba und Capoliveri (im Südosten der Insel). Die Verbreitung
von *tolla* in Korsika ergibt sich aus dem ALEIC, Karte 848.

[366] Das Wort kommt auch weiter südlich vor, z. B. sizil. und kalabr. *tòppa*
'Erdscholle'.

toppr 'Haarbüschel', altfries. *top* 'Büschel', dän. *top* 'Federbusch', engl. *top* 'Gipfel'.[367] Dem gotischen *toppa* entspricht in nördlicheren Gebieten Italiens (Nordumbrien, Marken) die Form *zoppa* (bzw. *zuppa*). Dazu gehört auch ϑ*oqa*, *sopa* in Venezien, die auf älteren *zoppa* beruhen.[368] Diese von der Lautverschiebung erfaßte Form hat ihr hochdeutsches Gegenstück in *Zopf*. In diesem Fall sind es die südlicheren Gebiete, die die gotische Ausspracheform bewahrt haben, während weiter im Norden sich das Wort in der langobardischen Aussprache durchgesetzt hat.

§ 87. Wie sich der langobardische Einfluß[369] im einzelnen ausgewirkt hat, soll uns noch deutlicher die folgende Karte (59) veranschaulichen. Auf dieser Karte sind eingezeichnet die Verbreitungsgebiete von sieben Wörtern germanischer Herkunft: *crusca* 'Kleie', *brea* 'Brett', *scrana* 'Stuhl', *zolla* 'Erdscholle', *guancia* 'Wange', *gafio* 'der Treppenabsatz der Treppe vor dem Hause' und *plaione* (mundartlich heute meist in der Form *chiascione*) 'Bettlaken'.[370] Vier dieser Wörter sind von der Schriftsprache akzeptiert worden: *crusca*, *scrana*, *zolla*, *guancia*. In Wirklichkeit aber haben alle diese Wörter ein scharf umrissenes regionales Verbreitungsgebiet: *crusca* gehört der Lombardei an, *brea* ist friaulisch-venezianisch, *scrana* ist emilianisch, *zolla* toskanisch, *guancia* hauptsächlich umbrisch, *gafio* neapolitanisch-lukanisch, *chiascione* apulisch. Zur Etymologie in aller Kürze die wichtigsten Hinweise: *crusca* 'Kleie' gehört zu mittelhochd. *grüsch*, schwäb. *grüsch*, schweiz. *Grüsche* (stets fem.), alle im Sinne von 'Kleie'; *brea*, älter *breda*, ist identisch mit deutsch 'Brett'; *scrana* gehört zu althochdeutsch *skranna* 'Bank'; *zolla* ist zu verbinden mit bayrisch *zollen* 'Klumpen', schwäbisch *zolle*

---

[367] Wir haben hier die gleiche begriffliche Verwandtschaft zwischen 'Büschel', 'Haarbüschel' und 'Erdscholle (mit Gras)', die auch zwischen ital. *zolla* und niederdeutsch *Tolle* 'Haarbüschel' in Erscheinung tritt; s. S. 118.

[368] Die Form *zoppa* zeigt die hochdeutsche Lautverschiebung nur im Anlaut. Bei konsequenter Durchführung sollte man **zoffa* erwarten (wie neben ital. *tappo* 'Faßzapfen' in Umbrien *zaffo* erscheint). Aber diese Erscheinung findet man auch in mitteldeutschen Gebieten, wo zwar *t* zu *z* verschoben ist, *p* aber erhalten blieb (Braune, Althochdeutsche Grammatik § 87b).

[369] Über die langobardischen Elemente im Italienischen, s. E. Gamillscheg, Romania Germanica, Bd. II, 1935, S. 57 ff.; neuere Erkenntnisse bei FR. SABATINI, Riflessi linguistici della dominazione longobarda nell'Italia mediana e meridionale (in: Atti dell'Accademia Toscana 'La Colombaria', vol. 23, 1963, S. 125–252.

[370] Aus *pl-* ist in Süditalien normal *kj-* geworden, z. B. planu > *chianu*, *chiòve* = ital. *piove*.

'Butterballen' (s. oben); *guancia* 'Wange' hat als Grundlage
ein langobardisches *wankja*; *gafio* 'Treppenabsatz vor dem
Hause' führt uns zurück auf eine Basis *waif* 'herrenlos'[371];
plaione 'Bettlaken' setzt voraus ein *blahjo*, Akk. *blahjon*.[372] Da
keines dieser Wörter aus Frankreich oder Spanien bezeugt ist,
wird man annehmen dürfen, daß diese Wörter aus der Lango-
bardenzeit stammen. Höchst bemerkenswert ist nun, daß diese
sieben Wörter (von einer ganz kleinen Überlagerung abgesehen)
territorial sich vollkommen ausschließen. Jedes Wort hat sein
eigenes Verbreitungszentrum. Die Karte macht ganz den Eindruck einer linguistischen Kleinstaaterei. Tatsächlich war das
Langobardenreich nur schwach zentralisiert. Gegenüber dem
Königtum genossen die einzelnen Herzogtümer eine verhältnismäßig große politische Selbständigkeit. Man hat den Eindruck,
daß diese Verhältnisse einen sprachlichen Regionalismus begünstigt haben, in der Weise, daß die germanischen Wörter, die
von den Romanen übernommen wurden, vielfach auf die Grenzen des einzelnen Herzogtums beschränkt blieben. Gleichzeitig
zeigt uns die Karte, daß die Reichweite des langobardischen
Einflusses sich bis in die südlichsten Teile des festländischen
Italien erstreckt hat. In der Tat ist es nur ein Zufall, daß sich
nicht auch in Süditalien eine *Lombardei* gebildet hat. Noch in
den griechischen und arabischen Urkunden des 11. und 12. Jahrhunderts wird auf Grund der starken langobardischen Durchdringung (in politischer und kultureller Hinsicht) das nördliche
Apulien (etwa die heutige Provinz Bari) *Longobardia* genannt![373]

§ 88. Das Essen mit dem Löffel ist bereits seit der jüngeren Stein-
zeit bezeugt. Die Löffel der römischen Antike waren aus Holz,

---

[371] Das Wort begegnet in der Bedeutung 'herausgebauter Balkon' oder 'ter-
razzino pensile' in süditalienischen Urkunden (Cod. dipl. bar.) und literarischen Texten (Pentamerone). Es ist identisch mit alttosk. *gueffo* oder *gheffo*
in der gleichen Bedeutung und entspricht dem altfranz. *guaif, gaif* 'umher-
schweifend', 'herrenlos' (> engl. *waif*), z. B. *bestes gaives*. Die besondere Bedeutung, die sich in Italien entwickelt hat, scheint auf 'spazio libero', 'außerhalb des individuellen Besitzrechtes stehend' zu beruhen. – Im südlichen -Apu-
lien findet sich das Wort als *láfiu* 'terrazza', 'cortile dietro la casa' (VDS). –
Das altfranz. Wort ist wesentlich normannisch und anglonormannisch (FEW
XVII, 422), so daß für Süditalien auch Verbreitung im Zeitalter der Normannen denkbar ist.
[372] Vgl. in deutschen Mundarten (rhein., schwäb., schweiz., bayr.) *Blahe*,
Blahen fem. 'Wagendecke', 'grobe Leinwand', ahd. *blahe*, *plahe* 'grobes Lein-
tuch'.
[373] Siehe dazu Anm. 324.

Horn oder Metall gefertigt. Man nannte den Löffel mit dem einheimischen Wort ligula, bzw. lingula.[374] Innerhalb der romanischen Sprachen (s. Karte 66) hat nur das Rumänische dieses alte Wort bewahrt *(lingură)*: ein Relikt primitiver bäuer-
licher Kultur. Infolge des beliebten Muschelessens entwickelte
sich in der feineren römischen Gesellschaft seit dem ersten Jahrhundert ein neuer Löffeltyp, dessen spitzes Ende zum Ausziehen
der Muscheln und Schnecken diente. Man nannte den neuen
Löffel teils cochleare (Celsus, Columella, Plinius), teils cochlearium (Plinius, Oribasius). Beide Formen sind von den romanischen Sprachen fortentwickelt worden. Typ co(c)chleare
zeigt sich in altport. *colhar*, altspan. *cuchar* (fem.), seit dem 15.
Jahrh. *cuchara*.[375] Auch die in Oberitalien geltenden Formen
(piem. *cüciar*, lomb. *cügiá*, lig. *cügiá*) lassen als Grundlage Typ I
erkennen. Der zweite Worttyp setzt sich fort in prov. *culhier*, ital.
cucchiaio, südital. *cucchiaru*. Die genaue Zugehörigkeit von
franz. *cuiller* (altfranz. *cuillere*) und gewisser oberitalienischer
Formen (in Venezien *cuciaro*) läßt sich nicht bestimmen.[376]

Lehnwörtliche Einflüsse haben öfters die älteren Verhältnisse
gestört. Nach dem Vorbild von franz. *cuiller* hat das ältere port.
colhar dem modernen *colher* Platz gemacht. Durch katalanische
Einflüsse ist in Sardinien das alte eingeborene *cogarzu* (< cochlearium), das heute nur noch den Holzlöffel der Hirten bezeichnet, durch katal. *cullera* (> *cugliera)* ersetzt worden (DES
I, 379). Wenn in Sizilien im Gegensatz zum kontinentalen Süditalien der normale Löffel mit weiblichem *cucchiara*[377] bezeichnet
wird, so könnte auch dies durch normannische oder spanische
Einflüsse bestimmt sein.

Der Einbruch eines germanischen Wortes zeigt sich im Rätoromanischen und in Friaul. Hier ist durch gotische Einflüsse, die
im 4. Jahrhundert auf die Alpenromanen in Noricum und Rätien
gewirkt haben, das ostgermanische skeiϑo (latinisiert scetone)
in Aufnahme gekommen, vgl. rätorom. (Rheintal) *tschadun*, (Engadin) *chadún* oder *sdun*, dolom. *sciadún*, friaul. *sedón* 'Löffel'. [378]

---

[374] Die Form lingula ist durch den Einfluß von linguere 'lecken' entstanden.

[375] Die besondere lautliche Entwicklung von kastil. *cuchara*, dessen *ch* (*č*)
im Gegensatz steht zu dem Resultat (*t*) in Frankreich, Portugal und Katalonien, ist bedingt durch die posición postconsonántica des palatalisierten *l*
(**koklar)* in Übereinstimmung mit **masklo* > *macho, amplo* > *ancho.*

[376] Siehe dazu die Überlegungen von W. von Wartburg, FEW II, S. 829.

[377] Siehe AIS Karte 982.

[378] Siehe H. Schuchardt, Romania 4, 1875, S. 256; E. Gamillscheg, Romania Germanica, Bd. II, 1935, S. 290. – Nach einer Vermutung von Gamill-

§ 89. So wie in Italien gotische und langobardische Einflüsse im gleichen Wort zu 'doppioni fonetici' geführt haben, so fehlt es auch anderswo nicht an ähnlichen 'doublets germaniques'. Fränkische Expansion erkennt man aus den romanischen Bezeichnungen, die den Sporn des Reiters bezeichnen (Karte 61). Das fränkische s p o r o ergab altfranzösisch *esperon*, modern *éperon*. Es ist über die Pyrenäen nur längs des katalanischen Küstenstreifens *(esperó)* vorgedrungen, hat sich aber andererseits ganz Italien erobert: *sperone*. Das eigentliche Spanische und das Portugiesische dagegen zeigen Lautformen (port. *espora*, span. *espuera*, heute *espuela*), die gotisch s p a u r a fortsetzen. Wieder geht Rumänien eigene Wege. Es hat sein Wort für die Reitersporen *(pinten)* aus dem Altslavischen *(petino)* bezogen.

Höchst bemerkenswert ist nun die Erscheinung, die wir jetzt schon zum drittenmal beobachten *(grădină, război, pinten)*, daß da, wo in West- und Südeuropa ein germanisches Wort eingedrungen ist, Rumänien ebenfalls ein Lehnwort zeigt, aber aus den slavischen Sprachen.

§ 90. Etwas anders ist das Kartenbild für den Begriff 'Steigbügel' (Karte 62). Zunächst hat Italien ein germanisches Wort zweifellos langobardischer Herkunft: *staffa*. Es entspricht genau angelsächsisch *stapa* 'Stapfer',[379] ahd. *stapf* 'Tritt'. Nächstverwandte Ablautformen sind niederdeutsch *stôpe* 'Treppe', 'Stufe', ahd. *stuofa* 'Treppe', 'Stufe', angelsächsisch *staepe* 'Tritt', 'Stufe', engl. *step* 'Tritt'. Dagegen zeigen die westromanischen Sprachen ein anderes Wort: französisch *étrier* (in alter Zeit *estrieu, estriu, estrief*), prov. *estriu*, katal. *estrep*, spanisch-port. *estribo*, das ganz sichtlich von Nordfrankreich ausgestrahlt ist und durch die fränkische Ritterkultur seine Verbreitung gefunden hat.[380]

---

scheg (a. a. O. S. 271 ff.) wäre das Friaulische durch Auswanderung der in Noricum einst wohnhaften Alpen-Romanen in seine heutigen Sitze getragen worden.

[379] Angelsächsisch *stapa* hat nicht die Bedeutung 'Stegreif', wie bei Gamillscheg (Rom. Germ. II S. 161) mit Berufung auf eine Schrift von Bruckner zu lesen ist.

[380] Für die hispanische Form *estribo* glaubte Corominas (DELC II, 449) und BW ein von den französischen Formen unabhängiges gotisches *striup zu erkennen. Ich halte dies für unnötig: es handelt sich doch wohl einfach um eine lehnwörtliche Hispanisierung eines altprov. *estriu*, altfranz. *estriu*, die eine lautliche Reduktion von *estrieu* darstellen. Aus Frankreich stammen auch altital. *li strevi* 'le staffe', altsiz. *streva* 'ferrum per quod equum ascendimus', modern in Sizilien und Kalabrien *li strevi* 'staffe delle calze di lana

Als Grundlage möchte ich dafür ein altfränkisches *strebu (zum Verbum *streben*) ansetzen. Während für den Begriff 'éperon' es Spanien (und Portugal) war, das von dem fränkischen Einfluß unberührt blieb, ist es diesmal Italien, das mit einem langobardischen Wort Widerstand geleistet hat. – Als einzige der romanischen Sprachen hat das Rumänische sich ein lateinisches Wort bewahrt: *scară* < scala (eigentlich 'Treppe').

Das für die romanische Sippe *estrieu, estribo* gewöhnlich als Grundlage angenommene *streup* (EWFS, FEW) ist wenig befriedigend, da es im Germanischen völlig in der Luft schwebt. Das deutsche Wort *strippe*, engl. *strop*, auf die man sich beruft, sind selbst lateinischer Herkunft, vgl. Frings, Germ. Rom. S. 159 und Kluge-Mitzka.[380a] – Der Ansatz *strebu rechtfertigt sich nach sebum Talg, das im Altfranzösischen als *sieu, siu, sief* erscheint. Die Verknüpfung mit streban ist schon von Diez (Etym. Wörterbuch) vorgeschlagen worden. Für die Bedeutungsgeschichte ist von Wichtigkeit, daß im Mittelniederdeutschen *streven* 'straff sein' und *stref, strif* 'straff', 'steif', 'fest' bedeutet. Ferner läßt sich anführen, daß franz. *étrieu* (eine dial. Variante von *étrier*), span.-port. *estribo*, katal. *estrep* auch den Strebepfeiler bezeichnen. Man beachte auch, daß in den slawischen Sprachen der gleiche Stamm *strem* als Name des Steigbügels (bulg. *streme*, serbokr. *stremen*, ukr. *strémin*, russ. *stremja*, tschech. *stŕmen* usw.) wie im Sinne von 'streben' (serbokr. *strémiti*, ukr. *stremiti*, russ. *stremit'sja*, bulg. *stremja*) erscheint. Als gemeinsame Basis gilt der Stamm *strm* 'steil'.

§ 91. Noch wenig geklärt ist die Frage, warum gewisse germanische Wörter sich im Romanischen festsetzen konnten. Man versteht, daß solche Wörter, die mit der germanischen Staatsverwaltung und Rechtsprechung zusammenhängen, auch von den Romanen übernommen wurden. Man versteht auch, daß aus der fränkischen Kriegerkaste Namen von Waffen und Rüstungsteilen in das Romanische drangen. Aber es ist nicht ohne weiteres einzusehen, warum für Buche und Weide die fränkischen Namen akzeptiert wurden, aber nicht für die Eiche und die Esche; warum unter den Körperteilen gerade die Hüfte (franz. *hanche*, it. *anca*),

---

senza piedi'. – Deutsch *stegreif* = 'steigbügel', engl. *stirrup* (angels. *stig-rap*), isl. *stig-reip*, fläm. *steegreep* sind keine altgermanischen Originalwörter, sondern volksetymologische Umdeutungen von altfranz. *estrief*.

[380a] Mit Berufung auf altprov. *estreup* möchte Henning Keller eine fränkische Grundlage *streup verteidigen (ZRPh 86, 1970, S. 172).

die Wange (it. *guancia*), das Rückgrat (franz. *échine*, it. *schiena*),
die Milz (it. *milza*, arag. *melsa*) nach germanischer Weise benannt
wurden, warum sich für 'frisch' und 'weiß' die germanischen
Ausdrücke eingebürgert haben; s. dazu besonders Bonfante LG
31ff.[381]

In gewissen Fällen darf man vermuten, daß der Siegeszug
des germanischen Wortes seine sachgeschichtlichen Gründe
hat. Das Eindringen von *faîte* 'First' in das Französische steht
zweifellos im Zusammenhang mit dem Vordringen des germanischen Giebeldaches.[382] Die Aufnahme von *jardin* 'Garten' dürfte
damit zusammenhängen, daß in der fränkischen Kultur der zu
ästhetischem Genuß bestimmte Blumengarten neben dem Nutz-
garten seine besondere Rolle spielte. Ob das weite Vordringen
des fränkischen Wortes für die Ahle (franz. *alêne*, ital. *lesina*,
span. *lezna*) dadurch bedingt ist, daß in Nordfrankreich statt der
geraden Ahle die fortentwickeltere Form der gebogenen Ahle in
Gebrauch kam, läßt sich wohl kaum beweisen. Was den Spinnrocken betrifft, möchte man ebenfalls glauben, daß es eine besondere Form des Rockens war, die die Goten an die Romanen
vermittelt haben. Bilder auf antiken Vasen zeigen uns eine sehr
kurze Form des Spinnrockens. Er wurde beim Spinnen von den
Frauen in der linken Hand gehalten. Dagegen gebraucht man
heute in Italien und Spanien meist eine längere Form des Rok-
kens; diesen Rocken steckt man in der Taille fest, so daß die
linke Hand frei ist und den zu spinnenden Flachs besser zurecht-
zupfen kann. Bilder von diesen beiden Typen des Spinnrockens
habe ich publiziert in 'Germanisches Spracherbe in der Romania' (München 1947, S. 18 u. 21) und in 'Lengua y cultura'
(Madrid 1966), S. 159. Abbildungen von dem kurzen Hand-
rocken (Süditalien) bei Scheuermeier, Bauernwerk in Italien,
Band II, Bern 1956, S. 261.

Vom Steigbügel wissen wir, daß er in Europa noch in der
Spätantike nicht bekannt war. Er taucht auf erst seit dem
7. Jahrhundert. Wenn die Romanen nun den Steigbügel mit
germanischen Wortstämmen *(étrier, estribo, staffa)* benennen,
so dürfte klar sein, daß es germanische Reitervölker waren, die
den Steigbügel bei den Romanen bekanntgemacht haben. Ähnliches läßt sich sagen für die Sporen. In der römischen und

---

[381] Brüch (a. a. O. S. 87) nimmt an, daß die in das Romanische übernom-
menen germanischen Farbennamen (vgl. franz. *blanc, gris, brun, fauve*) sich
ursprünglich auf die Farbe der Pferde bezogen, also durch germanische Reitervölker ihre Verbreitung gefunden haben, was recht überzeugend ist.
[382] Das vermutet mit Recht v. Wartburg (FEW III S. 579).

griechischen Antike gehören die Sporen nicht zur selbstverständlichen Ausrüstung des Reiters. Sie begegnen nur ganz vereinzelt. Auch hier dürfte es so sein, daß erst die Germanenvölker die allgemeine Verbreitung der Sporen herbeigeführt haben.

§ 92. Was die Kleidung betrifft, so wissen wir, daß die Hose zu den Römern durch gallisch-germanische Vermittlung gelangt ist. Das Hemd war den Römern unbekannt. Französisch *chemise*, italienisch *camicia*, spanisch *camisa* führen über das Keltische auf eine germanische Ausgangsquelle (urgerm. *kamitja*). Auch in der Ausbildung der Kleidertasche scheinen die Germanen eine gewisse Rolle gespielt zu haben. Das folgende Kartenbild (Karte 63) zeigt uns die geographische Verbreitung von fünf Bezeichnungen für die *Tasche*, die alle germanischer Herkunft sind:

1. Französisch *poche* (fränk. *pokka*, ags. *pokka*): durch die Normannen ist das Wort auch nach Süditalien gelangt (südapul. *poscia*).

2. Im Südostfranzösischen *fata* < burgund. *fatta* (s. § 84).

3. In Italien (besonders Toskana) *tasca*[383]: Das Wort läßt an gotische Herkunft denken.[384] Die hochdeutsche Form scheint vorzuliegen in bayerisch *zäschen* 'Schleppe eines Kleides', *zaschen* 'ziehen', 'schleppen'.[385]

---

[383] Das ital. *tasca* erscheint mit merkwürdiger Konsonanten-Umsetzung in Ligurien als *ẛtaka*, das als *stacca* 'tasca' nach Korsika gelangt ist.

[384] Die Geschichte des Wortes ist noch ziemlich unklar. Befremdlich ist althd. *taska* und *daska* (9. Jahrh.), wo man **zaska* erwarten sollte. Das zerstreute Vorkommen des Wortes in Frankreich (besonders burg. frcomt. *tatche*) scheint eher für altfränkische Herkunft zu sprechen (s. dazu FEW XVII, 321), womit auch die althd. Form eine Erklärung finden könnte. Altfrz. *taiche*, *taisse* 'bourse' und wall. *taẛ* in Belgien, *tache* im nördlichsten Frankreich stammt aus niederl. *tassche*, *tessche*. Erschwert wird die Beurteilung durch das Vorkommen in den skandinavischen Sprachen (schwed. *taska*, dän. *taske*); s. dazu Alf Torp, Nynorsk etym. Ordbok 173. In den slavischen Sprachen (*taška*) handelt es sich um ein deutsches Lehnwort; rum. *taşcă* stammt durch ungarische Vermittlung aus dem Deutschen. Das ladinische *taskja (tastga)* in Graubünden beruht wohl auf ital. *tasca*.

[385] Die germanische Herkunft von *tasca* wird von Brüch (S. 6) in Zweifel gezogen; von Gamillscheg (Rom. Germ. II S. 206) nicht als sicher angesehen. Was für das Germanische zu sprechen scheint, ist die Tatsache, daß im Romanischen vier andere Ausdrücke für 'Tasche' aus dem Germanischen entlehnt sind. — Eine Verknüpfung mit lat. *taxare*, franz. *tâche*, engl. *task* (Kluge-Mitzka 1957, S. 771) kann nicht überzeugen.

4. Rumänisch *pungă* bezeichnet heute die Geldbörse. Daneben haben wir im Griechischen πούγγα 'Tasche', 'Beutel' (Zypern, Unteritalien), heute meist in der Diminutivform. τὸ πουγγί. Das Wort ist gotischer Herkunft (got. *puggs*, dän. *pung*, ags. *pung* 'Beutel').

5. In einem Teil Apuliens wird die Tasche *palta (pauta, polta)* genannt. Die Herkunft dieses Wortes war bisher nicht bekannt. Das Wort gehört ganz klar zu schwedisch *palta* 'Lumpen', 'Fetzen', dänisch *palt (pjalt)*, mnd. *palte*.[386] Das Wort dürfte in Italien gotischer Herkunft sein.

Es ist wohl ein einzigstehender Fall, daß für e i n e n Begriff das Germanische den Romanen so viele Bezeichnungen geliefert hat.

§ 93. Als Beispiel für ganz verschiedene Quellen eines Superstrats kann die Wortgeschichte des Begriffes 'Maurer' genannt werden. Mit Wörtern aus lateinischem Erbe wird der Maurer (s. Karte 64) in Italien, in südfranzösischen Mundarten und in Portugal bezeichnet: ital. *muratore,*[387] provenz. (Aveyron, Cantal. Lot) *peirié*, im katalanischen Roussillon *peirer*, port. *pedreiro* < p e - t r a r i u s.[388] Anderswo sind neue Wörter in Aufnahme gekommen, die den jüngeren Superstratsprachen entlehnt sind. In Frankreich ein Wort fränkischer Herkunft (vgl. deutsch *steinmetz*): *maçon* < fränk. m a k i o.[389] In Spanien und im südlichen Portugal hat sich das aus dem Arabischen stammende *albañil* (a l - b a n n â) eingebürgert.[390] In Rumänien hat der Maurer einen slavischen

---

[386] Meyer-Lübke (REW no 6849) vermutete Kreuzung von *punga* mit germ. *faldo*. – Zum Stamm *palta* 'Lumpen' gehört das etymologisch bisher dunkel gebliebene italienische *paltone*, französisch *pautonnier*, ital. *paltoniere* 'Landstreicher', 'coquin', 'homme méchant' (s. FEW XVI, 616), als Lehnwort aus Frankreich mhd. *paltenêre*; vgl. deutsch *Lumpen* und der *Lump* 'mauvais sujet' und ebenso dän. *pjalt* in beiden Bedeutungen.

[387] So auch im Rätoromanischen (Rheintal) *miradúr*; im Engadin ist es die alte Nominativform, die fortlebt: *múrader* (m u r a t o r). Auch das in den Alpes Maritimes gebräuchliche *múraire* beruht auf dem Nominativ m u r a t o r. In Süditalien gilt größtenteils *fravecatore* (neap.), *frabbicaturi* (siz.), das zum Verbum 'fabbricare' gehört. Sardinien gebraucht *fraigamuru* ('fabbricamuro').

[388] In Rumänien ist *pietrar* (Moldau) vielleicht eine jüngere Neubildung (Niculescu 127).

[389] Das Wort ist als m a c i o bereits dem spanischen Bischof Isidorus (Anf. 7. Jh.) bekannt; s. J. Sofer, *Lateinisches und Romanisches aus den Etymologiae des Isidorus von Sevilla* (Göttingen 1930) S. 142 ff.

[390] Im älteren Spanisch (bis 17. Jahrh.) erscheint das Wort in der Form *albañí*, im 17. Jahrh. auch als *albañir*. Die portugiesischen Formen lauten *alvanel, alvaneu, alvaner*.

Namen erhalten: *zidar*, abgeleitet von *zid* 'Mauer'. – In Katalonien heißt der Maurer *mestre de cases* oder *paleta* (vom Namen
seines Instruments) oder *picapedrer*; das letztere ist als *piccapedreri* nach Sardinien gelangt.

§ 94. Während die Erforschung der lexikalischen Germanismen
einen sehr hohen wissenschaftlichen Stand erreicht hat, sind die
germanischen Einflüsse, die sich in Lehnübersetzungen (calques
linguistiques) äußern, bisher viel weniger beachtet worden.[391]
Man muß hier unterscheiden zwischen Ausdrucksformen, die in
bilinguem Milieu auf die linguistischen Grenzgebiete beschränkt
bleiben (und hier in hoher Frequenz auftreten) und älteren germanischen Einflüssen, die sich bis in die romanischen Schriftsprachen ausgewirkt haben.

Für den ersten Fall nennen wir als Beispiele im belgischen
Französisch *qu'est-ce que c'est pour une station?* 'Was ist das für
eine Station', in Savoyen (im Munde einer Bäuerin) *qui est-ce
donc pour un homme?* (in einem Roman von H. Bordeaux); in
Belgien *jouer soldat, jouer billard* = niederl. *soldaatje spelen,
biljart spelen*; in Belgien, Lothringen, Elsaß *il n'écoute pas* 'il
n'obéit pas' = *er hört nicht*. Im ladinischen Graubünden *avair
bugien* 'lieben' = *gern haben* (s. § 109), *id ais già lönch* 'il y a
longtemps' = *es ist schon lange, as far our da la puolvra* 'sich
aus dem Staube machen'. – Aus Einflüssen älterer germanischer
Zeit stammt in Italien *vado via* 'ich gehe weg', in Toscana und
Corsica *mezzédima*, in Gräubünden *mesjamna* 'Mittwoch'
(*édima, jamna* 'Woche').

Im Gegensatz zu allen anderen romanischen Sprachen, die das
lat. quantu (Karte 65) gebrauchen, um in der Frage eine unbekannte Menge auszudrücken *(quanto tempo, cuantos años*, rum.
cît vin), gebraucht man im Französischen das merkwürdige *combien (de temps, d'années, de vin)*: *combien as-tu payé?*[392] Diese
Ausdrucksweise, die in den anderen romanischen Sprachen nichts
Vergleichbares hat, ist schon von Bartoli[393] als ein Germanismus

---

[391] Erst in den letzten Jahren ist diesen Einflüssen eine größere Beachtung
geschenkt worden. Dazu sei besonders hingewiesen auf den Aufsatz von Hel-
mut Stimm, Fränkische Lehnprägungen im französischen Wortschatz, in der
Festschrift für Gamillscheg (1968), S. 593–617; s. auch unsere Deutung von
jouer de la flûte in AStNSp 201, 1964, S. 169–174.

[392] Vgl. noch in der alltäglichen Umgangssprache *le combien* (oder *le com-
bientième) es-tu?, le combien sommes-nous?* = 'der wievielte'?

[393] Introduzione alla neolinguistica (Genève 1925), S. 47.

erklärt worden, nach dem Vorbild von deutsch *wieviel*, engl. *how much*, niederl. *hoeveel*. Ich glaube, daß dieser Gedanke, der noch in keinem unserer etymologischen Wörterbücher Aufnahme gefunden hat, durchaus akzeptabel ist. Was im modernen Französisch durch *combien* ausgedrückt wird, ist nur der letzte Rest eines Gebrauches, der im Altfranzösischen viel allgemeiner war: *com grant mal* = ital. *quanto male, com grande bataille* = ital. *quanta battaglia, con grant peine* = ital. *quanta pena, nus ne set con longe est sa vie* 'niemand weiß, wie lange sein Leben ist' (ToLo 2, 599).[394]

§ 95. Eine andere Ausdrucksweise, mit der das Französische sehr seltsamerweise seinen eigenen Weg geht, bezieht sich auf den Umgang mit einem Musikinstrument. Im Gegensatz zu allen anderen romanischen Sprachen (s. Karte 66), die dafür nach lateinischem Vorbild[395] ein besonderes Verbum gebrauchen,[396] verwendet das Französische für gewisse Instrumente[397] das gleiche Verbum, mit dem es eine 'partie de jeu' auszudrücken pflegt: *jouer de la flûte, jouer du violon*, ebenso wie man sagt *jouer aux cartes, jouer à la pelote*.[398] Es kann nicht zweifelhaft sein, daß es sich in dieser Vermischung zweier Tätigkeiten um eine Nachahmung der germanischen Sprachen handelt, wo man sich in beiden Fällen des gleichen Verbums bedient: *spielen, spelen, to*

---

[394] In den französischen Mundarten der Vogesen, wo lat. q u a n t u sich erhalten hat, ist üblich sogar *kam our qu'il a* 'wieviel Uhr ist es?' Dieser Einfluß des Deutschen zeigt sich auch im ladinischen Engadin *las quantas ais* 'quelle heure est-il?' = *wieviel Uhr*; ebendort *ils quants ais hoz* 'le combien sommes-nous?' = *der wievielte ist heute?*

[395] Lateinisch *canere* und *cantare tibiis* gegen *ludere alea (nucibus, ad latrunculos)*. Ersteres wurde später durch *sonare*, das andere Verbum durch *jocare* ersetzt.

[396] Vgl. ital. *sonare il flauto* gegen *giocare alle carte*, span. *tocar la guitarra* gegen *jugar a los naipes*, katal. *tocar el violí* gegen *jugar a naips*. Bemerkenswert ist der rumänische Sprachgebrauch mit Bewahrung des latein. *cantare*, z. B. *a cînta din flaut* gegen *juca cărţi*.

[397] In anderen Fällen wird *sonner (du cor, de la trompette)* gebraucht; neben *jouer du piano* ist auch *toucher du piano* üblich.

[398] Nach einer sehr verbreiteten Meinung würde in der Präposition *de* eine lokale Funktion zu sehen sein: *jouer de la flûte* 'en tirer des sons'. In Wirklichkeit handelt es sich um eine instrumentale Funktion, vergleichbar dem altfranz. *ferir de la lance*, modern *frapper de l'épée, grincer des dents, jouer de la queue* 'mit dem Schwanze wedeln', *jouer des jambes* 'courir', *jouer des coudes*. Das Gleiche gilt für das rum. *din*, vgl. *a întreba din ochi* 'mit den Augen fragen', *a da din coadă* 'mit dem Schwanze wedeln'.

play.[399] Aus dem fränkischen Frankreich hat sich der Germanismus durch die Schriftsprache bis in den okzitanischen Süden ausgebreitet *(jougà dóu cor)*, wo im Mittelalter die verschiedene Tätigkeit durch besondere Verben ausgedrückt wurde: *tocar la flauta, sonar flaustel.*[400]

§ 96. Im Gegensatz zu den anderen romanischen Schriftsprachen besitzt das Französische neben den gemeinromanischen Dezimalzahlen[401] Restformen eines Vigesimalsystems.[402] Über die Herkunft dieser Zählweise ist sich die Forschung bisher nicht einig geworden. Sehr verbreitet ist in Frankreich der Glaube an das Fortwirken eines gallischen Substrates: 'On ne saurait douter de l'influence du celtique dans l'usage de la numération par vingt qui a laissé des traces jusque dans le français d'aujourd'hui' (J. Vendryes. RLiR I, 1925, 274). Im FEW (XIV, 445) und im etymologischen Wörterbuch von Bloch-Wartburg wird diese Auffassung noch bis in die letzten Jahre vertreten: 'Il est donc probable que le fr. doit les restes de ce système au gaulois, aussi bien) que l'anglais est redevable de son *score* aux parlers celtiques qu'il a supplantés' (BW). Gegen die keltische Deutung[403] hatte

---

[399] Auch im Russischen, Polnischen und Tschechischen gilt für beide Tätigkeiten (unter deutschen Einflüssen?) das gleiche Verbum (poln. *grać*, tschech. *hrati*), während in den südslavischen Sprachen (serbokroatisch, bulgarisch) die beiden Arten des Spielens sprachlich geschieden sind: serbokr. *igrati karte* 'jouer aux cartes', *svirati na klaviru* 'jouer du piano'.

[400] Infolge einer hyperkorrekten Übertreibung ist im modernen Provenzalischen das aus dem Norden übernommene *jougà* sogar bei den Instrumenten üblich geworden *(jougà dóu cor, de la troumpeto)*, wo in der französischen Schriftsprache das Verbum *sonner* verwendet wird (FEW V, 41). – Siehe zu der ganzen Frage ausführlicher *Jouer de la flûte*: ein Germanismus? (ASt-NSp 201, 1964, S. 169–174). – Unsere Deutung aus germanischen Einflüssen wurde akzeptiert von H. Stimm in Festschrift für Gamillscheg 'Verba et Vocabula' (1968), S. 602; sie wird bezweifelt von Wolfgang Ulland, Jouer d'un instrument und die altfranz. Bezeichnungen des Instrumentenspiels (Diss. Bonn 1970), S. 164.

[401] Im Rumänischen folgen die Dezimalzahlen der slawischen Zählweise (2 × 10, 3 × 10): *douăzeci, treizeci, patruzeci, optzeci*.

[402] Dieses System ist heute in der Schriftsprache auf die Zahlen 60–99 beschränkt. Im Mittelalter ist diese Zählweise bis *dix-neuf-vingtz* bezeugt (FEW 14, 444). Sie hat sich konserviert im Namen des *Hospice des Quinze-vingts*, ein im 13. Jahrhundert gegründetes Blindenhospital in Paris, das 300 Blinde aufnehmen konnte. In Troyes gibt es eine *Rue des Quinze-Vingts*. Im Dep. Cher ist *Les Sept-Vingts* der Name eines Waldes.

[403] Nach keltologischer Meinung ist die Ausbildung des Vigesimalsystems in den neueren keltischen Sprachen als ein jüngeres linguistisches Phänomen

Margarete Rösler auf Grund gewichtiger Überlegungen ernste Einwände erhoben und die Meinung vertreten, daß die Verbreitung dieses Systems nach Frankreich und England *(three score, four score)* und damit auch in die neueren keltischen Sprachen (gälisch *tri-fichead* 'sechzig', *ceithir-fichead* 'achtzig', bret. *tri-uigent* 'sechzig', *pear-uigent* 'achtzig') den Normannen zu verdanken und die letzte Quelle in der skandinavischen Germania[404] zu suchen sei.[405]

Die von Rösler vertretene Auffassung habe ich vor 25 Jahren durch sprachgeographische Gesichtspunkte zu erhärten versucht.[406] Es muß auffallen, daß der äußerste belgische Norden, der ganze Osten und Südosten Frankreichs (von Lothringen bis ans Mittelmeer) an dem alten römischen Dezimalsystem festhalten.[407] Der Schwerpunkt des Vigesimalsystems (s. Karte 67) scheint vom Atlantischen Ozean und vom Ärmelkanal auszugehen.[408] Seine maximale Verbreitung umfaßt die Flußsysteme der Somme, Seine, Loire und Garonne, während das gesamte Rhônegebiet, wenn man von zerstreuten französischen Vorposten absieht, nur das Dezimalsystem kennt. Dies läßt vermuten, daß es sich um eine sprachliche Neuerung handelt, die vom Westen bzw. vom Nordwesten (durch das Medium der Schriftsprache) vorgedrungen ist.[409]

---

zu betrachten, das vom britannischen Keltentum sich verbreitet hätte; s. H. PEDERSEN, Vergleichende Gramm. der keltischen Sprachen II, 1911, S. 134. Im Altirischen (vor dem 10. Jahrh.) ist nur eine Dezimalzählung bezeugt, z. B. *sesca* = 60, *ochtomoga* = 80; s. J. Vendryes, Grammaire du vieil-irlandais (1908), S. 131. Erst aus dem späteren Irisch (Mittelirisch) kennt man *tri fichit* = 60, *noi fichit* = 180

[404] Vgl. dänisch *tresindstyve* = 60, *firsindstyve* = 80, isländ. *sjau skorar* = 120, *ellefu skorar* = 220. – Im Krimgotischen hatte *stega* den Zahlwert 20. Dem entspricht *stiege* oder *steige* im Niederdeutschen und Niederländischen: ndd. *over seven stigen minschen* '140', *funfzehn steig schafe* '300', niederl. *aver veer stige old* '80', *twei stieg menuten* '40'.

[405] In Prinzipienfragen der romanischen Sprachwissenschaft (Festschrift für Meyer-Lübke, Beiheft 26 zur ZRPh), 1910, S. 187–205 und ZRPh 49, 1929, S. 274–286.

[406] AStNSp 183, 1943, S. 126–131; neu abgedruckt in dem Sammelband 'An den Quellen der romanischen Sprachen' (Halle 1952, S. 238–244). Unsere Karte ist reproduziert auch in 'Lengua y cultura' (Madrid 1966), S. 169.

[407] Siehe die Karten 1214, 1113 und 1114 des französischen Sprachatlas.

[408] Auffällig bleibt, daß auf den normannischen Inseln *septante* und *nonante* sich bis heute gehalten haben.

[409] Unser Kartenbild zeigt die Situation für den Zahlwert *quatre-vingt-dix* (ALF, Karte 1114), die ziemlich genau dem Verhältnis von *soixante-dix* zu *septante* entspricht. Dagegen ist *quatre-vingt*, indem es im Süden das alte *oitanta* verdrängt hat, bis an die italienische und katalanische Grenze vorge-

Gegen die normannische Deutung haben sich in den letzten Jahren besonders Reichenkron (Festgabe für Gamillscheg, 1952, S. 162 ff.) und Colón (Festschrift für Gamillscheg, 1968, S. 127 ff.) mit beachtlichen Gesichtspunkten ausgesprochen.[410] Beide Gelehrte möchten die Meinung vertreten, daß es sich in Frankreich um eine spontane Entwicklung handeln kann, für die ein fremder Anstoß nicht angenommen werden muß. In der Tat: ein absoluter Beweis läßt sich für den nordgermanischen Ursprung nicht erbringen. Doch kann kein Zweifel daran bestehen, daß die englische Zählung mit *score* skandinavischen Ursprungs ist, so daß auch für die Normannen dies System vorausgesetzt werden kann. Seine weitere Verbreitung ist natürlich nicht durch die Normannen sondern auf dem Wege über die normannisch gefärbte französische Schriftsprache erfolgt.

§ 97. Zweifellos durch die Normannen ist das Vigesimalsystem nach Süditalien gebracht worden. Auch dort besteht es nicht ausschließlich, sondern in Koexistenz mit dem Dezimalsystem. Besonders verbreitet ist diese Zählung in Sizilien. Auf dem Festlande läßt sie sich von Kalabrien über Lukanien bis in das nördliche Apulien und bis in die Abruzzen nachweisen (AIS, K. 301 – 303).[411] Sie wird besonders bei Altersangaben und für ländliche Produkte (Eier) angewendet, z. B. in Sizilien *du vintini e deci* 'cinquanta', in Kalabrien *sugnu'i quattru vintini* 'ho ottant'anni', im südlichen Apulien *quattru vintine* 'ottanta', *vinti*

stoßen (ALF, 1113). Damit stimmt überein, daß im 17. Jahrh. in der franz. Schriftsprache zwar *septante* und *nonante* (Bossuet) noch gelegentlich gebraucht werden, während das entsprechende *huitante* schon nicht mehr üblich ist. Das zeigt, daß die spätere Ausbreitung des neuen Systems durch die Schriftsprache erfolgt ist. – Isolierte Reste der Vigesimalzählung finden sich in Savoyen: *tre vẽ* = 60 (ALF, K. 1239); s. dazu Reichenkron 173.

[410] Wenn Colón betont, daß auch das Altprovenzalische das Zwanzigersystem gekannt hat und dies mit drei literarischen Beispielen belegt, so muß dazu gesagt werden, daß Wilhelm von Poitou *(quatre vint)* dem westlichen Midi angehörte und daß für die provenzalische Schriftsprache nie die absolute Gültigkeit einer Sprachform bestanden hat. – Die von Mistral für das moderne Provenzalisch gegebenen Beispiele *tres vints, sieis-vint, tregevint* und sogar *des-e-nou vint* '380' sind nicht lokalisiert; sie scheinen aus einer westlichen Zone (Toulouse?) zu stammen, wo die Zählweise dem französischen System entspricht (vgl. Anm. 413).

[411] Aus den italienischen Mundarten hat diese Zählweise auch von den süditalienischen Griechen übernommen worden: in Kalabrien *tèssara ikosi* 'ottanta' oder halb italienisch *dio ventine* 'quaranta', im südlichen Apulien *quattro vinti* 'ottanta', *quattro vinti dèka* 'novanta'.

9*

intine 'quattrocento', in Bari *tienghe tre vendine* 'ho sessant'anni', in den Abruzzen (Prov. Chieti) *quattrə vəndanə* = 80.[412]

§ 98. Die Beurteilung des Vigesimalsystems in Frankreich wird dadurch kompliziert, daß es auch auf der iberischen Halbinsel nicht ganz unbekannt ist oder in älterer Zeit sich nachweisen läßt. Hier muß im geographischen Übergang vom Französischen zum Spanischen vor allem das Baskische genannt werden, wo statt des Dezimalsystems nur die Zählung mittelst *ogei* 'zwanzig' üblich ist: *berrogei* = 40, *berrogeitamarr* = 50 (2 × 20 + 10), *irurogei* = 60, usw.[413] Dazu kommen sehr vereinzelte Beispiele aus der ältesten spanischen Literatur (Berceo *tres vent medidas de farina*: ein Gallizismus?); in moderner Zeit sporadische Zeugnisse über eine solche Zählung aus dem portugiesischen Traz-os-Montes und dem benachbarten Sanabria *(douz veintes, cuatro veintes)*, sowie aus der Gegend von Santander: *un cuatro veintes* 'un ochentón'.

Volkstümlich in verschiedenen spanischen Landschaften (Andalusien, Santander) ist die Altersangabe nach der Münzbezeichnung *duros* (un duro = 20 reales), z. B. santand. *cuento ya más de tres duros y medio* = 70 años. Besondere Beachtung verdient eine Zählweise nach Zwanzigern, die im katalanischen Sprachgebiet als 'manera primitiva de comptar, molt frequent entre infants petits i gent molt rústica' nachgewiesen ist.[414] Das läßt darauf schließen, daß diese Zählweise in gewissen Gebieten spontan aus primitiver Mentalität ohne fremde Einflüsse denkbar ist.[415]

---

[412] Die geographische Verbreitung entspricht der sonstigen Reichweite des normannischen Kultureinflusses; vgl. z. B. südital. *accattare* 'kaufen' < norm. *acater, jumenta* 'Stute' < franz. *jument.* – Eine ganz klare Beziehung zum Französischen (der Normannen) zeigt das *quattro vinti* der südapulischen Griechen im Salento, die diese Form von ihren romanischen Nachbarn übernommen haben, wo sie heute nicht mehr nachweisbar ist. Eine solche Bildung ist ganz unitalienisch; sie kann nur aus französischem Vorbild verstanden werden.

[413] Es ist möglich, daß die weitgehende Anwendung solcher Zählung im benachbarten Béarn in Formen, die im Französischen wenig üblich sind, z. B. *tres-bints* = 60, *cheys-bints* = 120, durch das bilingue Milieu der Grenzgebiete bedingt ist; s. dazu Rohlfs, Gascon (1970) § 512.

[414] Siehe dazu Colón, a. a. O. 132 und AM X, 821.

[415] Der primitive Charakter der Vigesimalzählung wird illustriert durch das System afrikanischer Sprachen (Bantu, Sudan), die für den Wert 20 den Begriff 'Mensch' (10 Finger + 10 Zehen) zu Grunde legen, z. B. *drei Menschen* = 60; s. MARIANNE SCHMIDL, Mitteil. der anthrop. Gesellschaft zu Wien, Bd. 45, 1915, S. 181 ff. Die Zerlegung größerer Zahlwerte in kleinere Zahlein-

Doch dies kann nicht ausschließen, daß ein bestimmtes Zahlsystem durch kulturelle Einflüsse von einer Sprache auch auf eine andere Sprache sich überträgt, wie es der skandinavische Einfluß auf das Englische, der französische Einfluß im normannischen Süditalien, der slavische Einfluß auf die rumänische und albanische Zählweise und der dialekt-italienische Einfluß auf die süditalienischen Griechen erkennen läßt.[416] Das bedeutet: neben der Polygenese ist unter gewissen Umständen auch eine Monogenese denkbar.[417]

---

heiten hat bei primitiven Negervölkern zu einem Quinarsystem geführt, so daß z. B. der Wert 23 ausgedrückt wird durch $4 \times 5 + 3$ (ib. S. 190). Dazu sei aus Frankreich erwähnt béarn. *tres-cheys* $= 18 = 3 \times 6$ (Palay, Dict. II, 613). – Aus Asien ist die Vigesimalzählung bezeugt für kaukasische Sprachen und für die Sprache der Ainus in Japan; s. FR. A. POTT, Abhandlung über die quinare und vigesimale Zählmethode (1868), S. 73 u. 77. Über Vigesimalzählung (*ein Mann* $= 20$) in amerikanischen Sprachen, s. A. R. Nykl, Language 2, 1926, S. 165 ff.

[416] Vgl. den Ersatz der lateinischen Dezimalzahlen im Rumänischen durch die slavische Komposition (s. Anm. 401). Und dazu: 'Der Ersatz eines ererbten Zahlwortes durch ein Fremdwort ist eine ziemlich häufige Erscheinung' (Puşcariu 349).

[417] Wie im Französischen hat das Albanische neben einem dominierenden Dezimalsystem Reste eines offenbar älteren Vigesimalsystems. Das Dezimalsystem beruht auf der Komposition mit der Zahl 10 (*dhit, dhjete*), z. B. *tridhit* $= 30$, *pesdhit* $= 50$, also nach slavischer Art, d. h. wohl durch neuere slavische Einflüsse. In der gegischen Mundart (Nordalbanien) besteht heute eine reine Dezimalzählung, während im toskischen Dialekt (Südalbanien) noch *dyzet* (2×20) $= 40$, *trezet* $= 60$, und *katrëzet* $= 80$ gebraucht werden. Das gleiche System gilt für die albanischen Kolonien in Kalabrien. – Auch diese Situation zeigt, wie leicht durch jüngere Kultureinflüsse ein älteres System aufgelöst werden kann.

XIV. FRANZÖSISCHE ZIVILISATION

§ 99. Bis zum Ende des weströmischen Reiches hat Italien als das alte Kernland der Latinität in der Neuregelung der sprachlichen Verhältnisse eine gewisse führende Rolle behauptet. Diese Stellung ändert sich, als Italien in den Großmachtraum des fränkischen Reiches einbezogen wird. Von nun an ist es nicht mehr Italien, das die sprachlichen Wandlungen bestimmt, sondern neue mächtige Kraftströme wirken jetzt von Frankreich auf die benachbarten romanischen Länder.

Die ältere vulgärlateinische Romanität wurde durch die lateinische Kirche und den späteren dominierenden französischen Kultureinfluß (besonders seit der von Cluny ausgehenden kirchlichen Reformbewegung) zu einer jüngeren westeuropäischen geistigen Romanität umgeformt, aus der die ostromanische Romanität (im heutigen Rumänien) für viele Jahrhunderte ausgeschlossen blieb. Erst im Laufe des 19. Jahrhunderts hat das Rumänische durch eine Flut von lateinischen und französischen Neologismen diese Retardierung nachgeholt – ohne ein wirkliches organisches Wachstum.[418]

Italien hat seit der Zerschlagung des Langobardenreiches aufgehört, die Rolle eines *arbiter linguae* zu spielen. Von nun an ist es die civilisation féodale der französischen Rittergesellschaft, die für die benachbarten Länder zum neuen Irradiationszentrum geworden ist. Ganz besonders in Italien wird französische Lebensform, Dichtung und Sprache zum großen Vorbild. Spanien und Portugal folgen den neuen Anregungen etwas langsamer und reservierter. Nur Katalonien ist seit der fränkischen Begründung der 'Marca Hispanica' mit dem französischen 'Midi' geistig so eng verbunden, daß im 12. Jahrhundert der arabische Geograph Edrisi dieses spanische Küstengebiet geradezu als *Afranȳa menor* 'la petite France' bezeichnen konnte. Die sehr engen sprachlichen Beziehungen, die zwischen dem Provenzalischen und dem Katalanischen bestehen, machen den Eindruck einer linguistischen 'Entente cordiale': quasi eine 'comunidad lingüística'.[419]

---

[418] Siehe dazu Th. H. Maurer, A unidade da Românîa ocidental. São Paulo 1951.

[419] In einem provenzalischen Lehrbuch der poetischen Technik (Las leys d'amors, 14. Jahrh.) wird der Begriff *lengatge estranh* 'fremde Sprache'

Schon in dem vorhergehenden Kapitel ist gezeigt worden, daß germanische Lehnwörter fränkischer Herkunft als Modewörter einer dominierenden Kultur oft von den romanischen Nachbarsprachen akzeptiert worden sind: *bois (bosc), jardin, guerre, alêne, blanc, frais (fresc), éperon, étrier.* Andere Fälle, die wir bereits kennengelernt haben, sind *prier (pregar)* > ital. *pregare* (§ 58), *trouver (trobar)* > ital. *trovare* (§ 60); über weitere Beispiele s. *chevreau* (§ 122), *tête* (§ 127) und *manger* (§ 128). In gewissen Fällen haben sich die französischen Einflüsse durch die Herrschaft der Normannen auf Sizilien und Süditalien beschränkt, vgl. *jument* > *jumenta* (§ 61), *quatre-vingts* (§ 97).

§ *100.* Die Erneuerung des Wortschatzes durch lehnwörtliche Einflüsse in den Berufsbezeichnungen ist um so leichter gegeben, je mehr ein Beruf modischen Ansprüchen unterworfen ist. Ein treffendes Beispiel für Untergang und Aufkommen neuer Wörter gibt uns der Beruf des Schneiders (s. Karte 68). Das lateinische s a r t o r hat sich in Italien in Mittel- und Norditalien erhalten, teils in der Nominativform *sárto* (Toskana, Emilia, Lombardei), teils in der Form des Akkusativs *sartóre* (Norditalien, Marken, Abruzzen, Nordkampanien).[420] In Frankreich ist das mittelalterliche *sartre* (altprov. *sastre*) heute nur noch in einem kleinen Teil des inneren Midi (Auvergne, Quercy, Rouergue) wirklich lebendig: *sartre, saltre, sastre.*[421] Jedoch ist vor seinem Ersatz durch neuere Benennungen im Mittelalter das provenzalisch-französische *sartre* als *sastre* nach Spanien entlehnt worden.[422] In Frank-

---

durch *francés, englés, espanhol, gascó, lombard* illustriert (II, 338); das Katalanische wird nicht erwähnt. Ebenso fehlt das Katalanische in der berühmten Kanzone *Eras quan vey verdeyar* des Raimbaut de Vaqueiras, wo im Sinne einer poetischen Spielerei jede Strophe in einer anderen romanischen Sprache (provenzalisch, italienisch, französisch, gaskognisch, portugiesisch) abgefaßt ist. Nicht selten wird im Mittelalter die katalanische Sprache mit *limosí (llemosí)* 'limousinisch', d. h. 'provenzalisch', bezeichnet und gleichgesetzt (AM, VI, 939). Noch im 16. Jahrh. nennt Juan de Valdés in seinem 'Diálogo de la lengua' die katalanische Sprache 'lengua que era antiguamente lemosina' (ed. 1860, S. 32). Und noch im Anfang des 19. Jahrh. liest man in der 'Oda a la Pàtria' von C. B. Aribau (geb. 1798 in Barcelona): *en llemosí li parl, que llengua altra no sent* (AM, VI, 939). – Über das späte urkundliche Auftreten (nicht vor dem 12. Jahrh.) von *catalanus, catalanicus, catalanensis, Cathalonia,* s. Aebischer, ZRPh 62, 1942, 49–55.

[420] Ganz vereinzelt die letztere Form auch im südlichsten Apulien *(sartóre).*
[421] ALF, carte 1276 und FEW XI, 236.
[422] Noch Menéndez Pidal (Manual § 62, 2) betrachtet *sastre* als ein einheimisches Wort. Es ist in Wirklichkeit erst unter französischen Einflüssen an die

reich sind an Stelle von sartor neue Wörter aufgekommen: seit dem 13. Jahrhundert das feinere *couturier* (< altfranz. *costurier*) heute besonders in der Normandie und in der Bretagne; seit dem 14. Jahrhundert das von der Schriftsprache akzeptierte *tailleur* (heute der herrschende Ausdruck in weiten Gebieten Frankreichs); dazu in regionaler Begrenzung *parmentier* (Lothringen und Vogesen) und *pelletier* (Franche-Comté und Schweiz).[423] Durch die Normannenherrschaft ist das altfranzösische *costurier* nach Süditalien gelangt, wo es als *custurèri* (Sizilien, Südkalabrien) fortlebt. Italienische Neuerungen sind südital. *cusetore* ('Näher'), sard. *drappèri*[424] bzw. *mastru e pannu* 'maestro di panno'. Im Portugiesischen ist aus dem Arabischen *alfaiate* (al--xajjât) eingedrungen, das im Mittelalter auch in Spanien üblich war; im Rumänischen das slavische *croitor*;[425] im Rätoromanischen das deutsche *schneder*, wodurch das einheimische rätorom. *cusunz* (zu *cusir* 'nähen') fast ganz verdrängt worden ist.[426]

§ *101.* Für den Begriff 'heilen' (siehe Karte 69) in transitivem Sinne war der lateinische Ausdruck s a n a r e : dolores sanat medicina. Er hat sich lebendig gehalten in span. *sanar*, port. *sarar*,[427] sard. *sanare* und in einem größeren Gebiet des süditalienischen Festlandes *(sanare)*.[428] Im Spanischen scheidet man heute ge-

---

Stelle des altspan. *alfayate* getreten; s. A. Steiger, Vox Rom. 10, 1949, S. 17. Die provenzalische Form *sastre* ist für Toulouse (nach Mistral) belegt; *šaštre* sagt man im Cantal. Auch in den Mundarten Asturiens gilt die Form *xastre* (= *šastre*), in Galizien *xaxtre*, judenspan. *šastre*.

[423] Siehe dazu A. Ch. Thorn, *Sartre-Tailleur. Étude de lexicologie et de géographie linguistique* (Lund 1913).

[424] Das Wort ist entlehnt aus franz. *drapier* 'Tuchhändler'.

[425] Zum Verbum *croi* 'zuschneiden' (altslav. *kroiti).* Im Banat sagt man *şnaidar* (aus dem Deutschen), in Siebenbürgen *săbău* (aus ungar. *szabó*); s. ALRu (N.S.), c. 521.

[426] Das deutsche *Schneider* ist im 12. Jahrh. dem franz. *tailleor* nachgebildet worden.

[427] Portugiesisch *sarar* ist mit hiatustilgendem *r* aus altport. *saar* entstanden; neuportugiesisch *sanar* zeigt latinisierende Einflüsse. – In Portugal wie in Spanien hat in neuerer Zeit *curar* das ältere Verbum *(sanar, sarar)* sehr zurückgedrängt.

[428] Die genauen Verhältnisse auf Sizilien sind nicht bekannt. Die sizilianischen Wörterbücher geben *sanari* und *guariri*. Die Stellung von *sanari* ist dadurch geschwächt, daß es auch die Bedeutung 'kastrieren' hat, eine Bedeutung, die auch für kalabr. *sanari*, prov. span. katal. *sanar* gilt. – Das auf der Karte 707 des AIS erscheinende *stari bonu* hat den Sinn von 'guarire' in intransitiver Funktion: *stètti bòna* 'è guarita'; vgl. auch siz. *iḍḍu bonu s' avia fattu* im Sinne von 'il avait guéri'.

wöhnlich zwischen transitivem *curar* und intransitivem *sanar*,
z. B. *la herida sanó pronto* und schon altspan. *sanó el rey* (Cid).
In Frankreich begegnet statt dessen seit den ältesten Texten das
aus dem Fränkischen (warjan) entlehnte *guarir* (später *guérir*).
Dieses verdrängt im Laufe des Mittelalters das einst in Südfrankreich übliche *sanar*, so daß dieses heute nur noch in kleinen
Zonen des 'Midi' lebendig ist.[429] Als fränkisches Wanderwort der
Karolingerzeit darf auch ital. *guarire* betrachtet werden,[430] dessen Herrschaft sich heute bis zur Linie Neapel-Bari erstreckt.[431]
Und noch weiter südlich ist *guarire* in Sizilien und im südlichen
Kalabrien infolge der oben (Anm. 207) gekennzeichneten Einflüsse in Aufnahme gekommen. Ein Lehnwort aus Frankreich
(altprov. *guarir*) ist wohl auch katal. *guarir*.[432] Auch im Altspanischen und Altportugiesischen ist *guarir*, das zugleich 'protéger', 'sauver' bedeutet, wohl als französisches Modewort zu betrachten.[433] – Einen ganz eigenen Weg in dem Ersatz von 'sanare'
ist das Rumänische gegangen: es hat vindicare (> *vindeca*)
über die Stufe 'liberare', 'salvare' zur Bedeutung 'heilen' entwickelt.[434] Dies Verbum hat jedoch in neuerer Zeit durch das aus
dem Ungarischen *(támadni)* entlehnte *tămădui* einen ernsthaf-
ten Konkurrenten erhalten. – Endlich muß erwähnt werden, daß
in einem Teil des Rätoromanischen (Rheintal) altes medicare
sich als *medegar* erhalten hat.

§ 102. Schon im klassischen Latein hatte advenire 'ankommen'
eine übertragene Bedeutung angenommen im Sinne 'sich ereig-
nen' *(advenit periculum, dies advenit).* Die weitere Ausdehnung
dieser temporalen Verwendung mußte dahin führen, daß in lo-

---

[429] Es lebt als *sanà* noch sporadisch im unteren Rhônegebiet und in der Gaskogne. – In Nordfrankreich ist das Verbum sanare in mittelalterlichen Texten *(saner, sener)* noch schwach bezeugt.
[430] E. Gamillscheg, *Romania Germ.* Bd. II S. 176.
[431] AIS Karte 707.
[432] Im Katalanischen wird heute das alte Verbum durch das kastilische
curar sehr zurückgedrängt (AM, VI, 447).
[433] Neben *guarir* besteht seit den ältesten Texten spanisch und portugiesisch *guarecer* in den gleichen Bedeutungen ('protéger', 'sauver', usw.), ganz
in Übereinstimmung mit altfranz. *guarir* 'protéger', 'sauver', 'guérir'. In den
stammbetonten Formen gilt im Spanischen nur die Form *guarecer* (das gleiche
Verhältnis zeigt altspan. *guarnece* neben *guarnido*). In dieser Form einen
älteren 'germanismo autóctono' zu sehen (DELC und Alvar, DL 68) scheint
mir nicht zwingend.
[434] Im gleichen Sinne rum. *lecui*, aus kirchenslaw. *lěkovati*.

kaler Funktion neue Ausdrücke vorgezogen wurden (Karte 70). Zu den Ersatzformen gehört das Verbum plicare, das wohl ursprünglich ein Ausdruck der Seeleute gewesen ist (plicare vela). Schon in der 'Peregrinatio Aetheriae' (Itinerarium Egeriae, 5. Jahrh.) begegnet dies Verbum in einer von der maritimen Terminologie losgelösten Funktion: *plicavimus nos ad mare* (6, 3), *cum iam prope plicarent civitati* (19, 9), *ut ... plecaremus nos ad montem* (38, 11). Neuere Forschungen haben es sehr wahrscheinlich gemacht, daß die Verfasserin der Peregrinatio eine spanische Nonne Egeria gewesen ist.[435] Dadurch würde sich gut erklären, warum plicare gerade auf der iberischen Halbinsel das Ersatzwort für 'advenire' geworden ist: span. *llegar* (Alto Aragón *plegar*), port. *chegar*.[436] Außerhalb dieser beiden Sprachen finden sich Reflexe dieses Gebrauchs von plicare nur noch in einigen Zonen Siziliens und des südlichen Kalabriens: siz. *chicari*, südkal. *chjicari* 'ankommen' neben dem gleichbedeutenden Kompositum siz. südkal. *agghjicari* < applicare.[437] – Ein anderes Ersatzwort ist *adripare geworden. Auch dieser Ausdruck dürfte aus der Sprache der Küstenbevölkerung stammen.[438] Nach seiner lautlichen Entwicklung hat er von der Galloromania seinen Ausgang genommen: von Frankreich ist *arriver* (prov. *arribar*) bis in die äußersten Süden von Italien *(arrivare)* und nach Katalonien *(arribar)* gelangt; die katalanische Form hat sich später in Sardinien *(arribbare)* festgesetzt.[439] – In Rumänien

---

[435] Vgl. darüber E. Dekkers in Sacris Erudiri Bd. I, 1948, S. 181–205.

[436] Auch im älteren Katalanischen ist *plegar* in dieser Verwendung belegt, z. B. *plegaren aquestes novelles a les orelles del marqués* (AM, I, 738).

[437] Schon im klassischen Latein begegnet neben applicare navem 'landen' einfaches applicare und applicari in der gleichen Bedeutung. Darauf beruhen neben den genannten süditalienischen Formen valencian. *aplegar* 'ankommen' (AM, I, 738), altdalm. *aplicare* 'ankommen', port. *achegar*, span. *allegar*; s. dazu J. Jud, ZRPh, 38, S. 28 Anm. 4. – Im Rumänischen hat plicare eine andere Entwicklung genommen: hier bedeutet *pleca* 'aufbrechen', 'weggehen', 'abreisen'. Der Ausgangspunkt dafür scheint zu liegen in 'die Zelte zusammenfalten'. Mit dieser Entwicklung ist eng verwandt katal. *plegar* 'die Arbeit einstellen', 'aufbrechen'.

[438] Zur Bedeutungsentwicklung kann man vergleichen umbrisch *allitare* 'giungere a buon fine' < *adlitare (s. Lingua Nostra 14, S. 53). – Im Spanischen ist *arribar* vorwiegend ein maritimer Ausdruck geblieben 'llegar con la nave al puerto', vgl. im Cidepos v. 1629 *arribado an las naves, fuera eran exidos*. Siehe dazu die Belege bei S. Gili Gaya, Tesoro lexicográfico, s. v. *arribar*. – Wo es die Bedeutung von 'ankommen', 'llegar' hat, dürfte es sich um einen Gallizismus handeln. – Zu *adlitare* s. noch § 151.

[439] Das italienische *giungere* (*è giunto il prefetto*) gehört dem höheren Stil an; es ist in Italien nirgends populär. Dagegen kennen die Mundarten des östlichen Sizilien ein volkstümliches *juntari* (junctare) 'ankommen'.

ist neben dem Gräzismus byzantinischer Zeit *sosi*[440] das Verbum
ajunge < adjungere üblich.

§ *103.* Das lateinische c a s e u s hat sich gut erhalten in span.
queso, port. *queijo,* sard. *casu,* südital. *casu,* tosk. *cacio* und in
rum. *caş.* In Frankreich hat sich aus c a s e u s f o r m a t i c u s 'ge-
formter Käse' eine neue Bezeichnung entwickelt: franz. *fromage,*
prov. *fromatge* (Karte 71). Von hier hat sich das Wort dem Katalanischen *(formatge)* mitgeteilt und hat in Oberitalien c a s e u s
völlig verdrängt: lig. *furmagiu,* piem. lomb. *furmaç,* ven. *for-
majo,* emil. *furmai.* Letztere Formen, wie auch schriftitalien. *formaggio,* können in Italien nicht bodenständig sein.[441] Was f o r -
m a t i c u s in Italien ergeben hätte, erkennt man aus tosk. *selvatico*
(neben dem Lehnwort *selvaggio), fiumatico, maggiatico* (dazu die
Ortsnamen *Lorenzatico, Lajatico, Orciatico),* ven. *erbádego,* mail.
navádik, lig. *companáigo.* So ist also *formaggio* in Italien ein
Lehnwort aus Frankreich, das den Einflüssen der Karolingerzeit
zuzuschreiben ist. Von Oberitalien ist das neue Wort auch nach
Korsika *(furmaghju)* eingewandert.[442]

In kleineren Gebieten der Romania haben besondere Kultur-
verhältnisse zu weiteren Neubildungen geführt. In Sizilien ist das
herrschende Wort *tumazzu,* eine Ableitung von siz. *tuma* 'cacio
fresco non ancora salato'. Das Wort ist identisch mit piemont.
tuma, altprov. *toma,* neuprov. *toumo* 'Art Käse'.[443] Nach Sizilien
ist das Wort im Zeitalter der romanischen Neukolonisierung[444]
durch die piemontesischen Kolonisten (s. § 145) gebracht worden.[445] – Im rätoromanischen Alpengebiet (Graubünden und

---

[440] Zum Infinitiv σῶσειν des Verbums σώζω, neugriechisch σώνω, das über
die Stufen 'bewahren', 'vollenden', 'gut davonkommen' zu 'ankommen' gelangt ist.

[441] Das schriftitalienische *formaggio* ist nach dem italienischen Sprachatlas
in der Toskana nur in der Prov. Lucca (d. h. im äußersten Nordwesten der
Toskana) volkstümlich; s. AIS Karte 1217.

[442] Als Lehnwort aus dem Katalanischen ist *formache* im 12. Jahrh. im
Mozarabischen bezeugt; s. Alvar, DL 88.

[443] Im Piemont bezeichnet man mit *tuma* 'una specie di formaggio casalingo più ordinario'. Hier wird auch der allgemeine Begriff 'caciare' durch
fà la tuma ausgedrückt (AIS, K. 1209, 1217).

[444] Siehe dazu Anm. 207.

[445] Sizil. *tuma* 'frische Käsemasse' wird von Alessio (RLiR, 18, 58) mit
griech. πτῶμα 'Fall' bzw. τομή 'Schnitt' verknüpft. Beides ist sehr unwahrscheinlich. Eher ist das Wort, dessen Heimat im provenzalisch-piemontesi-
schen Alpengebiet liegt, mit J. Hubschmid als ein vorrömisches Relikt *t u m a

Dolomiten) ist caseus ersetzt worden durch das Diminutivum
caseolus: graub. *chaschöl*, dolom. *čažüəl*. Es ist wohl ursprünglich die kleinere Form des Käses gewesen (gegenüber der form-
losen Käsemasse), die diesen Namen erhalten hat. – In Rumänien
unterscheidet man den frischen ungesalzenen *caş* von einem typischen gesalzenen Schafkäse, der *brînză* genannt wird.[446]

§ *104.* Der Begriff 'kaufen' wurde in der klassischen Latinität
durch emere ausgedrückt. Keine der romanischen Sprachen hat
dies Wort übernommen (s. Karte 72). An seine Stelle ist comparare getreten, das schon bei Plautus und Terenz im Sinne
von 'erwerben' (durch Kauf) gebraucht wird.[447] Seit dem 5. Jahrhundert fängt comparare an synonym mit emere zu werden,
vgl. bei dem Agronomen Palladius *hoc mense comparandi sunt
boves* (4, 11, 1). In den Reichenauer Glossen (7.–8. Jahrhundert)
wird emit mit comparavit (173) übersetzt. Auch seine weite
Verbreitung in den romanischen Sprachen spricht für hohes Alter
der lexikalischen Neuerung: rum. *cumpăra*, sard. *comporare*, ital.
comprare, span. port. katal. *comprar*, altprov. *comprar*, neuprov.
croumpà, rätorom. *cumprar*.

Eine dritte Neuerung wird durch das Verbum **accaptare*
gebildet, das erst im späten Vulgärlatein von captare 'ergreifen'
gewonnen worden ist. Die Verwendung von **accaptare* im
Sinne von 'kaufen' dürfte in Nordfrankreich ihren Ursprung haben. Hier jedenfalls hat das neue Verbum *(acheter)* seine größte
Verbreitung gefunden, wobei das ältere *comperer* in die Geltung
von 'teuer büßen' abgedrängt wurde.[448] Während große Teile des
'Midi' an comparare festgehalten haben, setzt sich das Nordfranzösische *acheter* über Burgund und Savoyen nach Oberitalien

---

(*toma ?) aufzufassen (Alpenwörter romanischen und vorromanischen Ursprungs, Bern 1951, S. 25).

[446] In Dalmatien (Ragusa) ist *brençe* (14. Jahrh.) als ein besonderer 'caseus
valachicus' bezeugt. Das Wort findet sich als πρέντζα auch bei den Griechen
im Epirus (s. Skok, ZRPh 50, 1930, S. 529), als *brindza* in Ungarn, Polen,
Ukraine und Tschechoslowakei. Es dürfte einer alten Balkansprache entstam-
men. – Eine Herleitung von der Stadt *Brienz* (REW, 1911) wird in der Ausgabe von 1935 nicht mehr vertreten. – Andere problematische Deutungen bei
Cioranescu. Eine Verknüpfung mit alb. *brenza-t* 'intestini' versucht Çabej,
RRL X, 109. Nach Russu (Elemente autohtone 111) handelt es sich um ein
vorrömisches Wort.

[447] Vgl. dazu CURT BEYER, *Die Verba des 'Essens', 'Schickens', 'Kaufens'*
(Leipzig 1934) S. 45 ff.

[448] Siehe Wartburg, FEW II S. 969.

fort: ligur. *catá*, piem. *catè*.[449] – Völlig losgelöst von dem nördlichen Block ist *accattare* auch das herrschende Wort in ganz Süditalien geworden: von den Abruzzen bis Sizilien. Nichts spricht dafür, daß *accattare* in Süditalien aus einer unabhängigen Entwicklung hervorgegangen ist. Es ist sicher ein Wanderwort aus dem Norden. Nach Sizilien und Lukanien kann es durch die Kolonisten aus dem Piemont gelangt sein.[450] Französische Einflüsse im Zeitalter der Normannen (norm. *acater*) haben den neuen Ausdruck befestigt und seine weitere Verbreitung begünstigt; s. die Karte zu § 61.[451]

§ 105. Das lateinische Wort für die Frucht des Weinstockes (uva) hat sowohl auf der Pyrenäenhalbinsel in span. und port. *uva* wie in Italien *(uva)* und Graubünden *(üa, iwa)* sich gut behauptet (siehe Karte 73); in Rumänien ist älteres *úa* > *aúa* heute nur dialektisch (Oltenien, mazedorum.). Ein Konkurrenzwort entstand ihm in racemus 'Traubenkamm', das schon in der Sprache der Vulgata dazu gelangt war, die gesamte Weintraube zu bezeichnen: *non colliges remanentes racemos* (Deut. 24, 21). Wir wissen nicht, warum dies Wort gerade in Frankreich dazu gelangt ist, an die Stelle von uva zu treten: franz. *raisin*, prov. *rasin*, gask. *arrasin*.[452] Wie so oft marschiert mit dem Galloromanischen auch das Katalanische *(raim)*, das sich auch in diesem Fall als eine Verlängerung des provenzalischen Sprachgebietes erweist.[453] Als ein Lehnwort aus Frankreich darf das in Sizilien und Süd-

---

[449] Hier scheint das Simplex captare zugrunde zu liegen. In direktem Anschluß an piem. *catà* 'kaufen' erscheint lomb. *catà* 'pflücken', weiter im Osten *catar* 'finden' (s. hier § 60).

[450] Vgl. dazu G. Rohlfs, *Colonizzazione gallo-italica nel Mezzogiorno d'Italia*, in Mélanges Mario Roques, Bd. I, 1950, S. 253 ff. (auch in dem Sammelband *An den Quellen der romanischen Sprachen*, Halle 1952, S. 80 ff.); *Galloitalienische Sprachkolonien in der Basilikata* (ZRPh 51, 1931, S. 249 ff.); *Galloitalienische Sprachkolonien am Golf von Policastro* (ib. 61, 1941, S. 79 ff.).

[451] Andere Ausdrücke des Handels, die in Süditalien französischen Ursprung haben, sind siz. und südkalabr. *racina* < *raisin* (s. hier § 105), *buccèri* 'Metzger' < *boucher*, *forgia* < *forge*, *custureri* 'Schneider' < altfranz. *costurier* (s. § 100), *ampruntari* < *emprunter*; vgl. auch *jumenta* 'Stute' (§ 61). – Siehe dazu § 145.

[452] Vgl. schon in den Reichenauer Glossen *uvas = racemos* (544), *botrus = racemus*.

[453] Auch das Kastilische und das Portugiesische kennen *racimo*. Doch ist dies Wort nicht gleichbedeutend mit *uva*, sondern es entspricht der älteren Bedeutung 'Weintraube' (franz. 'grappe de raisin'), wie auch das Italienische jeden Teil der Weintraube *racimolo* nennt.

kalabrien herrschende *racina*[454] betrachtet werden: es ist sicher durch die Normannen importiert worden.[455] Ein Wort sehr archaischen Gepräges hat sich in Sardinien (ohne die Gallura) und in jenem Grenzgebiet von Kalabrien und Lukanien erhalten, dessen konservativer Sprachcharakter uns bereits mehrfach zum Bewußtsein gekommen ist (s. § 23ff.): sard. *ákina* (Nuoro), *ághina* (log.), *ágina* (kamp.), nordkal. *ácina*, südluk. *ácənə*. Es beruht auf dem altlateinischen acina, das bei einigen Autoren in der Bedeutung 'Beerenkomplex', 'Weintraube' belegt ist.[456] – In Rumänien gilt heute in der Hauptsache *strúgure*,[457] das eigentlich den Traubenkomplex bezeichnet: *un strúgure de aúa* 'une grappe de raisin'; auch *poamă* ('Frucht') ist üblich (Moldau, Bukowina).

---

[454] Das weibliche Geschlecht scheint durch den Einfluß des älteren *uva* (vgl. auch griech. σταφυλή) bedingt zu sein. Das süditalienische *č* erklärt sich wie das *g (ž, ǧ)* französischer Lehnwörter der italienischen Schriftsprache *(faisan > fagiano, raison > ragione, maison > magione, aise > agio)*, wobei zu beachten ist, daß die Laute *ž* und *ǧ* dem einheimischen süditalienischen Lautsystem fehlen. Statt dessen erscheinen die französischen Lehnwörter in Sizilien mit stimmlosem *š* (orthogr. *c*): *raciuni, staciuni, priciuni, facianu*; s. HGI § 286–289 u. Verf., ZRPh 79, 1963, 397ff.

[455] Die französische Herkunft wird klar bewiesen, durch kalabr. (in der Zone von Nicotera – Pizzo) *rocina*, das genau der altfranz. Variante *roisin* = *raisin* entspricht (VTC).

[456] Siehe dazu M. L. Wagner, RLiR 4, 1928, S. 58.

[457] Sehr problematisch ist der Versuch, das Wort aus einem gepidischen *struwilo zu erklären; s. Diculescu in ZRPh 41, S. 424 und Gamillscheg in Rom. Germ. 2, S. 266. – Einen Versuch der Erklärung aus dem Lateinischen macht S. Puşcariu, Dacoromania 6, S. 310; aus dem Dakischen Georgiev, RRL X, 78 – Eher darf man an slav. *strug* 'raspa' (ital.) denken, vgl. ital. *raspo* 'Traubenkamm', 'grappe de raisin dépourvue du fruit' (so auch Cioranescu). – Russu (Elemente autohtone 101) zählt das Wort zum vorrömischen Substrat.

XV. SPRACHE UND GESELLSCHAFT

§ *106.* Für den Begriff 'Frau' hatte das Lateinische die Bezeichnungen f e m i n a und m u l i e r.[458] Ersteres betonte das Geschlechtsverhältnis im Gegensatz zum männlichen Wesen *(vir, masculus)*, letzteres bezeichnete die erwachsene Frau im Gegensatz zu *puella.* Das feinere Wort war zweifellos m u l i e r, da f e m i n a den Begriff des Tierweibchens in sich schloß *(canis femina).*[459] Es war klar, daß eine fortgeschrittene Zivilisation an der doppelten Bedeutung von f e m i n a Anstoß nehmen mußte. Das südliche Italien (bis zur ungefähren Linie Rom-Ancona) und Sardinien mit ihrer vorwiegend bäuerlichen Bevölkerung haben an dieser Geltung von f e m i n a bis heute nichts geändert: südital. *femmina (fimmina)* und sardisch *fémina* bezeichnen noch heute die Frau und das Tierweibchen (s. Karte 74 und 75). Auch das östliche Oberitalien (Venezien) hat mit *fémena* den alten Zustand bewahrt.[460]

§ *107.* Die übrigen romanischen Gebiete haben nur eine der beiden Bedeutungen acceptiert:

f e m i n a 'Frau': franz. *femme,* prov. *femna* (mod. *femo, fremo, fenna),* altkatal. *fembra,* piem. *fumna,* friaul. *fèmine,*

f e m i n a 'weibliches Tier': ital. (Toskana und mittleres Oberitalien) *fémmina,* span. *hembra,* port. *fémea.*

Die in dem einen und dem anderen Fall eingetretene Lücke ist auf verschiedene Weise ergänzt worden:

W e i b l i c h e s   T i e r: franz. *femelle,* prov. *femela,* katal. *femella,* piem. *fümela* – also durch Diminutivbildung.

---

[458] Wir beschränken uns hier auf diese beiden lateinischen Bezeichnungen, indem wir lat. u x o r außer Betrachtung lassen und den Begriff 'Ehefrau' nur gelegentlich berühren. – Über *fémmina* und *donna* im Italienischen und ihre Verwendung und Gültigkeit in älteren literarischen Texten, s. die umfassende Behandlung durch G. Bonfante, Festschrift für Leo Spitzer (Bern 1958), S. 77–109. – Zu den romanischen Verschiebungen, s. auch Wartburg, Einführung in Problematik und Methodik der Sprachwissenschaft (1943), S. 107.

[459] 'È certo però che f e m i n a per „donna" si trova già in autori classici senza la minima traccia di disprezzo' (Bonfante, l. c. 79).

[460] Auch das Altkatalanische verwendete *femena* in der doppelten Bedeutung (AM 5, 792).

Frau: ital. (Toskana und mittleres Oberitalien) *donna*, katal.
dona < **domina**, span. *mujer*, port. *mulher*, rum. *muiere*
< **muliere**.[461]

Es hat also das Spanische und Portugiesische zur Benennung
der Frau den Ausdruck beibehalten, der schon im klassischen
Latein neben **femina** vorhanden war. Es zeigt damit die Bewahrung eines älteren Sprachzustandes. Dagegen hat die italienische Schriftsprache für 'Frau' zu der Bezeichnung *donna* gegriffen, die ursprünglich im Sinne von 'signora' nur der 'femme
de qualité' eignete.[462] Auch das Katalanische hat sein altes *fembra* durch das respektvollere *dòna* 'signora' ersetzt.[463] – In
Graubünden hat sich keine einheitliche Lösung vollzogen. Während das Rheintal sich an Frankreich anlehnt *(femna – femella)*,
geht das Engadin mit Italien *(duonna – femna)*.

Eine ganz eigene Lösung hat das Rumänische vollzogen. Es
hat **femina** völlig aufgegeben. Für den Begriff 'Frau' ist hier
das aus **familia** hervorgegangene *femeie (fămeie)* eingetreten,
indem die Frau als der Inbegriff der Familie aufgefaßt wurde.[464]
Das 'Weibchen' wird hier *femeiuşcă* (oder *muieruşcă* mit slavi-
schem Diminutivsuffix) genannt. – Eigenartig ist auch *maschie*
'Weibchen' in Friaul, als weibliche Neubildung zu *maschio*.

---

[461] Im Altfranzösischen hat *moillier* ganz überwiegend den Sinn von 'Ehefrau', ital. 'moglie'. Der Verlust des Wortes im Französischen wird von Wartburg mit dem Verstummen des auslautenden -*r* in Verbindung gebracht und
aus einer Homonymie *moillier* = *ma mouillée* erklärt (FEW II, 451). Die
Deutung kann nicht überzeugen; s. Mańczak, RLiR 30, 1966, S. 176.

[462] Während der Umbrer Jacopone da Todi für die Frau den Ausdruck
femena gebraucht, ist schon im 'Novellino' *donna* für Frau der herrschende
Ausdruck. Dante gebraucht *femmina* öfters in pejorativem Sinne, z. B. Inf.
18, 66 *via ruffian: qui non son femmine da conio*. Aber noch bei Boccaccio
gilt *femina* neben *donna*, jedoch in einer gewissen 'opposizione sociale' (Bonfante 93).

[463] Katal. *dona* steht mit seinem *n* im Gegensatz zu *damnare* > *danyar*,
homine > *home*, **seminare** > *sembrar*, **femina** > *fembra*. Es kann aus
Frankreich stammen, wo prov. *dona* 'Frau' (neben *domna*) seit dem 12. Jahrh.
bezeugt ist, vgl. *la plus bella dona del mon* (Flamenca 1796). Es kann sich
aber auch um eine Schnellsprechform (en posición átona) handeln; vgl. die
doppelte Entwicklung von **domina** im Altspanischen (San Juan de la Peña,
11. Jahrh.) *illa duenna Urracca* (Menéndez Pidal, Orígenes 1950,
S. 42). – Ein Provenzalismus ist altkatal. *femna*.

[464] Älteres *muiere* existiert noch (besonders in städtischer Rede), gilt aber
nur noch in pejorativem Sinne, ähnlich wie deutsch *Weib* statt *Frau*. Sein
Ersatz durch *femeie (fămeie)* datiert aus dem 17. Jahrhundert. Dagegen ist
muiére 'Frau' gültig geblieben im Mazedorumänischen und im Istrorumänischen. – Der Begriff 'Ehefrau' wird durch das slavische *nevastă* ausgedrückt.

§ 108. Für die Schwiegermutter (Karte 76) galt im klassischen Latein der Name s o c r u s. Das der alten vierten Deklination angehörende Wort *(socrus mea)* wurde im gesprochenen Latein früh in die erste Deklination überführt. Seit dem 3. Jahrhundert p. Chr. finden wir die populären Formen *socra* und *socera* in Konkurrenz. Beide Formen haben sich in den romanischen Sprachen fortgesetzt. Die Form s o c r a , die näher bei dem klassischen Namen geblieben ist, hat sich auf der hispanischen Halbinsel behauptet: span. *la suegra*, port., katal. *la sogra*. Auf s o c r a beruht auch altfranz. *suire* und das prov. *sogra*, das heute auf den äußersten Süden (Pyrenäenzone, Languedoc) zurückgedrängt ist. Dazu kommt *sòcra* in Sardinien und im kontinentalen Süditalien; in Rumänien *soacră* und rätorom. *söra(sira)* in Graubünden. Andererseits finden wir s o c c r a fortgesetzt in Mittelitalien und in einigen Zonen von Oberitalien.[465]

Gegenüber der Vitalität des lateinischen Wortes in den romanischen Sprachen versteht man nicht leicht, warum es in Frankreich weitgehend durch eine Neubenennung ersetzt worden ist: *la belle-mère*, prov. *bello-maire*. Das etymologische Wörterbuch von Bloch-Wartburg erklärt die rasche Generalisierung der neuen Namen *beau-père*, *belle-mère*, *beau-fils* und *belle-fille* aus dem Vorteil, den sie durch ihre einheitliche Struktur über die aus verschiedenen Wortstämmen gebildeten älteren Namen haben mußten. Die Erklärung ist plausibel. Dennoch fragt man sich, warum in den anderen romanischen Sprachen die alten Namen sich einer analogen semantischen Reorganisation entzogen haben.

Wenn man die Geschichte der Wortfamilie in Frankreich näher betrachtet, stellt man leicht fest, daß nur in Frankreich durch die besondere phonetische Entwicklung ein pathologischer Zustand eingetreten ist, der eine neue Regelung erforderte. Nur im Altfranzösischen hat es sich ereignet, daß die Namen für Schwiegervater (s o c r u s) und Schwiegermutter (s o c r a) in einer einheitlichen Form *le suire* und *la suire* zusammengefallen sind. So kam es zu einer einzigartigen und exzeptionellen Situation in Frankreich, wo die Verwandtschaftsnamen in ihrem Geschlecht sonst reinlich geschieden sind: *père* et *mère*, *frère* et *soeur*, *oncle* et *tante*, *neveu* et *nièce*, usw. Die störende Homonymie verlangte eine klarere Unterscheidung.

---

[465] In Sizilien versteht sich die Form *sòggira* (und das maskuline *sòggiru*) aus den norditalienischen Einflüssen, die im Zeitalter der Neukolonisierung der Insel, im Zeitalter der 'reconquista' sich ausgewirkt haben.

Es ist bekannt, daß die neuen Namen, die ganz allmählich seit dem 14. Jahrhundert im Französischen vordringen, ihren Ursprung in den zeremoniellen Formeln haben, die in der aristokratischen Gesellschaft des Mittelalters sich ausgeprägt haben: *bels sire, bele dame, bele mere, bels amis* im Sinne von 'lieber Herr', 'liebe Dame'.[466] Weniger bekannt ist, daß auch in Italien in ähnlicher Weise respektvolle und zeremoniöse Namen die alten Benennungen zum Teil verdrängt haben. Auf fast dem gesamten Gebiet der einstigen Gallia Cisalpina vom Piemont bis nach Istrien wird die Schwiegermutter *madona* (oft zu *nona* verkürzt) genannt, d. h. 'ma dame' < mea domina. Und wie in Frankreich ein *beau-père* der *belle-mère* entspricht, so wird in Oberitalien in den gleichen Grenzen der Schwiegervater mit *messere* benannt, d. h. mit dem zeremoniellen Titel, der einst den 'grands personnages' zukam.[467] Man darf vermuten, daß diese neuen Namen auch in Italien in der aristokratischen Gesellschaft sich ausgebildet haben, die bemüht war, in den höfischen Lebensformen sich den feineren französischen Sitten anzupassen.

§ 109. Die Betrachtung der Bezeichnungen für den Begriff 'lieben' (s. Karte 77) führt uns in den Bereich des affektischen Gemütslebens. Abgesehen vom Rumänischen ist a m a r e in allen romanischen Sprachen nachweisbar: franz. *aimer*, prov. *amar*, ital. *amare*, span. port. *amar*. Aber nur in Frankreich gehört das Verbum wirklich der lebendigen Volks- und Alltagssprache an.[468]

---

[466] Vgl. im älteren literarischen Katalanischen *bell fill* und *bell amich* als Anredeformen (AM II, 376). – Als gesunkenes Kulturgut sind in den Abruzzen üblich *bell' ò* (= uomo) und *bella fé* (= femmina) als Anruf an Personen, deren Namen man nicht kennt.

[467] Aus nördlichen Einflüssen, bedingt durch die späte Romanisierung erklären sich im südlichen Kalabrien, wo die griechische Sprache sich bis ins Mittelalter gehalten hat, die jungen Benennungen *donna* und *missèri*, z. B. *dònna-ta* 'tua suocera', *missèri-ma* 'mio suocero' (DTC, VTC).

[468] Man hat öfters den Gedanken vertreten, daß franz. *aimer* nicht ausschließlich auf a m a r e zurückgeht, sondern daß in dem modernen Verbum altfranz. *esmer* (a e s t i m a r e) sich in einer lautlichen und orthographischen 'fusion' vermischt hat; s. darüber zuletzt John Orr in Mélanges offerts à Mario Roques, tome I, 1950, S. 217–227. Aus der 'nature double de son origine' hat man die merkwürdig breite semantische Verwendung des französischen Verbums verstehen wollen, die in anderen romanischen Sprachen unbekannt wäre (Orr 244): *on aime une dame, j'aime ma famille, il n'aime pas la musique, j'aime le gigot de mouton*. Was etwas gegen diese Deutung spricht ist die Tatsache, daß altfranz. *esmer* sehr wenig einem solchen Sinne entspricht: es bedeutete 'évaluer', 'calculer' in bezug auf Zahl, Preis, Form, Entfernung

In Italien eignet *amare* nur dem höheren Stil; auf der Pyrenäen-halbinsel ist *amar* ganz und gar literarisch. Aber schon im Mittel-alter hatte sich in Nordfrankreich als intimerer Ausdruck *avoir chier* eingebürgert, vgl. bei Marie de France *tant l'aim e si l'ai chier* (Dous amanz 99), bei Adam de la Halle *car j'ain Robinet, et il moi, et bien m'a moustré qu'il m'a kiere* (Robin et Marion 21). Und noch heute ist dies der einzige volkstümliche Ausdruck im nördlichen Teil des französischen Sprachgebietes, z. B. wallon. *awè kier* 'aimer', pik. *je t'ai kier* 'je t'aime'.[469] Man darf wohl vermuten, daß dieser Ausdruck durch die germanischen Ein-flüsse (deutsch *lieb haben*, niederl. *liefhebben*) gerade in diesen nördlichen Randzonen gestützt worden ist. – Eine Bestätigung für diese Annahme möchte man darin sehen, daß auch in einer anderen Randzone der Romania für 'lieben' ein Ausdruck üblich geworden ist, der als eine Lehnübersetzung von deutsch *gern haben* aufgefaßt werden muß: rätorom. (Rheintal) *aver bugen*, (Engadin) *avair gugent*.[470]

In Italien ist *voler bene* im gesamten Bereich der Halbinsel zum allgemeinen Ersatzwort geworden: *ti voglio bene*; es hat neben sich den gegenteiligen Ausdruck *voler male ad una per-sona* 'hassen'. Die Anfänge dieser Verwendung hat man auf alte klassische Tradition zurückgeführt, z. B. bei Plautus (Trin. 437) *bene vult tibi* 'ti ama', bei Catull (72) *cogit amare magis, sed bene velle minus*, wo *amare* 'mit sinnlicher Leiden-schaft lieben' von *bene velle* 'aimer tendrement' unterschieden wird.[471] – Siehe dazu span. port. *querer* (S. 148).[472]

(ToLo III, 1115). Auch darf man nicht vergessen, daß die breitere semanti-sche Verwendung des Verbums, die über die 'affections de l'âme' hinausgeht, auch dem Italienischen nicht unbekannt ist: *questa pianta ama l'ombra, amo le fragole, non amo i cibi grassi*; vgl. auch span. *amo el reposo, la libertad, la vid ama la tierra caliente*, port. *amava o vinho*, katal. (Mallorca) *cada peu ama sa seua sabata* 'chaque pied aime son soulier' (AM I, 581), und schon lateinisch: *arbor amat umbram, amo nuces*. – Einen anderen Zweifel äußert Wartburg, FEW I, 46; Bedenken auch im EWFS 22.

[469] Siehe FEW II, S. 442.

[470] Rätoromanisch *bugen, gugent* 'gern' beruht auf *vojendo < voliendo 'di buona voglia'; s. J. JUD, Don. nat. Car. Jaberg (1937) S. 134 ff.

[471] Siehe dazu den überzeugenden Nachweis durch H.-W. Klein, Orbis X, 1961, S. 153 und in Festschrift Rohlfs (1968), S. 27.

[472] Im älteren Portugiesisch oft mit *bem* verbunden, z. B. *quix bem e quer' e querrei tal molher que me quis mal sempr' e querrá e quer* (König Dinis, ed. Lang 37); auch in moderner Zeit: *quero bem aos meus pais*. Doch ist heute das Verbum auf die 'linguagem rústica' beschränkt. In der allge-meinen Umgangssprache ist *gostar* das feinere Wort: *gosto dos meus pais*; s. § 111.

10*

§ *110.* In Spanien und Portugal ist a m a r e durch q u a e r e r e 'wollen' ersetzt worden: *yo quiero a María,* port. *já não me queres?*[473] Dem entspricht ganz genau die Verwendung des Verbums *voler (volre)* im Katalanischen (Pyrenäen, Balearen, Valencia): *jo te vui* 'je t'aime' (AM X, 866); weitere Beispiele in Anm. 479.[474] Die Gründe, die zu dieser besonderen romanischen Verwendung des Verbums 'wollen' geführt haben, sind weniger durchsichtig. Nur noch historisches Interesse verdient eine ältere Deutung von Leo Spitzer, der den semantischen Wandel von 'wollen' zu 'lieben' als eine Ausprägung maurisch afrikanischer Sinnlichkeit hatte erklären wollen.[475]

Tiefer greifende philologische Prüfung hat auch in diesem Falle eine klare Beziehung zur römischen Antike erkennen lassen. So wie lateinisch v e l l e (vulgär *v o l e r e) in der hispanischen Latinität durch q u a e r e r e abgelöst worden ist, so mußte auch das klassische b e n e v e l l e automatisch in b e n e q u a e r e r e transformiert werden: altspan. *quiero bien,* altport. *quero bem* (s. Anm. 472). Es bleibt die Frage, ob hispanisches *querer (voler)* 'lieben' wirklich nur als eine 'abreviación' von *querer (voler) bien* aufzufassen ist, wie Corominas annehmen möchte. Tatsächlich ist auch ein anderer Zusammenhang mit der Antike nicht auszuschließen, auf den Coseriu aufmerksam gemacht hat. Schon in den griechischen Bibeltexten wurde das Verbum ἐθέλω 'ich will' auch im Sinne von 'lieben' gebraucht. In der lateinischen Vulgata wird das griechische Verbum durch eine Lehnübersetzung mit *velle aliquem* wiedergegeben: *in hoc cognovi quoniam voluisti me* (Ps. 41, 12).[476] Auch in der neugriechischen Volkssprache ist die Verwendung von θέλω in dieser Geltung ziemlich verbreitet: θέλω τὸ κορίτσι 'voglio bene alla ragazza'. τὴν ἤθελα

---

[473] Ebenso altprov. *voler,* vgl. bei Bernart de Ventadorn *q'una 'n volh e 'n ai volguda* 'une seule j'aime et j'ai aimé', *car l'amors qu'eu plus volh me vol* 'car celle que j'aime davantage, m'aime' (ed. Appel 30, 6 und 27, 9), *ad ops de be volen* 'au profit de l'amant' (13, 45).

[474] Siehe LEO SPITZER, Über einige Wörter der Liebessprache (Leipzig 1918), S. 10, mit Berufung auf eine Deutung von Schuchardt (An Adolf Mussafia, 1905, S. 2).

[475] Beispiele dafür gibt Corominas, DELC III, 945. – In Portugal läßt *queria-lhe muito* erkennen, daß *querer bem* 'wohl-wollen' zugrunde liegt, was auch durch *bemquerença* 'Liebe' und *malquerença* 'Haß' bestätigt wird; s. Piel, RF 66, 1955, S. 170. – Über *voler be* im Katalanischen und *vouloir bien* im Französischen, s. Anm. 479.

[476] Siehe COSERIU in Festschrift Rohlfs (1968), S. 51, wo weitere Beispiele gegeben werden.

'je l'aimais'.[477] Dem entspricht in den italogriechischen Mundarten (Salento) *se tèlo* 'ti amo', *me tèli?* 'mi ami?' (VDS 1063). Und dazu wieder als romanische Lehnübersetzung im südlichen Apulien (Salento) *te òju = ti voglio* 'ti amo', *se òlunu* 'si amano', *si ulìanu* 'si volevano bene', im südlichen Kalabrien *mi vòi* 'tu mi vuoi bene', *si vònnu* 'si amano' (s. VDS 1963 u. 1066, VTC 384).[478]

§ 111. In Katalonien ist (neben dem oben erwähnten *voler*) das Verbum *estimar* zum eigentlichen Ausdruck für 'lieben' geworden. Man möchte darin einen Reflex der verfeinerten provenzalischen Minnekultur sehen, wo die natürliche Leidenschaft durch die Betonung von *pretz, valor* und *cortesia* vergeistigt und zugleich höfisch stilisiert war. Dagegen spricht, daß in den Dichtungen der Troubadours eine solche Geltung von *estimar (esmar)* nicht bezeugt ist (Alvar, DL 135). So wird man eher annehmen, daß älteres *voler*[479] durch das diskretere und rücksichtsvollere *estimar* in einer Zeit ersetzt worden ist, für die als terminus ante quem dessen Entlehnung im Zeitalter der katalanisch-aragonesischen Herrschaft nach Sardinien angenommen werden kann: sardisch *istimare (stimai)*, der volkstümliche und dominierende Ausdruck für 'lieben' auf der ganzen Insel (AIS, Karte 65). – Wohl aus dem gleichen Grunde ist im Portugiesischen an die Stelle von *querer* (s. Anm. 472) in der neueren Umgangssprache allmählich als feinerer Ausdruck *gostar* getreten im Sinne von 'mögen', 'goûter': *elles gostam um do outro, já não me gostas de mim?*

---

[477] Die gleiche Verwendung des Verbums 'wollen' im Sinne von 'lieben' unter griechischem Einfluß im Mazedorumänischen (*te voiu* 'je t'aime'), im Albanischen (*dü* 'je veux', 'j'aime') und im Bulgarischen; vgl. mazedorum. *vrut* 'Geliebter' = 'le voulu'.

[478] In Sizilien ist es zu einer Kreuzung gekommen zwischen *la vuole* und ital. *le vuol bene* in der Form *iḍḍu la vòli bèni* (AIS, Karte 65), oft mit Umdeutung des in Sizilien unbekannten Adverbs *bene* in eine vermeintliche Infinitivform: *iḍḍu la vòli bèniri*; s. Verf., Griechischer Sprachgeist in Süditalien (SBAW, 1947, Heft 5, S. 39).

[479] Vgl. im Cançoner dels Masdovelles (15. Jahrh.), ed. Aramon i Serra (1938): *lo gran voler, dona, que-us port* (23, 1) synonym mit *l'amor que-us port* (2, 14); oft in Verbindung mit *amar: yeu vull ez am la plus bella que s mir en lo mon* (56, 1), *si per vos suy ben volguts ez amats* (6, 42); verstärkt durch *be* 'bien': *si'm volets be* (6, 1), *dient que vos no m voleu gens de be* (120, 30). – Man beachte auch franz. *vouloir du bien, vouloir du mal à quelqu'un* 'avoir de l'affection ou de la haine pour lui' (Dict. Acad.).

§ *112.* Neben amare kannte bereits die klassische Sprache der Römer die Redensart carum habere (Plautus, Terenz, Cicero, Seneca usw.). Abgesehen von dem bereits erwähnten franz. *avoir cher*, das man eher fränkischen Einflüssen zuschreiben möchte, war *aver caro* (auch *tener caro*) ziemlich verbreitet im älteren italienischen Schrifttum, wie es auch heute noch im Sinne von 'gradire', 'stimare', 'pregiare', 'amare' im literarischen Italienisch und in der Volkssprache verwendet wird, vgl. *di'che ello sia il ben venuto, ch'io l'ho molto caro* (Sermini), *fingendo d'amarla ed averla cara* (Straparola), *Polissena che voi cotanto amate e cara tenete* (id.); modern in der Provinz Pisa *lui mi tien caro.*[480] Sehr verbreitet ist *tener caru* noch heute in Korsika: *sai ch'io ti tengu cara.*[481] In einer besonderen Situation befindet sich Rumänien. Hier ist *amare* völlig verloren gegangen[482] und durch das slawische *iubi (ljubiti)* ersetzt worden[483], während im Mazedorumänischen durch griechische Einflüsse (s. Anm. 477) das Verbum 'wollen' *(voi)* zur Bedeutung von 'lieben' gelangt ist. Doch so, wie in den übrigen romanischen Sprachen das offizielle amare durch natürlichere Ausdrücke ersetzt worden ist, so hat die Volkssprache in Rumänien einfachere Formen der Liebeserklärung geprägt: *îmĭ eşti drag* 'du bist mir lieb' oder *te-am drag* 'ich habe dich lieb', in Siebenbürgen, nach deutschem Vorbild (Tiktin, Rumän. Wörterbuch II, 569).

§ *113.* Es ist bekannt, daß die antiken Sprachen in der Terminologie der Verwandtschaftsbezeichnungen sehr feine Unterschiede gekannt haben, die in den modernen Sprachen keine Rolle mehr spielen. So wurden im Lateinischen z. B. unterschieden die Ausdrücke für Onkel und Tante, je nachdem es sich um die väterliche Linie *(patruus, amita)* oder um die Linie der Mutter handelte *(avunculus, matertera)*. Eine genaue Differenzierung nach den beiden Geschlechtern wurde auch beobachtet zwischen den

---

[480] Vgl. dazu den italienischen Familiennamen *Carotenuto* (Toskana, Rom), synonym mit *Amato.*

[481] Auch im Altprovenzalischen *tan am midons e la tenh car* (Bernart de Ventadorn, ed. Appel 38, 25). In Verbindung mit zwei Synonyma *no 'us posc oblidar, ans vos am e 'us volh e 'us tenh car* (ib. 19, 52).

[482] Es ist denkbar, daß eine Kollision von *am* 'j'aime' mit *am* 'j'ai' zum Verlust des Verbums beigetragen hat (Puşcariu 238).

[483] In Übereinstimmung mit dem Vorwiegen slavischer Lehnwörter im Bereich der abstrakten Begriffswelt, z. B. *a jeli* 'regretter', *a grăbi* 'dépêcher', *a greşi* 'se tromper', *a se căi* 'se repentir', *milă* 'pitié', *obidă* 'affliction', *necaz* 'chagrin', *rîvnă* 'zèle', *boală* 'maladie', *taină* 'mystère'.

Verben die eine eheliche Verbindung bezeichneten: *homo uxorem ducit, femina nubet*. Für das nachklassische Latein kann hingewiesen werden auf eine Predigt des heiligen Augustinus, wo die Rede ist von *maritatae feminae et uxorati viri*. Eine solche distinguierende Benennung (Karte 78) gilt noch heute für Rumänien und das kontinentale Italien von der Toskana ab[484]: rum. *însura* und *mărita*, südit. *insurare* und *maritare*, zentralit. *ammogliare* und *maritare*.[485] Sie gilt oder galt auch für das Provenzalische: *amouierà* und *maridà*; ebenso im älteren und literarischen Katalanischen: *amullerar* und *maridar*.[486] Anderswo hat sich diese alte Differenzierung verloren. Für Mann und Frau gilt das gleiche Verbum: franz. *je me marie*, nordit. *me marido*, in Spanien und Portugal *me caso*, in Sardinien *m'accasu*.[487] Es ist denkbar, daß der Verlust der alten Unterscheidung in Nordfrankreich und im oberen Italien durch Einflüsse von den germanischen Sprachen bewirkt ist, die ebenfalls eine solche Differenzierung nicht kennen. Eine analoge Vermutung kann auch für die hispanische Situation nicht ausgeschlossen werden. Nach einer Idee von Corominas hätte das hispanische *me caso*, was genau bedeutet 'me creo una casa' seinen Ursprung in einer Lehnübersetzung aus dem Arabischen.[488]

---

[484] Die gleiche Unterscheidung hat auch in der alten romanischen Sprache von Dalmatien existiert, vgl. *ciascun padre che havesse figliole a maritar et figlioli ad uxorar* (Bartoli II, 276).

[485] Man beachte die lexikalische Übereinstimmung zwischen Rumänien, Süditalien und dem alten Dalmatischen: eine ältere romanische Sprachschicht (*inuxorare) gegenüber den Verben, die von mulier abgeleitet sind.

[486] In Südfrankreich (altprov. *amoillerar*) ist heute unter dem Einfluß der französischen Schriftsprache die alte Unterscheidung im Verschwinden vor dem einheitlichen *maridà*. – Für Béarn gibt das Wörterbuch von Palay *amoulherà-s* 'prendre femme'.

[487] Auch in Sizilien gilt nur ein Verbum *(maritari)*, was bedingt ist durch die mittelalterliche Neuromanisierung, die durch piemontesische und französische Einflüsse bedingt ist; s. Anm. 207 und § 145.

[488] 'Sería lícito sospechar que el vocablo hispánico se explique por un calco del arabe *bi-hā* ,,se casó (con ella)'', propriamente ,,construyo (una casa)'', muy comprensible dentro del simbolismo oriental (DELC I, 715). Gegen die arabische Abhängigkeit kann man einwenden, daß auch ital. *accasarsi* 'metter su casa sposandosi' bedeutet, ebenso im Ladinischen (Graubünden) *s'achaser*, was eher an eine Bildung auf lateinischer Grundlage denken läßt. In Sardinien kann das Verbum *accasare* ein Hispanismus sein. – Das alte Verbum *cojuare* (conjugare) wird heute in Sardinien meist transitiv verwendet: *cojuare sa vidza* 'marier la fille'.

XVI. LAUTSYMBOLISCHE WORTSCHÖPFUNG
(Creación expresiva)

§ *114*. Andere Veränderungen und Verschiebungen sind dadurch bestimmt, daß an Stelle eines altererbten Wortes aus lautsymbolischem oder onomatopeischem Nachahmungstrieb neue Wörter geschaffen werden. Die noch ziemlich rudimentäre Kindersprache bzw. die zwischen Kindern und Erwachsenen übliche affektive Sprache hat der Allgemeinsprache manches lebenskräftige Wort geliefert. So erklärt es sich, daß der Begriff 'groß' (magnus, grandis) im Ausdruck der romanischen Sprachen ziemlich eintönig geblieben ist, während für den Begriff 'klein' eine Fülle neuer Wörter aufgekommen ist (Karte 79).

Schon im Lateinischen fällt auf, daß anstatt des normalen und literarischen parvus populäre Ausdrücke auftreten, die durch den Tonvokal *i* gekennzeichnet sind:[489] pisinnus, pitinnus, pitulus, pusillus. Das lautsymbolische *i* wiederholt sich in franz. *petit*, in Südfrankreich *chic, pichot*, gasc. *chin*, katal. *petit* und *xic*, ital. *piccolo, piccino*, in italienischen Mundarten *cit, pcit, pitu* (Piemont), *pinin* (tess.), *picio* (ven.), *pízzul* (friaul.), *cino* (Garfagnana), *cico* (Versilia), *pitino* (Lucca), *pittə* (Ischia), *zicu* (Kampanien), *piccinnu* (Apulien), *ninnu, titu, zinnu* (Kalabrien), in Sizilien *nicu, piccittu*,[490] sard. *piticcu, pizzinnu, cinu, pistirincu, ziccu*, cors. *miúccu*, span. *chico, pequeño* (< *pikkuinnus), rätorom. *pign, pitschen, pittin*, rum. *mic*; vgl. baskisch *tipi, txipi, ziki* 'petit', alb. *pikë, tshikë* 'poco'. Dazu kommen die vielen hypokoristischen Bildungen: ital. *piccolino, piccinino, piccininnə* (Apulien), *picciccu* (Salento), *pittirillu, pittiricchiu* (Kalabrien), *pittirinchinu* (Sardinien), in Spanien *chiquito, chiquitín, chiquirritico*, in Katalanien *xiquinyo, xicotico, xicorrotingo*, in Rumänien *ghibirdic, pirpiriu, pipernicit, chircit, jigărit*.[491]

---

[489] Vgl. dazu die ungedruckte Münchener Doktordissertation von ALFRED WEIDNER, *Die onomatopoetische und lautsymbolische Bedeutung des Vokals i in den romanischen Sprachen* (München 1950). – Zum expressiven *i*, s. auch J. Hubschmid in Actes du Xe Congrès de Ling. Romane (Strasbourg 1962). t. I, S. 130.

[490] Sizil. *piccittu* stammt von piem. *pcit*.

[491] Zu den spanischen Formen, s. besonders Corominas, DELC III, 737.

§ 115. Ein anschauliches Beispiel für das Eindringen von lautmalenden und kindersprachlichen Ausdrücken liefert uns der Hahn (s. Karte 80). Zwar hat gallus in großen Teilen der Romania sich gut behauptet (ital. *gallo*, span. *gallo*, port. *galo*, katal. *gall*), aber in einigen romanischen Sprachen ist das lateinische Wort durch eine onomatopeische Neuschöpfung ersetzt worden. So wie auf deutschem Sprachgebiet *Hahn* weithin durch *Gockel*, *Gockler*, hess. *Gickel*, schweiz. *Güggel*, elsäss. *Gulli*, lux. *kukeriku* abgelöst worden ist, so haben ganz ähnliche Bildungen in romanischen Sprachen Platz gegriffen: franz. *coq*, rätorom. *kot* (daraus sekundär *kjöt*, *kjet*), rumän. *cocoş*.[492] Quelle dieser neuen Namen ist der Hahnenschrei, der teils als *kikeriki*, teils als *kokoroko*, in Rumänien *kukurigu* perzipiert wird.[493] Aus Griechenland nennen wir noch als Namen des Hahns altgr. χίχιρρος (Hesych), neugr. (in Kreta) χιχιρρῖχος und χοῦχλις.

Über südwestfranz. *pout*, *hasâ* 'faisan' und *biguè* 'viguier' in der Gascogne als Ersatzwörter für *gat* < gallu, das hier mit *gat* 'chat' homonym geworden war, s. § 129.

§ 116. Ein anderer Fall, in dem das alte lateinische Wort durch onomatopeische Neuschöpfungen ersetzt worden ist, betrifft die Bezeichnungen der Wachtel. Das lateinische coturnix hat sich nur in Teilen der Pyrenäenhalbinsel resistent erwiesen: span. port. *codorniz*.[494] Schon in den Reichenauer Glossen (9. Jahrh.) wird coturnix durch das volkstümliche quaccola übersetzt: auf ihm beruhen franz. *caille*, prov. *calha*, ital. *quaglia*, katal. *guatlla*, arag. *gualla*, rätorom. *quakra*.[495] Auch andere romanische Benennungen sind deutlich von der Lautnachahmung inspi-

---

[492] Das gleiche Wort in Albanien *(kokósh)* und Ukraine *(kokoš)*. Dazu altruss. altbulg. *kokot*, serbokr. *kokot* (Slovenien, Dalmatien, Montenegro), neugriech. χόχορας 'Hahn'; vgl. noch in Jugoslawien *koka* und *kokoš*, bulg. ukrain. poln. *kokoška* 'gallina', in Italien (Abruzzen) *cocca* Kinderwort für 'gallina', in Finnland *kukko*, dänisch *kok* 'Hahn', baskisch *kokoko* Kinderwort für 'poule'. Schon lateinisch ist für den Schrei des Hahns *coco-coco* (Petronius) im Altgriechischen das Verbum χοχχύζω bezeugt.

[493] Über die immanente Schöpfungskraft der Sprache, die sich zu allen Zeiten aus Schallwörtern und expressiven Lautbildungen ('Urlaute'), aus Tierlauten und Lockrufen regeneriert und neue Ausdrucksmittel schafft, s. besonders L. SAINÉAN, Les sources indigènes de l'étymologie française (Paris 1925–1930) und Vicente García de Diego, Diccionario de voces naturales (Madrid 1968).

[494] In Katalonien öfters nur als Name von Örtlichkeiten (Flurnamen): *Codorniu* (AM).

[495] Damit ist verwandt deutsch *wachtel*, althochdeutsch *quahtela*.

riert. Aus Italien wird als Wachtelruf *quaquará* (Kalabrien) und *pampalèk* (Lombardei) belegt. Deutsche zoologische Handbücher verzeichnen als Paarungsruf der Wachtel *büwerwück*. Ihm entsprechen ziemlich genau die sardinischen Namen der Wachtel *bebberèkke, perpereχe*, in freierer Phantasie *trepotrès* (AIS Karte 509). Auf ähnlichen Schallbildungen beruhen portugiesische und spanische Namen der Wachtel: *paspalhar, parpalhaz, paspalhão, falpachar, gaspayar, parpayal*;[496] baskisch *pospolin, parpara*. Damit sind einige Namen der Wachtel verwandt, die in italienischen Mundarten bezeugt sind: *palpaquá, palpalá*. Im Rumänischen nennt man die Wachtel *prepeliţa*, populär auch *pitpalacă, piptălacă, pipalacă, taptalagă* (ALRu, N. S., c. 708), die in enger Beziehung stehen zu dem Schrei der Wachtel *pitpalác, pîrpalác* (ALR, NS., c. 709); s. Niculescu 129.

§ 117. An die Stelle des altfranz. *raine* (anglonorm. *reine*), das normal auf lat. r a n a zurückgeht, ist seit dem 15. Jahrh. immer mehr das diminutive *grenouille* (in älterer Zeit auch *renoille*) getreten. Man weiß, daß das langsame Verschwinden von *raine* durch den lautlichen Zusammenfall mit *la reine* (r e g i n a) verursacht worden ist.[497] Man weiß auch, daß die neue Ersatzform aus dem provenzalischen Midi (altprov. *granolha*) stammt, so wie aus einer ähnlichen 'situation de détresse' das altfranz. Wort für die Biene *(une ée, les és)* durch eine Entlehnung aus dem Provenzalischen *(abelha)* ersetzt worden ist: *abeille*.

Was das unorganische *gr-* betrifft, so hatte schon Diez (mit einiger Skepsis) an den Einfluß eines Naturlautes gedacht: eine Erklärung, die auch von den meisten modernen etymologischen Wörterbüchern vertreten wird.[498] Dennoch ist diese Deutung nicht ohne Widerspruch geblieben. Im Hinblick darauf, daß der Schrei der Frösche im Deutschen durch *quaken*, im Französischen durch *coasser* ausgedrückt wird, hat man eingewendet, daß eine solche Schallnachahmung (mittelst *gr*) unwahrscheinlich ist, weil 'gra,

[496] Über diese Namen hat ausführlich gehandelt J. M. PIEL in RP 14, 1949, S. 58–67; neu abgedruckt in *Miscelânea de etimologia portuguesa* (Coimbra 1953) S. 315–326. – Wir nennen hier noch rätorom. (Engadin) *sachbadach*.

[497] Das alte Wort findet sich noch in zahlreichen Ortsnamen des nördlichen Frankreich in den Formen *Chanteraine, Chantereine, Chantraine, Chantrenne*, vergleichbar den vielen Namen in Italien *(Cantarana)* und Spanien *(Cantarrana, Cantarranas)*. Ein *Chantegrenouille* ist mir nur aus dem Midi (Lozère) bekannt.

[498] REW, FEW, Dauzat, BW; für die italienischen Formen DEI, Prati, Migliorini-Duro, Olivieri.

gre für das Quaken der Frösche nicht charakteristisch ist'.[499] Gegen diese Meinung muß gesagt werden, daß die lautliche Wiedergabe von Tierschreien von Seiten verschiedener Völker und selbst durch verschiedene Individuen sehr verschieden sein kann. Man denke an das deutsche *kikeriki* gegenüber dem franz. *kokoroko*, dem venezianischen (in Istrien) *kukurúgo*, in Sardinien *kukkuruḍḍú*. Für den Uhu nennt der AIS (K. 508) folgende Schreie: *uhuhu, kju-kju, kukuvíu, pu-pu, čuk, bifú.* Als Schrei der Krähe kennt man aus Deutschland *arr, kra, harrah, gulak, terr.*[500]

Was das franz. *coasser* betrifft, so ist die Unterscheidung gegenüber dem Schrei des Rabens *(croasser)* mehr eine schulmäßig-akademische. In der Volkssprache der Provinzen (mir bekannt aus Languedoc, Provence, Périgord und Dauphiné) wird auch das Quaken der Frösche mit *croasser* bezeichnet: eine Verwendung des Verbums, die auch klassische Autoren (Lafontaine, Voltaire, G. Sand) nicht gescheut haben. Noch klarer erkennt man den Zusammenhang aus den italienischen Verben *gracchiare* und *gracidare (i granocchi gracidano)*, span. *groar (estan groando las ranas)*, port. *grasnar*, elsässisch *gracklen*, deutsch *kraksen*, rum. *orăcăi*, tschech. *krákorati*; vgl. auch die Wiedergabe des Tierschreis: franz. *croac*, gask. *carrac*, deutsch *quarr*, kalabr. *cra-cra*, rum. *cîr-cîr, cra-cra, rac-rac.*[501] Dazu kommen literarische Zeugnisse aus Frankreich und Italien: *le grr . . . grr tendre et doux des grenouilles* (Pergaud, La vie des bêtes, 1924), *nei campi c'è un breve gre gre di ranelle* (Pascoli, Canti di Castelvecchio, 1903).

Das lautmalende *gr* ist nicht auf Frankreich beschränkt (Karte 81). Es setzt sich fort jenseits der Pyrenäen über ganz Katalonien in den Formen *granota* und *granot* (AM). Neben dem schriftsprachigen *ranocchio (ranocchia)* ist es als *granocchio (granocchia)* sehr verbreitet in den Volksmundarten der Toskana; im nördlichen Corsica *granocchia*. Weiter südlich ist es bezeugt für Umbrien und Latium *(granocchia, cra-)*, für die Abruzzen, für Kampanien *(granogna)*. Seine letzten Vertreter findet man im südlichen Apulien als *cranòcchia* oder *cranòccula* und in Kalabrien als *granòcchia, granunchiu* (VDS, DTC).[502]

---

[499] So Gamillscheg im EWFS, wo das *gr-* aus einer Kreuzung mit c r a s s a n t u s oder franz. *graisset* 'Laubfrosch' erklärt wird.

[500] Bei Herm. Löns, Aus Forst und Flur (1916), S. 67.

[501] Viele weitere Beispiele aus mannigfachen Sprachen habe ich gegeben in RLiR 31, 1967, S. 77 ff.

[502] Durch die italienischen Formen wird der Gedanke einer Kreuzung mit c r a s s a n t u s oder mit *graisset* ad absurdum geführt, weil diese Wörter in Italien nicht bezeugt sind.

Bemerkenswert ist, daß in Italien auch das alte *rana* die gleiche lautmalende Umformung erlitten hat: *grana* 'rana' bezeugt für die Abruzzen (AIS, K. 453) und in Kalabrien (DTC, VTC).[503]

§ 118. Von den lateinischen Namen für das weibliche Schwein ist das Wort **sus** nur in der archaischen Latinität Sardiniens erhalten geblieben: *sa sue*.[504] Anderswo ist es durch **porca** und **scrofa** ersetzt worden (Karte 82), die bereits im klassischen Latein gebraucht wurden: port. *porca*, span. *puerca*, im südlichen Italien *scrofa*, ladinisch (Engadin) *skrua*, rum. *scroăfă*.[505]

Weniger klar ist die Vorgeschichte eines anderen Wortes, das in Frankreich als *truie* (in den Mundarten *troujo*, *trueio*, *trejo*, *trö*) erscheint, von wo es sich als *truja* nach Katalonien, als *troia* in das nördliche Italien fortsetzt.[506] Seit Diez ist man gewohnt, dies Wort mit der antiken Stadt Troja zu verbinden (FEW, EWFS, BW, Dauzat) mit Berufung auf das bei Macrobius (6. Jahrh.) bezeugte hapax **porcus trojanus** als einen angeblich kulinarischen Ausdruck. Doch gerade dieser Sinn ist keineswegs gesichert. Nach Auskunft von der Direktion des TLL (W. Ehlers) handelt es sich in den Saturnalien des Macrobius nicht um ein wirkliches Gericht, sondern um einen scherzhaften Ausdruck. Es muß auch auffallen, daß in den wirklichen Kochbüchern, die wir aus der Antike kennen, ein solches Gericht (**porcus de Troja*) nirgends erwähnt wird.[507] Es ist auch wenig

---

[503] In Montesilvano (Prov. Teramo); in Kalabrien in den Städten Crotone und Palmi.

[504] In einer verbalen Ableitung erscheint es als *subare* außer Sardinien noch in Kalabrien: *a scrufa se suva* 'verlangt nach dem Eber'.

[505] In Frankreich besteht **scrofa** noch als Tiermetapher *(écrou)*, wie auch deutsch *schraube* diesen Ursprung hat. – Im südlichen Sardinien (Campidano) wird das weibliche Schwein *mardi* (**matrix**) genannt.

[506] In der italienischen Schriftsprache und in der guten Gesellschaft gilt heute *scrofa* gegenüber *troia* als das weniger vulgäre Wort. Letzteres zeigt untoskanischen Konsonantismus (aus einem lat. *troia wäre *troggia zu erwarten). Aber auch in Oberitalien kann *troja (tröja)* aus lautlichen Gründen kaum einheimisch sein. Es handelt sich wohl um ein Lehnwort aus Frankreich, das einst als feiner empfunden wurde als das grobbäuerische *scrofa*. – Im äußersten Süditalien (Sizilien und Südkalabrien) ist *troia* ein typisches Beispiel für die norditalienischen Einflüsse im Zeitalter der Neuromanisierung.

[507] Die etymologische Verknüpfung mit der Stadt Troja wurde schon von Ménage in 'Origini della lingua italiana' (1669) erwogen.

denkbar, daß aus einer literarischen Tradition ein Wort eine solche Verbreitung finden konnte.[508] Dazu kommen andere Umstände, die noch schwerer wiegen. In einem zwischen Mailand und Venedig gelegenen Gebiet wird das weibliche Schwein *roia* genannt, das nicht aus einem *troia* hervorgegangen sein kann, aber andererseits von ital. *troia* nicht getrennt werden kann. In anderen Zonen der Lombardei, des Piemonts, von Venezien und in der Südschweiz sagt man *logia (lögia, luja)*, womit korsisch *lovia* zu vergleichen ist. Die genannten Wörter machen nicht den Eindruck, daß sie eine historische Grundlage haben. Der Gedanke, daß es sich um spontane oder affektische Urschöpfungen handeln kann, wird durch die Tatsache bestärkt, daß gerade für die 'Sau' die 'création spontanée' eine große Rolle spielt. Allein aus der Gascogne sind mir bekannt als Namen für das weibliche Tier *guiha, guita, gourra, guirra*. Für andere französische Mundarten nennt der ALF (Karte 1342) *bifa, cagno, caya, coche, gal, gay, gouche, gouda, gouna, gouro, mauro*. Für Spanien zitiere ich *cocha, guarra, ornia*, für Norditalien *krina, kona, gògna, zana*, für das ladinische Graubünden *hutscha, liufa, tschuja*. Aus deutschen Mundarten kennt man *dausch, docke, loos, kosel, krem, mor, mutte* (Kluge-Mitzka).

Will man diesen Namen auf den Grund gehen, so wird man am ehesten an Schallwörter, Kosenamen und Lockrufe denken. Für franz. *truie* sei hingewiesen auf *tèr tèr tèr* 'cri pour appeler les cochons' in der Provence (Mistral II, 977); mir persönlich bestätigt für Remoulins (Dép. Gard). Ebenfalls auf Schweine angewendet nennt Sainéan *trou-trou* für Westfrankreich (Autour des sources indigènes, 1935, S. 125), *trr-trr* für den Berry (La rcéation métaphorique, 1905, S. 81), *troutrou* 'nom enfantin du cochon et de la truie' (Sources II, 32).[509]

---

[508] Als Bezeichnung für das weibliche Schwein findet sich *troia* zum ersten Mal, übersetzt mit althochd. *suu*, in den Glossen von Kassel (9. Jahrh.). Man kann daraus nicht die Existenz eines latein. *troia* ableiten, sondern das Wort gehört zu den vielen galloromanischen Elementen (heterogener Herkunft), mit denen der lateinische Teil des Glossars durchsetzt ist, z. B. *mantun* 'Kinn', *ordigas* 'Zehen', *figido* 'Leber', *ferrat* 'verrat', *pragas* 'Hosen', *sappa* 'Hacke' (ital. *zappa*), *keminada* 'cheminée', *siccla* 'Eimer'.

[509] Auf diesen Ursprung hat anläßlich lomb. *troia* schon Monti in seinem Wörterbuch der Mundart von Como (1845) hingewiesen: 'il grugnito del porco è *tru*' (S. 345). In Rumänien wird der Schrei der Sau mit *groh* wiedergegeben (Dacorom. II, 113). Dazu gehört als Verbum deutsch *grunzen*, franz. *grogner*, ital. *grugnire*, span. *gruñir*, rum. *grohăi*. Davon die Namen des Tieres: gasc. *gourra, guirra*, in Spanien *guarra, garrapo, gorrino*, franz. *goret*; s. DELC II, 819.

XVII. ONOMASIOLOGISCHE ABUNDANZ

§ 119. Eine prinzipielle Frage, die schon oft die Wissenschaft beschäftigt hat, ist die Frage, warum ein Wort in gewissen Fällen in allen romanischen Sprachen sich erhalten hat, während andere Wörter der gleichen Begriffsgruppe oft durch eine Vielheit von Bezeichnungen abgelöst worden sind.[510] Schon in der impressionierenden Vielzahl der Benennungen, die den Begriff 'klein' ausdrücken (§ 114), haben wir die Bedeutung der affektischen und lautsymbolischen Sprachschöpfung erkannt. Dieser Wortreichtum steht in einem sichtlichen Kontrast zu dem gegensätzlichen Begriff 'groß', der in fast allen romanischen Sprachen durch die einheitliche Bezeichnung g r a n d i s (älter m a g n u s) fast ohne semantische Variation ausgedrückt wird.[511] Ein ähnliches Verhältnis erkennen wir in der 'incroyable abondance' von affektischen Namen, die sich in Rumänien auf den Großvater und die Großmutter beziehen, im Gegensatz zu den rein objektiv bestimmten Namen von Bruder und Schwester, Neffe und Nichte.[512]

Eine frappierende Opposition besteht auch in dem Wortpaar b o n u s und m a l u s. Was die Nachkommenschaft von b o n u s betrifft, so bemerken wir, daß es in allen romanischen Sprachen fortgeführt wird, um eine konvenable Qualität im Hinblick auf Nutzen und Wirkung auszudrücken: *un bon lit, buona gente, buen tiempo, un bun vint.* Doch das Wort bezeichnet weder einen besonderen Wert noch einen wirklichen Superlativ. Wer das Wort gebraucht (ohne eine zusätzliche Steigerung), spricht es ohne Emphase, ohne Erhöhung der Stimme. Das Wort gehört zweifellos nicht zum leidenschaftlichen Wortschatz. Ganz anders wirken sich die emotionellen Kräfte aus, wenn es sich darum handelt,

---

[510] Vgl. E. TAPPOLET, *Die Ursachen des Wortreichtums bei den Haustiernamen der französischen Schweiz* (AStNSp 131, 1913, S. 81–124).

[511] In Sardinien *mannu.* – Aus balkanischer Grundlage (vgl. alb. *madh* 'groß') stammt rum. *mare*; s. Puşcariu 207 und Çabej, ZB 2, 22.

[512] Siehe Magdalena Vulpe, RRL XI, 1966, 46ff. Aus affektischer Grundlage stammt auch das diminutive *abuelo* in Spanien, *avó* in Portugal, das Kinderwort *jai* und *jaia* in Katalonien, *jaju* und *jaja* in Sardinien (vgl. neugriech. γιαγιά 'Großmutter'), aus der Kinderstube das ital. *nonno*, in Süditalien *nannu*. Eine 'formazione infantile' ist auch sardisch *nannái* 'Großvater' und *mannái* 'Großmutter' mit typischem sardischen Kosesuffix (Wagner, *Historische Lautlehre des Sardischen*, 1941, S. 246).

einen Tadel, eine Abneigung oder ein negatives Urteil auszudrücken. In solchen Fällen mußte das Normalwort m a l u s oft
als zu schwach empfunden werden. Dann greift man zu einem
kräftigeren Wort, in dem der individuelle Affekt sich entladen
kann (Karte 83).

Es ist eigentlich erstaunlich, daß in einigen romanischen Sprachen das alte Wort m a l u s sich so gut behauptet hat (Spanien,
Portugal, Sardinien). Aber anderswo sind neue Ausdrücke aufgekommen, die aus vielfältigen Quellen resultieren. In Frankreich
stammen *mauvais* (m a l i f a t i u s) und *méchant* (altfranz. *mesche-
ant* 'schlechtfallend') aus einer älteren Bedeutung 'homme qui
n'a pas de chance', 'homme malheureux'. Was man franz. ausdrückt durch *un mauvais chemin* oder *un méchant chemin* wird
italienisch zu einem *cattivo cammino*. Das Wort, ein Bruder des
franz. *chétif*, hat ursprünglich die Idee 'miserabel' ausgedrückt:
h o m o   c a p t i v u s 'prisonnier', 'homme qui est à plaindre'.[513] In
Südfrankreich sagt man *marrit* (z. B. *un sort marrit*). Das aus
germanischer Quelle stammende Wort, bedeutete ursprünglich
'égaré', 'troublé', 'affligé'. Damit berührt sich das katalanische
dolent, z. B. *un dolent arbre* 'un mauvais arbre', eigentlich 'affligé
de douleur'. In Sizilien wird m a l u s ausgedrückt durch *tintu*,
was ursprünglich aufzufassen ist als 'privé de chance': h o m o
t i n c t u s 'frappé de couleur noire'. Im südlichen Apulien (Salento) gilt *fiaccu*, eigentlich 'flasque', 'dépourvu de force'. Aus
germanischer Quelle (*gram* 'méchant') stammt piem. *gram*. In
Friaul gilt *trist*. In Rumänien hat sich aus r e u s 'homme cri-
minel' *răŭ* entwickelt *(vin răŭ)*, vgl. altital. *la gente ria* 'gente
cattiva', altdalm. *raia causa* 'mauvaise chose'. Aus lat. n a u s e a
'mal de mer' hat Graubünden das Adjektivum *nauš* oder *noš*
gewonnen: *üna noscha* (= *noša*) *strada*.

§ *120.* Die Opposition zwischen 'bonus' und 'malus' findet eine
gewisse Entsprechung in der Benennung für 'rechts' und 'links'.
Was 'rechts' ist, ist recht, ist normal, ist in Ordnung und bedarf
keiner besonderen Aufmerksamkeit.[514] Ganz anders vermag sich
die sprachliche Phantasie an dem Begriff 'links' (Karte 84) zu

---

[513] In Süditalien und Sardinien wird die Witwe *cattiva* (siz.), *attia* (sard.)
genannt: 'pauvre prisonnière de la maison'; s. § 136.
[514] Die rechte Hand ist die 'gute' Hand. Daher sporadisch in Italien *la man
bona* (Venezien), *sa manu òna* (Sardinien). Daher auch in der Kindersprache
(Dolomiten) *la bela man*, (Tessin) *la man bela* (AIS, K. 148); vgl. dazu in
den Dolomiten *la burta man* 'la brutta' = 'la main gauche'.

entzünden. Es überrascht daher nicht, daß für die rechte Hand
die aus dem Lateinischen stammenden Bezeichnungen d e x t e r
und d i r e c t u s in den romanischen Sprachen kaum eine Einbuße
erlitten haben: *mano destra, mano diritta (dritta), mano derecha,
mão direita, mînă dreaptă.* Dem steht gegenüber eine erstaunlich
reiche Skala von Benennungen für die linke Hand.[515] In Frankreich ist ein aus germanischer Grundlage gebildetes Wort in Aufnahme gekommen *(main gauche)*, das bis ans Mittelmeer und
bis zu den Pyrenäen gelangt ist.[516] Nur in einer kleinen Zone der
Cevennen (Auvergne) und in den gaskognischen Pyrenäenmund-
arten hat sich ein vorrömisches Reliktwort in der Form *ma eskerro*
erhalten. Es entspricht genau dem katal. *ma esquerra*, port. *mão
esquerda*, span. *mano izquierda*.[517] Als regionale Ausdrücke kommen hinzu in Spanien *mano zurda* (Galizien *mão xurda*), *mano
zoca*, gal. *mao esgocha*, in Portugal *mão canha*.[518] Besonders reich
ist die Terminologie in Italien. Zu den gemeinitalienischen *mano
sinistra* (Schriftsprache), *mano mancina* und *mano manca* der
Umgangssprache gesellen sich in den Mundarten *mano stanca*
'müde, kraftlose Hand',[519] *zanca, ciampa, torta, storta, stramba,
inversa, beca, lerca* (AIS, K. 149). Im italienisch-provenzalischen
Grenzgebiet gilt *ma senèca* (altprov. *senec* 'vieux'), in Graubünden
man tschanca. Dem ital. *mano stanca* (Emilia, Romagna), das von

---

[515] 'El concepto de *izquierdo* es de los que cambian de nombre continua-
mente a causa de las interdicciones de que son objeto las palabras de mal
agüero' (DELC IV, 882).

[516] Das Wort, das man früher mit germ. w a l k a n 'fouler' verbunden hat
(REW), wird heute aus einer Vermischung der Verbalstämme *guenchir (gan-
chir)* 'éviter', 'détourner' (< *wenkjan) und *gauchir* 'déformer' (vgl. ital.
gualcire 'zerknittern') erklärt (FEW, EWFS).

[517] Dazu baskisch *esku eskerra* 'linke Hand'. Die romanischen Formen können nicht als direkte Lehnwörter aus dem Baskischen aufgefaßt werden, sondern es handelt sich um eine Entlehnung des Vulgärlateins (*eskuerr-) aus
einer hispanisch-aquitanischen Substratformation (Protobaskisch), aus der
ein Zweig sich im Baskischen erhalten hat; s. dazu Corominas, DELC
II, 1017.

[518] So wie in dem Typ *izquierdo* die Formen mit *rr* und *rd* nebeneinander-
stehen als regionale Ergebnisse, so kann *zurdo* von dial. span. (Navarra) *zurro*
'elend', 'gering', 'misérable', port. *churro, churdo* 'elend', gask. *soùrrou* 'par-
cimonieux', baskisch *txurr* 'geizig' nicht getrennt werden, dessen Herkunft
im Baskischen zu vermuten ist; s. Verf., Gascon § 109 und Corominas, DELC
IV, 882. – Die Grundbedeutung von span. *zoco* ist 'imperfecto'; von port.
canho 'gemein', 'elend', 'hündisch'; gal. *esgocho* scheint mit franz. *gauche*
zusammenzuhängen; vgl. franz. dial. (Saintonge) *égauchi* 'difforme'.

[519] Bei dem Emilianer Boiardo zweimal im Reim (Orl. Inn. I, 19, 12
und II, 4, 60); einmal auch bei Dante (Inf. 19, 41) im Reim mit *anca* und
zanca.

Boiardo gebraucht wird, entspricht rum. *mîna stîngǎ*.[520] – Aus lateinischer Grundlage (*mancinus) stammt auch alb. *mëngjër*.

§ *121* Ähnliche Unterschiede im Sinne von lexikalischen Oppositionen beobachten wir in den Namen von gewissen Haustieren. Wir nehmen den Begriff 'Ziege'. Das lateinische c a p r a hat sich in allen romanischen Sprachen erhalten. Es gibt keine romanische Sprache, in der sich eine andere Bezeichnung vorwiegend oder in der Schriftsprache durchgesetzt hat.[521]

rum.	*caprǎ*	port.	*cabra*
ital.	*capra*	kat. prov.	*cabra*
sard.	*craba*	rätorom.	*chavra*
span.	*cabra*	franz.	*chèvre*

Ganz anders ist das Bild, wenn wir nach den Namen fragen, die dem männlichen Tier (c a p e r) beigelegt werden, dem Ziegenbock. Da haben wir (s. Karte 85):

franz.	*bouc*	ital.	*becco*
prov	*bochi*	sard.	*crabu*
kat.	*boc*	südit.	*zimmaru*
span.	*cabrón*[522]	zentralital.	*zappo*
nordital.	*cavron*	apulisch	*zurrǝ, jazz*
port.	*bode*	rumän.	*ṭap*

Das sind acht verschiedene Worttypen.

---

[520] In Albanien bedeutet das dem ital. *stanco* entsprechende *shtenk* 'schielend'. – In den 'Sette Comuni' (Prov. Vicenza) hat man *schenke hand*, was von Gossen mit bayer. österr. *tenk* 'link', schweizerdeutsch *tengg* 'träge' verknüpft wird (Mélanges Straka, t. I, 1970, 376–386).

[521] Das schließt nicht aus, daß regional oder dialektisch ein anderes Wort üblich ist. In Frankreich ist aus den nördlichen Mundarten das (germanische) *bique* (vgl. ital. *becco* 'Ziegenbock', franz. *bouc*) in die familiäre Sprache eingedrungen. In Spanien und Südamerika (Kolumbien) ist *chiva* Lockruf und Rufname für die Ziege. Im Spanisch der kanarischen Inseln wird die milchgebende Hausziege *jáira* genannt (meist als Kosename *jairita*), vgl. katal. *xaira* 'Rufname für die Ziege' (BDC XIX, 219): es ist also kein Reliktwort aus der Sprache der Guanchen, wie Alvar (DL 111) gemeint hat. In Belgien stammt wallon. *gatte* 'Ziege' aus niederl. *gaat* = engl. *goat* 'Geiß' (FEW XVI, 28).

[522] Wegen seiner doppelten Bedeutung ('mari trompé par sa femme') heute meist ersetzt durch *macho cabrío, cabro* (besonders in Amerika) oder regionale Ausdrücke: *buco, boque, bode, bote, choto, irasco, iguedo* (Alvar, DL 111); in Galizien auch *godallo*. – Zu port. *bode* und gal. *godallo* s. DELC I, 476.

§ *122.* Noch reicher ist die Skala der Benennungen, die für das Zicklein gelten (s. Karte 86). Der lateinische Ausdruck für diesen Begriff war haedus. Es ist erhalten geblieben nur in Rumänien *(ied)* und in einer kleinen Zone im inneren Sardinien: *edu.*[523] Ein schon in lateinischer Zeit bezeugtes haediolus 'junges Zicklein' lebt im Sinne von 'haedus' fort am Nordrand von Oberitalien (tessin. *jöu,* trent. *giöl,* dolom. *azòl)* und in Graubünden *(usöl).*[524] Neben haedus muß im Vulgärlatein eine adjektivische Ableitung *haedius bestanden haben (animal haedium). Auf einer solchen Grundlage beruht die in ganz Korsika als Bezeichnung des Zickleins herrschende Form *èghiu.*[525] In allen anderen romanischen Ländern finden wir neue Wörter, die teils von capra abgeleitet sind, teils von anderen Stämmen gewonnen sind:

franz.	*chevreau*[526] (caprellus)
prov. und katal.	*cabrit* (caprīttus)
ital.	*capretto* (caprĭttus)
span.	*chivo*[527], *choto, cabrito*
port.	*chibo*[527] und *cabrito*
span. dial.	*segallo*
galiz.	*bodexo*

Wenn wir aus den heutigen Benennungen der drei Begriffe 'Ziege', 'Ziegenbock' und 'Zicklein' einen Schluß zu ziehen ver-

---

[523] M. L. WAGNER, *Das ländliche Leben Sardiniens im Spiegel der Sprache* (Heidelberg 1921) S. 111. – Nach TOMMASO ALFONSI, *Il dialetto corso nella parlata Balanina* (Livorno 1932) soll *edu* auch in Korsika vorkommen (S. 57).
[524] Siehe AIS, Karte 1081.
[525] Siehe ALEIC, Karte 1145. – Das Wort scheint auch im älteren Toskanischen bestanden zu haben, vgl. in einer pistojesischen Urkunde vom Jahre 1283 *pascebant edios et agnos* (Liber censuum, ed. Santoli, reg. 475). – Zum Stamm haedus gehört wahrscheinlich auch das in den süditalienischen Mundarten (von Sizilien bis Lukanien) verbreitete *dastra, rastra, lastra* 'Ziege von 1–2 Jahren' (*haedastra). Auf lat. haedus beruht auch alb. *eth* 'capretto'.
[526] Als Lehnwort der Normannenzeit ist *chevreau* nach Sizilien und Südkalabrien gelangt: siz. *ciarvieḍḍu,* südkalabr. *ciarveḍḍu.*
[527] Das Wort scheint keine 'historische' Etymologie zu haben. Es beruht wohl auf einem Lockruf: in Spanien (Asturien) *chiba-chiba, chibina-chibina* (Kastilien), in Katalonien *xiva;* s. Hubschmid, Pyr. 49 u. FEW XIII, 344. In der Tat bezeugt auch der italienische Sprachatlas (AIS) für den Ort Incisa in der Toskana als Lockruf für das Zicklein die Koseform *źiba-źiba* (Karte 1081, Legende zu Punkt 534). Im Alttoskanischen ist belegt *zeba* als Name der Ziege (z. B. bei Dante im Inf. 32, 15). Auch das Ladinische (Gröden) kennt *ziǝba* 'Ziege'. In der deutschen Schweiz gilt *zybe* als Lockruf für die Ziege; im nördlichen Griechenland und in Kythera *zip-zip.*

suchen, so kommen wir zu folgendem Ergebnis: Der lateinische
Name der Ziege hat sich als ungemein resistent erwiesen. Der
lateinische Name des Ziegenbocks (caper) ist nur in Sardinien
erhalten geblieben.[528] In Spanien und in Oberitalien hat sich eine
spätlateinische Neubildung *capro fortgepflanzt. In Frankreich
hat sich aus der Sprache der Franken *bouc* einen festen Platz geschaffen.[529] Dies Wort ist durch die fränkischen Einflüsse auch ins
Katalanische *(boc)*, nach Aragonien *(buco, boque)* und in den
Piemont *(buk)* gelangt.[530] Aus anderer germanischer Quelle,
wahrscheinlich von den Langobarden, stammt das in Mittelitalien
verbreitete *becco*.[531] Im Rumänischen und in Latium erscheint ein
Wort, das auch dem Albanischen *(zap, skjap)* und dem Nord-
griechischen (Epirus τσάπος) eignet und sich auch in den slavischen Sprachen – Jugoslavien bis in die Tschechoslovakei *(cap)*
– nachweisen läßt: offenbar ein altes illyrisches oder thrakisches
Hirtenwort; s. Russu, Elemente autohtone 206.[532]

---

[528] Ein älteres lateinisches Wort (hircus) ist nur in sehr spärlichen Resten
noch heute fortlebend: in den Pyrenäen *erk* als Name des 'Steinbocks'. Dazu
in Süditalien das Verbum *ircere* oder *ircire* rfl. 'nach dem Bock verlangen'
(von der Ziege).

[529] Das französische Wort schließt direkt an das germanische Hinterland an,
wo *Bock* alteingesessen ist (vgl. altniederfränkisch *buck*, niederländ. *bok*,
angelsächsisch *bucca*, altnord. *bukkr*, dän. *buk*). – Annahme keltischen Ursprungs (FEW I S. 587) im Hinblick auf altirisch *bocc*, das mit dem germanischen Wort verwandt ist, ist wenig wahrscheinlich, da das französische Wort
zum erstenmal im Gesetzbuch der salischen Franken bezeugt ist: *si quis buc-
cum furaverit* (Lex. Sal. 5, 2, add. 1).

[530] Das im rätoromanischen Graubünden geltende *boc* könnte auch von den
Alemannen stammen.

[531] Toskanisch *bécco* (mit geschlossenem *e*) setzt ein altes *bikku voraus.
Das Wort hat seine nächsten Verwandten in rheinfränk. *bick* 'weibliches Zie-
genlamm', das als *bique* 'Ziege' auch in Frankreich fortlebt, und in bayer.
beckelein 'Reh', 'Ziege' (Schmeller). Verwandt ist der Ziegenruf *meck* und
das davon gebildete *Meckel* 'Ziege' in der Mundart des Westerwaldes. Die
Herleitung des ital. *becco* aus latein. ibex 'Gemse' (DES) oder aus einer Kreuzung von bukk- und bestia (nach V. Pisani) ist abzulehnen. – Sizil. *bèccu*
(mit offenem *e*) und *bieccu* stammt aus einer Mundart des Nordens, wo *ę* in
gedeckter Stellung zu *ę* wird, vgl. ligur. *vęsku* 'vescovo', ligur. *vęrde, bęco*
'becco'; s. HGI § 57.

[532] Das Wort ist auch aus dem Dalmatischen bezeugt: *zapo* 'capro castrato'
(Bartoli II, S. 258). – Den ersten Beleg der Wortsippe findet man in einem aus
dem 10. Jh. stammenden Glossenkodex *hyrcus caper zappu dicitur* (Corp.
gloss. lat. V 503, 27). Die letzte Grundlage ist wohl ein Lockruf: im nördlichen Griechenland *tsap-tsap*, in Bulgarien *tsap* (für Ziegen), in Kärnten
tschap-tschap (für Schafe), in den französischen Hochalpen *diap-diap* (für
Ziegen). – Zur Geschichte und Etymologie des Wortes, s. Verf., ZRPh 45,
S. 664ff. und LexGr 519. – Mit ital. *zappo* 'Ziegenbock' ist verwandt ital.

Im nördlichen Apulien wird der Ziegenbock *zurrə* genannt
(AIS, Karte 1080), das von dem gleichbedeutenden zyprischen
τσοῦρος (belegt in dem Wörterbuch von Sakellarios) kaum getrennt werden kann: das Wort dürfte auf einem Schallstamm
(onomatopeisch) beruhen.[533] Im südlichen Apulien (Salento) gilt
jazzu mit den Varianten *kjazzu, kezzu,* offenbar verwandt mit
alb. *kats, ketsh* 'Zicklein' (LexGr 226), ungar. *kečka* 'Ziege',
vgl. *kets-kets* als Lockruf für Ziegen in Epirus, serbokr. *jats*
Lockruf für den Ziegenbock. Süditalienisch *zimmaru* (Kalabrien,
Lukanien, Kampanien) ist ein griechisches Reliktwort: χίμαρος.[534]
– Außerordentlich reich ist die Terminologie des jungen Tieres.
Hier überwiegen Diminutivbildungen und Bezeichnungen, die
affektischer Grundlage *(chivo, choto)* sind: 'termes de caresse',
'termini vezzeggiativi'.[535] Auf einem sentiment de compassion
('pauvre animal mince sevré de la mère') scheint span. (dial.)
segallo zu beruhen.[536]

Wir ahnen jetzt die Umstände, die in unserem Falle Einheit-
lichkeit und Differenziertheit der Tiernamen bedingen. Es erweist sich c a p r a als ein wichtiger Gattungsbegriff, zugleich als
ein unantastbarer Normalausdruck für das Tier, das in keinem
bäuerlichen Haushalte fehlt. Seine Bezeichnung ist ebenso un-
wandelbar wie die Namen von 'Sonne' und 'Mond', 'Erde' und
'Wasser', 'Milch' und 'Honig'. Im Gegensatz dazu ist das Jungtier ein Gegenstand von hegender Anteilnahme, ein Liebling
spielender Kinder. Aus Phantasie und subjektivem Verhältnis
entsteht eine Vielheit neuer Namen. – Wieder anders sind die
Namen des 'Ziegenbocks' zu beurteilen. Gegenüber der Ziege
ist das männliche Tier im bäuerlichen Milieu seltener vertreten.
Es ist in der Stadt weniger sichtbar. Es ist bösartiger als Ziege
und Zicklein. Gegenüber dem Wort der Gemeinsprache ist
'Ziegenbock' ein Spezialterminus, der in der Sprache der städti-
schen Bevölkerung wenig gebraucht wird. Dies erklärt das Fort-

---

zappa 'Hacke', vgl. lat. c a p r e o l u s 'Rehbock' und 'zweizinkige Hacke'
(s. Verf. a. a. O. S. 668).
   [533] An vorindogermanischen Ursprung denkt J. Hubschmid (ZRPh 66,
S. 15). – In den Abruzzen ist *tsurí-tsurí, dzarré-dzarré,* in Hocharagon (Fanlo)
tsurrina-tsurrina Lockruf für Ziegen.
   [534] Das altgriechische Wort bezeichnete den jungen Ziegenbock. Im heutigen Griechenland zeigt die kretische Mundart den gleichen unregelmäßigen
Anlaut: τσίμαρος 'junger Ziegenbock' (LexGr 568).
   [535] Zu *chivo* s. Anm. 527. Wegen *choto* DELC I, 81 und FEW XIII, 2, 382.
   [536] Span. *segallo* (Alto Aragón), katal. *segall,* andal. *cegajo (segajo),* gasc.
pyr. *segalh* 'chevreau', bask. *segailla* 'chèvre d'un an' gehören zu bask. *se-
kail* 'maigre', 'décharné'; s. Rohlfs, Gascon § 61 u. DELC IV, 172.

leben eines alten griechischen und eines vielleicht illyrischen Wortes.[537] Ähnlich darf man das Eindringen der fränkischen und langobardischen Wörter beurteilen: ihre Verbreitung dürfte mit den großen Viehmärkten in Zusammenhang stehen. Im Gegensatz zum Allerweltswort 'Ziege' und zum affektischen Begriff 'Zicklein' ist 'Ziegenbock' ein Wort der Bauern und der Viehhändler – in gleicher Weise wie 'Hengst' und 'Widder', span. *garañón* und *morueco*: zwei Wörter, die dem Normal-Vokabular eines Spaniers wenig vertraut sind.

§ *123.* Ein sehr analoges Verhältnis besteht in dem Gegensatz zwischen den Namen des Pferdes und den Namen des Esels. Als Bezeichnung des Pferdes hat sich das vulgärlateinische c a b a l - l u s ohne ernsthafte Konkurrenz in allen romanischen Sprachen behauptet: Franz. *cheval,* ital. *cavallo,* span. *caballo,* port. *cavalo,* kat. *cavall,* prov. *caval* (mod. *chivau*), sard. *kaḍḍu,* rätorom. *chavagl,* rum. *cal.* Ganz anders ist das Schicksal von lat. a s i n u s (Karte 87). Im Spanischen ist das ältere (heute literarische) *asno* in moderner Zeit immer mehr durch das populäre *burro* (auch *borrico*) ersetzt worden. Das Gleiche gilt für port. *asno* > *burro.* Im Katalanischen hat das ältere *ase* in dem populären *ruc* und in dem castellanismo *burro* zwei mächtige Konkurrenten gefunden. Sehr resistent ist *âne* in Frankreich geblieben. Nur im äußersten Norden ist *âne* durch *baudet* ersetzt worden, was ursprünglich der Name des Jungtiers gewesen ist: 'jeune animal joyeux'.[538] Italien überrascht mit einer ganzen Reihe von Neuerungen (AIS, Karte 1066). Im Nordosten gilt *musso (muso, mus, muš).* In der Toskana ist *ciuco* das populäre Wort, dem im kontinentalen Süden *ciuccio* entspricht; in der nördlichen Toskana sagt man auch *miccio.* An der adriatischen Küste ist *somaro* 'Saumtier' üblich.[539] In Sizilien hat sich von Afrika her ein türkisches Wort *(ešek)* verbreitet: *scèccu.* Sardinien ist zwischen *ainu* (alt *asinu*) und *molènte* geteilt. Für Corsica gilt *asinu* und *sumeri* (altfranz.

---

[537] Wartburg hat gezeigt, daß in Frankreich gegenüber dem aus dem Lateinischen gewonnenen allgemeinen Ausdruck der spezielle Ausdruck oft dem alten gallischen Wort entspricht: *vinum: liga, campus: rica, farina: brennos, cera: brisca* (Einführung in Problematik und Methodik der Sprachwissenschaft, Halle 1943, S. 98).
[538] Zu altfranz. *bald, baud* 'gai', 'joyeux'; vgl. pik. *baude* 'ânesse' und *baudouin* als Name des Esels in der französischen Tierfabel (FEW I, 212).
[539] Vgl. südfranz. *saumo* 'ânesse' < 'bête de somme'.

somier). In Rumänien ist das alte *asin* durch das balkanische *măgar*[540] verdrängt worden.

Einige dieser neueren Namen erklären sich leicht aus dem besonderen affektiven Verhältnis zum Jungtier: *baudet* (s. o.). Aus Koseformen und Kindersprache stammen *musso, miccio, ciuco* und *ciuccio*[541]. Onomatopeischer Bildung ist katal. *ruc*[542]. Das hispanische *burro* wird als Regressivbildung von spätlatein. b u r i c u s 'Art kleines Pferd' aufgefaßt, was nicht ausschließt, daß die Verbreitung des Wortes in der hispanischen Latinität durch eine Lautmalerei gefördert worden ist; vgl. das lateinische Verbum *borrire* 'schreien', 'brailler'[543]. Das sardische *molènte* erklärt sich aus der einstigen Hauptfunktion des Hauesels, der die typische sardische Hausmühle in Gang zu halten hatte: 'la bête qui moud le blé'. – Diese Mannigfaltigkeit der neuen Namen hat seinen Grund in der populäreren Rolle des Esels gegenüber dem Pferd, das als Reittier in der feudalen Ritterschaft einen höheren sozialen Wert besaß. Hier hat ganz offensichtlich die offizielle Terminologie das Aufkommen neuer volkstümlicher Bezeichnungen verhindert.

§ 124. Solche Gegensätze (Wortreichtum und Wortarmut) bestehen auch im Begriffskreis der Körperteile. In keiner romanischen Sprache – ja nicht einmal in einer Mundart – hat man das Bedürfnis empfunden, für das 'Auge' das ererbte lateinische Wort durch ein anderes Wort zu ersetzen. In allen romanischen Sprachen hat sich o c u l u s lebendig erhalten:

dalm.	*vaclo*	prov.	*olh*
sard.	*ogru (ogu)*	katal.	*ull*
ital.	*occhio*	franz.	*œil*
rum.	*ochĭŭ*	span.	*ojo*
rätorom.	*ögl*	port.	*olho*

Ganz anders ist die Situation, wenn wir einen Körperteil betrachten, der unmittelbar neben dem Auge gelegen ist: die

---

[540] Vgl. alb. *magjar*, bulg. *magare*, serbokr. *màgarac* 'Esel', und dazu alb. *gare* 'Eselin', *ager* 'Esel' nach Çabej (RRL X, 1965, 111).

[541] Zu *miccio* vgl. ital. *micio* 'Katze'; zu *ciuccio* vgl. span. *chucho* 'Hund', mazedorum. *ciuciŭ* 'junges Kind', 'Säugling'.

[542] Vgl. südit. (Apulien) *ruccu* 'Taube'; span. (Palencia) *ruca* 'junge Stute' (Cejador, Tesoro 5, 589).

[543] Span. (Andalusien) *borrico* 'Esel' enthält das spanische Diminutivsuffix *-ico* (< -i k k u), vgl. in Sardinien *burriccu* 'Esel', ein spanisches Lehnwort, wie *bourrique* 'ânesse' in Frankreich, *burîk* 'Esel' im Piemont. – Zu ital. *bricco* 'asino', vgl. venez. *brico*, bologn. *brek* 'montone'.

Schläfe (s. Karte 88). Das lateinische Wort tempus (plur. tempora) scheint in dieser Form nur im Rätoromanischen *(tempra)* fortzuleben. An seiner Stelle ist aus der alten Pluralform tempora eine Vulgärform *tempula entstanden, die in katal. *templa*, neuprov. *templo* (f.), rum. *tîmplă*, friaul. *timpla* in Graubünden *tempra (taimpra)* und ital. *tempia* noch deutlich zu erkennen ist. Dazu gehört auch alb. *tëmbla* und altspan. *tienlla* und *tiembla* (Alvar, DL 117). Auch franz. *tempe* beruht auf einer älteren mittelalterlichen Form *temple*. Dagegen haben die Sprachen der iberischen Halbinsel sich für neue Benennungen entschieden. In Spanien ist das herrschende Wort *sien* (fem.), in Galizien *sen*. Man hat das Wort mit german. *sinn* verknüpft, was lautlich nur denkbar wäre, wenn man annimmt, daß in Spanien das germanische Wort Genus und Vokalismus eines lateinischen Vorgängers, der *miente* (fem.) gewesen sein könnte, übernommen hätte.[544] Im Portugiesischen hat die Assoziation mit den Fontanellen (s. Anm. 546) den neuen Ausdruck *fonte* entstehen lassen. Im Katalanischen hat aus ähnlichen Gründen *pols* 'Puls' (in Aragon *pulso*) sich auf die Schläfe übertragen, in Übereinstimmung mit Teilen von Südfrankreich (altprov. *pols*, langued. *pous*) und Oberitalien (piem. lomb. *puls*, gen. *putsu*). In Italien ist in vielen Gebieten somnus 'Schlaf' als jüngeres Ersatzwort eingetreten: siz. *sònnu*, kal. *suonnu*, venez. *sòno*.[545] In Lukanien heißt die Schläfe *lèggə* < levia 'parti tenere' (DTC). Auch Sardinien hat sich für neue Benennungen entschieden: *mente* (Zentrum), *memória* (Süden) < 'Sitz der Erinnerung'.[546] Neue Benennungen finden sich auch in den Mundarten Spaniens. Wir erwähnen hier nur astur. *la vidaya*, das sich als eine Fortsetzung von lat. *vitalia* 'die wichtigsten Teile des Kopfes' erweist.

Gegenüber dem Auge tritt die Schläfe weniger sichtbar in Erscheinung. Ihre körperliche Funktion ist weniger bestimmt; der Begriff selbst ist nicht sehr populär. Verglichen mit dem Auge

---

[544] Ganz ähnlich wie man angenommen hat, daß span. *rueca* 'Spinnrocken' (germ. rukka) seinen auffälligen Vokalismus (ŏ > ue) von dem älteren lateinischen cŏlus 'Spinnrocken' bezogen hätte, das auf der hispanischen Halbinsel noch in bask. *goru* fortlebt. – Zur begrifflichen Verschiebung sei hingewiesen auf nordkorsisch *sensu* (ALEIC, Karte 65) und apul. *li sènsi* 'le tempie'. – Zu mens 'Schläfe', vgl. sard. *mente*, kors. *menti* 'Schläfe'.

[545] Siehe AIS Karte 100. – Das gleiche Bild in béarn. *adroumidé* 'tempe qui porte à dormir'.

[546] Auch im Süden der Insel Korsika wird die Schläfe *mènti* genannt (ALEIC Karte 65). Im Innern der Insel sagt man *funtanella*. – Über andere sardische Wörter, die 'Schläfe' bedeuten, s. M. L. WAGNER, *Studien über den sardischen Wortschatz* (Genève 1930) S. 67 ff.

wird das Wort 'Schläfe' viel seltener gebraucht. Die äußere Abgrenzung vermischt sich mit Stirn und Backe. Damit sind Bedingungen gegeben, die den Begriff für sprachliche Neuschöpfungen prädestinierten.[547] Diese Neuschöpfungen können in sporadischer Verbreitung sehr mannigfaltig sein. Z. B. in Rumänien, wo neben *tîmplă* in vielen Kleinzonen eigenartige Benennungen auftreten: *moalele capului* 'das Weiche des Kopfes', *moartea calului* 'der Tod des Pferdes', *groapa ochiului* 'die Grube des Auges', *ochiul al orb* 'das blinde Auge' (eine Lehnübersetzung aus dem Ungarischen), *ochiul al mort* 'das tote Auge'.[548] – Unklar ist der Grund der Benennung in rätorom. (Engadin) *serraglia*, wohl identisch mit altfranz. *serraille*, ital. *serraglia* 'Verschluß', 'serrure'.

§ 125. Ähnlich ist die unterschiedliche Situation in den Benennungen zwischen den Begriffen 'Feuer' (der allgemeine Begriff = ein sachliches Faktum) und 'Funke' (ein phantasievolles Phänomen). Während Feuer in allen romanischen Sprachen durch das einheitliche f o c u s *(fuoco, fuego, fogo, foc, feu)* ausgedrückt wird[549], gibt es für Funke eine Unzahl von neuen Benennungen. Neben den aus dem Lateinischen stammenden latein. f a v i l l a (ital. *favilla, faidda, faliva*) und s c i n t i l l a (franz. *étincelle*, sard. *istinkidda*, span. *centella*) nennen wir prov. *belügo, pürno*, span. *chispa, mosca*, katal. *espurna, espira, xáldiga, bispilla*, wall. *espit*, gask. *pito, lajine*, rätor. *brinzla, brastga*, port. *fagulha, falisca, fona*). Von unglaublicher Mannigfaltigkeit sind die Namen in den italienischen Dialekten: *cariola, disa, facidda, faliva, jura, lòjola, luja, lúpiga, luta, pula, splüva, stizza, trišca, zema, zifilla* (AIS, K. 926). Man erkennt leicht, daß ein Teil dieser Namen aus expressiver Urschöpfung stammt, wobei der Laut *i* eine besondere Rolle gespielt hat; vgl. dazu als Namen für den Funken baskisch *pinda, sirrta, txinka*, alb. *dzidza*, serbokr. *iskra, varnica*, ung. *szikra*, finn. *kipina*, schwed. *gnista*. – Wie sehr das Phänomen des Funkens Volksphantasie und Volks-

---

[547] Noch reicher ist die Skala der Neubenennungen, die die Pupille des Auges erfahren hat. – Siehe dazu C. TAGLIAVINI, *Di alcune denominazioni della pupilla.* In: Annali dell'Istit. Univ. Orientale di Napoli, 1949, S. 341–378.
[548] Siehe dazu den rumänischen Sprachatlas (ALR I, Karte 14) und die linguistische Analyse von KARL JABERG, Vox. Rom. 5, 1940, S. 70ff.
[549] Im Spanischen gilt neben *fuego* auch *la lumbre* (lumen), bezogen ursprünglich auf das Lichtphänomen, ähnlich wie die apulischen Griechen das Feuer *lumera* (franz. *lmière*) nennen. In Sizilien und im (einst griechischen) Kalabrien unterscheidet man *la luci* 'Licht' von *lu luci* 'Feuer'.

glauben angeregt hat, zeigen uns einige Namen, die den aus dem Feuer aufsprühenden Funken gegeben werden: *le vecchie* (Abruzzen, Kampanien), *sas èzzas* in Sardinien (in Dorgali), *as velhas* in Portugal, d. h. 'alte Frauen' im Sinne einer Seelenepiphanie. Die gleiche Anschauung (Seelen der verstorbenen Familienmitglieder, die zum Himmel fliegen) liegt vor, wenn die auffliegenden Funken *pariende* 'parenti' (Abruzzen) oder *animetes* 'Seelen' (Roussillon) genannt werden.[550] – Siehe noch den Nachtrag § 151.

§ *126.* Wir kehren noch einmal zurück in das Reich der Fauna. In allen romanischen Sprachen hat sich das lateinische Wort für den 'Hasen' bestens erhalten:

dalm.	*lipro*	prov.	*lèbre*
sard.	*lepere*	katal.	*llebre*
ital.	*lepre*	franz.	*lièvre*
rum.	*iepure*	span.	*liebre*
rätorom.	*leivra*	port.	*lebre*

Ganz anders ist das Bild, wenn wir uns zu den Bezeichnungen des Fuchses (s. Karte 89) wenden. Außerordentlich gut hat sich lat. **vulpes** in Rumänien und in Italien erhalten: rum. *vulpe*, ital. *volpe*. Auch das Rätoromanische hat das alte Wort bewahrt: *vuolp*. In Frankreich finden sich nur noch ganz sporadische Reste von **vulpes** in den Pyrenäen *(boup)* und in den Alpen Maritimes.[551] Im übrigen wird in Frankreich das Tier heute mit einem Namen bezeichnet, der aus der Tierfabel gewonnen ist: *renard* (< **Reinhard**).[552] Auch das in einem großen Teil von Katalonien auftretende *guinèu* (fem.) hat man auf einen Personennamen zurückgeführt: **Winald**.[553] Allerdings kommt eine direkte Her-

---

[550] Auf einer anderen Anschauung (Funken = böse Geister) beruhen die Bezeichnungen für die auffliegenden Funken in Mantua *le strie*, in Corsica *le sdreghe*, d. h. 'le streghe', 'die Hexen'. – Zu dem Volksglauben, s. Rohlfs in Lengua y cultura (Madrid 1966), S. 130.

[551] Siehe ALF, Karte 1147. – Selbst das im Mittelalter als ältestes Ersatzwort für **vulpes** üblich gewordene *voupil* bzw. *goupil* (< **vulpiculus**) ist heute in Frankreich fast ganz verschwunden (FEW). – Letzte Reste dieses Wortes haben sich im frankoprovenzalischen Aosta-Tal (Piemont) erhalten; s. AIS, Karte 435.

[552] Durch die Tierfabel jedenfalls hat das Wort in Frankreich seine große Verbreitung erhalten. Daß *reinhard* schon vor der literarischen Verwendung im Roman de Renart als Tabubezeichnung vielerorts gebraucht wurde (s. Leo Spitzer, Arch. Rom. 24, S. 231), ist möglich und sogar wahrscheinlich. Eine Nebenform *reinal* ist ziemlich verbreitet im Languedoc und in der Auvergne: offenbar das Produkt einer Dissimilation (vgl. **arbor** > span. *arbol*).

[553] Nach Spitzer, AStNSp Bd. 136, 1917, S. 163ff.; s. dazu Anm. 555.

kunft von dem germanischen Namen nicht in Frage.[554] Doch ist, in Ermangelung einer besseren Erklärung, denkbar, daß das katalanische Wort eine Entlehnung aus dem Provenzalischen oder Französischen darstellt.[555] Es scheint ein Wort zu sein, das erst verhältnismäßig spät aus einem Argot oder aus der Jägersprache gemeingültig geworden ist.[556]

In den nördlichen Teilen des katalanischen Sprachgebietes (Roussillon, Cerdaña, Prov. Gerona) erscheint als Name des Fuchses *guilla*, für das männliche Tier *guillot*. Das Wort ist zweifellos zu verbinden mit port. *guilha* 'Betrug', altfranz. *guille (guile)* 'List', 'Trug', gask. *guilhe* 'tour joué' < fränk. w i g i l a 'List'.[557] Noch besser paßt das männliche *guillot* zu dem in einer französischen und provenzalischen Redensart begegnenden *Guillot*, vgl. *tel croit guiller Guillot que Guillot guille* (Dict. Gén.), prov. *tau crèi guihà Guihot que Guihot lou guiho* (Mistral II 109). So darf man also mindestens katal. *guillot* als eine dem *Renart* vergleichbare Personifikation auffassen.

Außerordentlich reich ist die Zahl der Bezeichnungen, die für den Fuchs in Sardinien verwendet werden (AIS, c. 435; ALSa, c. 57–58). Nur spärlich ist auf der Insel das alte v u l p e s vertreten *(gurpe)*. Aus den Forschungen von M. L. Wagner wissen wir, daß in den so stark voneinander abweichenden Mundarten

---

[554] Aus w i n a l d würde man katalanisch ein *guinàu* zu erwarten haben, vgl. katal. *cortàu* = franz. *courtaud, crapàu* = franz. *crapaud, Arnau* = ital. *Arnaldo*. Die Form des Suffixes *(-èu)* läßt Einfluß von *juèu* 'Jude' vermuten; vgl. auch katal. *garnèu* 'pfiffig'. – Die besondere Ansetzung eines weiblichen germanischen Personennamens W i n i h i l d scheint mir unnötig (s. auch FEW XVII, 587).

[555] Im Altfranzösischen ist *guinau(d)* nur ein einziges Mal belegt (Cour. Renart 3070ff.) in einer Bedeutung, die nicht ganz klar ist. Man hat das Wort interpretiert mit 'sot', 'gueux' (Godefroy), mit 'rusé', 'juif' (Spitzer a. a. O.), mit 'renard' (Tobler-Lommatzsch). – Der französische Argot kennt *guinal* 'Jude' (belegt bei Vidocq). Eine Bedeutung 'rusé' läßt sich für das Altfranzösische mit ziemlicher Sicherheit erschließen aus dem nach Mailand gewanderten *ghinald* 'astuto'. Als nächste Verwandte im Provenzalischen vgl. langued. *fa la guinèu* 'défier' (Mistral II 108), Aveyron *fa guinelo* 'faire le guet', 'se cacher pour épier' (Vayssier, Dict. 316).

[556] Ein älterer katalanischer Name des Fuchses war *guinarda* (belegt 15. Jh. bei Jordi de Sant Jordi). Weibliches *renart* ist im Altkatalanischen (bei Ramon Lull) belegt. Das weibliche Genus ist bedingt durch weibliches v u l - p e s der ältesten romanischen Schicht in Katalonien, wie schon Spitzer (a. a. O. S. 163) gesehen hat. Von hier aus versteht man auch das zunächst auffällige weibliche Geschlecht des heutigen *guinèu*.

[557] So schon Spitzer a. a. O. S. 163. – Die von anderer Seite vertretene Herleitung aus germ. w i s e l a 'Wiesel' (AM 6, 459) ist nicht wahrscheinlich, da das germanische Wort sonst nirgends in den romanischen Sprachen bezeugt und eine Verwechslung von Fuchs und Wiesel nicht gut denkbar ist.

der Insel nicht weniger als 10 verschiedene neue Benennungen im Gebrauche sind.[558] Von diesen dürfen einige mit Sicherheit als alte Personennamen aufgefaßt werden: *margiani* < M a r i a n e (in Sardinien ein Männername), *liori* < L i o r i (= L e o n e), *loḍḍe* < L o ḍ ḍ o. Das im mittleren Sardinien erscheinende *fraizzu* hat Wagner mit *fraizzu* 'schlau' ('astuto come un frate') identifiziert. Ein anderer Name *(mazzòne)* enthüllt sich als eine Anspielung auf den 'keulenförmigen buschigen Schwanz' *(mazza)* des Tieres. Im Norden der Insel vermeiden es die Hirten, den eigentlichen Namen des Fuchses auszusprechen: sie nennen das Tier 'con nome tabuistico' *s'animale* 'l'animale', *sa ukka mala* 'la cattiva bocca', *sa bestia maleditta*, *s'arresi* 'la brutta cosa'; auch *compare Groḍḍe, compare Giommaria* 'Jesu-Maria' (SALS, c. 58).

Eine ganz ähnliche Bezeichnung ist mir von den Hirten in Kalabrien bekannt: euphemistischerweise nennen sie den Fuchs *cummare Rosa* 'Gevatterin Rosa', auch *za Rosa* 'zia Rosa' oder einfach *Rosa*. Auch die französischen Jäger ziehen es vor, wenn sie auf die Fuchsjagd gehen, den eigentlichen Namen des Tieres durch einen Decknamen *(Bastien)* zu ersetzen. Wohl aus dem gleichen Grunde ist für den Fuchs in spanisch Galizien der Name *Pedro* üblich, in deutschen Mundarten *Loinl* = *Leonhard* (Oberpfalz), *Hanserl* (Österreich), *Langschwanz* (Salzburg), *blåfot* = *Schwarzfuß* in Schweden, *María* in Griechenland.[559] Damit wird offenbar, daß die Vielheit der neuen Namen in Sardinien dem Bedürfnis entspricht, den wirklichen Namen des gefürchteten Tieres zu vermeiden. Es sind Schöpfungen, die durch tabuistische Überlegungen hervorgerufen sind.[560] – Mannigfaltige Tabunamen für den Fuchs – neben dem Normalwort *volpe (golpe)* – finden sich auch auf der Insel Korsika. Das korsische Wörterbuch von Falcucci-Guarnerio bezeugt uns folgende Namen *predachia* 'bestia predace', *manghiazzona* 'la vorace', *puzzinosa* 'la puzzolente', *cagna* 'Hündin', *mamma-cara*.

Aus ähnlichen Gründen dürfte auch auf der Pyrenäenhalbinsel das lateinische v u l p e s in Vergessenheit geraten sein.[561] Abge-

---

[558] M. L. W A G N E R, *Die Bezeichnungen für 'Fuchs' in Sardinien*. In: Arch. Rom. 16, 1932, S. 501–514; s. auch Terracini, Saggio 127–130.

[559] Vgl. Handwörterbuch des deutschen Aberglaubens Bd. III S. 188.

[560] Vgl. Wagner a. a. O. S. 501ff. – Den Ersatz von *vulpes* durch *renard* hat bereits P. Lessiak (Zeitschr. für deutsches Altertum 53, 1911, S. 122) auf Wirkung des Tabu zurückgeführt.

[561] Ein letzter Rest ist in der Form *golpe* aus dem Galizischen bezeugt; vgl. den Ortsnamen *Golpeira* (Galizien). Auf v u l p i c u l a (vgl. altfranz. *goupille*) beruhen altspan. *gulpeja (vulpeja)* und port. *golpelha*; dazu gehören die Ortsnamen *Golpejar* (León), *Golpejera* (Salamanca), *Golpilleira* (Galizien).

sehen von den bereits behandelten katalanischen Namen *(guineu, guilla)* sind hier span. port. *raposa (raposo)* und span. port. *zorra (zorro)* zu erwähnen.[562] Ersteres Wort gehört zweifellos zu *rabo* 'Schwanz', wie deutlich aus altkastil. *rabosa* (13. Jahrh.), altkatal. *rabosa* und der noch heute in Katalonien und Aragonien üblichen dialektischen Form *rabosa* ersichtlich ist.[563] Erst durch den volksetymologischen Einfluß des Verbums *rapar* 'stehlen' ist das ältere *rabosa* zu *raposa* umgestaltet worden.[564] Zur Familie von *rapar* gehört auch astur. *rapiegu* 'Fuchs', vgl. altleon. *rapiego* 'rapaz' (DELC III, 1000). Was *zorra* betrifft, so ist sein Ursprung und seine etymologische Herkunft in Dunkel gehüllt. Gegenüber dem älter belegten *raposa (rabosa)* scheint es ein jüngeres Ersatzwort zu sein, das erst im 15. Jahrhundert in Erscheinung tritt. Mit großer Wahrscheinlichkeit darf man es für eine despektierliche oder tabuistische Bezeichnung[565] halten, vergleichbar dem Ersatz von franz. *goupil* durch *renard*, sardisch *gurpe* durch *mazzòne*: Corominas vermutet eine ältere Grundlage *zorra* 'animal vil', 'ramera'.[566]

In einigen Zonen des Languedoc wird der weibliche Fuchs *mandro* f. genannt, als 'mot injurieux' zweifellos identisch mit langued. *mandro* 'femme de mauvaise vie', 'personne rouée'; vgl. katal. *mandra* 'Faulheit': ein Wort unklarer Herkunft; s. Bambeck, RLiR 31, 1967, 297 und FEW VI, 136.

---

[562] In Spanien ist die Verteilung der beiden Wörter so, daß *zorra* in Andalusien und Kastilien gilt, während *raposa* im mittleren Westen und im Norden (Galizien, Asturien, Navarra) üblich ist; vgl. dazu die Ortsnamen *Raposera* (öfter in Provinz Cáceres), *Raposeras* (Salamanca).

[563] Die auf Mallorca gültige Form *rabóa* zeigt den normalen Verlust des intervokalischen *s*, vgl. mall. *acuar = acusar, filoa = filosa.*

[564] Diese (m. E. richtige) Erklärung hat L. Spitzer gegeben in seiner Abhandlung *Lexikalisches aus dem Katalanischen* (Genève 1921). Die Beziehung zu *rabo* hatte bereits Covarrubias erkannt. Ihm folgt Diez in seinem etymologischen Wörterbuch (1861) S. 167. Die Bedeutung wäre also 'Tier mit dem großen Schwanz'; vgl. das oben genannte sard. *mazzona* und österr. *Langschwanz.*

[565] In Argentinien vermeidet man den Namen des Fuchses *(zorro)* und ersetzt ihn durch *bicho*; in der Provinz Almería sagt man *bicha* (Alvar, DL 123). Als Tabuwort gilt *garcía* in Alava und in der Rioja, das auch die Bedeutung 'moza perdida y depravada' hat (Iribarren, Voc.). Für Andalusien nennt der ALEAnd (Karte 434) folgende euphemistische Namen: *comadre, comadrica, mariquita, señorita, Juanita, María García.*

[566] Siehe dazu die ausführliche Diskussion des Problems (mit Abweisung älterer Deutungen) durch Corominas, DELC IV, 865–867. Hier wird gezeigt, daß *Zorro* schon im 13. Jahrh. in Galizien und Portugal als Personenname bezeugt ist. – Auch das andalusische *matula* 'zorra' (ALEAnd, Karte 434) scheint ursprünglich 'animal vil' bedeutet zu haben.

XVIII. GROBE VOLKSSPRACHE
(Langage populaire)

§ 127. Ein Beispiel für das Aufkommen derber Ausdrücke ('Kraft-wörter') aus den unteren Volksschichten liefert uns die Bezeich-nungsgeschichte von 'Kopf' (s. Karte 90). So wie in den heutigen romanischen Sprachen neben dem offiziellen Wort gröbere Wörter des Argot im Gebrauch sind (franz. *pomme, poire, melon, citron, citrouille, boule, tronche,* ital. *zucca, cucuzza, borella,* span. *olla, calabaza,* rum. *diblă* 'Geige', *tidvă* 'Kürbis', *ciutură* 'Eimer' usw.), so dürfen wir solche Kraftwörter auch in früheren Zeiten voraus-setzen.[567] Altes c a p u t hat sich erhalten als *cap* in Rumänien, *capo* in Mittel- und Süditalien, in begrenztem Umfang in Ober-italien (lomb. *cò,* friaul. *ciaf*), südfranz. *cap,* katal. *cap,* rätorom. *chiau* oder *cheu.*[568]

Das Spanische und Portugiesische kennt seit den ältesten Tex-ten c a p u t nur noch in übertragener Bedeutung (*cabo* 'Ende', 'Kap', 'Schiffstau'). An seine Stelle ist als Name des Körperteils *cabeza* (span.), *cabeça* (port.) getreten. Es beruht auf lat. c a p i -t i u m 'Kopföffnung der Tunika', eine Bedeutung, die noch den mittelalterlichen Fortsetzern dieses Wortes in Frankreich eignet: altfranz. *chavez,* altprov. *cabetz.*[569] Andere Bedeutungen, wie z. B. ital. *cavezza* 'licou', altprov. *cabessa* 'dossier d'un lit', gask. *cabessa* 'Pflughaupt',[570] prov. *cabetz* 'Kopfende des Bettes' lassen vermuten, daß die hispanoromanische Bedeutung des Wortes durch die gröbere Volkssprache vom Tier ('Kopfstück') oder aus der unbelebten Welt auf den Menschen übertragen worden ist.

Deutlicher erkennt man den Ausgangspunkt eines anderen Ersatzwortes. Von seiner ursprünglichen Bedeutung 'irdenes Ge-

---

[567] Siehe auch Anm. 576.
[568] In Süditalien ist *capu* weiblichen Geschlechts, z. B. kalabr. (Prov. Co-senza) *se grattare la capu,* napol. *cu a capa* 'col capo'. – Da in Kampanien *(le ccapo)* und in Kalabrien *(le capu)* die gleiche Pluralflexion üblich ist, wie sie für südital. *la manu* (plur. *le manu*) gilt, ist klar, daß c a p u t im regiona-len Vulgärlatein Unteritaliens nach der 4. Deklination flektiert wurde: illa capus — illae c a p u s. Über die Ursache des Genuswechsels, s. Verf., HGI § 354.
[569] Siehe FEW II, S. 260ff.
[570] Die gleiche Bedeutung gilt auch für *cabeza* in Andalusien und Teneriffa, ebenso für port. *cabeça* (Alvar, DL 90).

fäß', 'Tonscherbe' war testa seit dem 4. Jahrhundert zur Verwendung im Sinne von 'Hirnschale', 'Schädeldecke' (Prudentius,
Ausonius) gelangt.[571] In Frankreich vollzieht sich die Ablösung
des älteren *chef (chief)* durch *teste* zwischen dem 12. und 16. Jahrhundert.[572] Unter französischen Einflüssen dürfte *testa* auch in
Italien das ältere *capo* zurückgedrängt haben.[573] Das Wort gilt
hier hauptsächlich für den Norden, ohne die Lombardei *(cò)* und
Friaul *(ciaf)*. Von der Romagna und der Pentapolis hat sich
testa über die zum Kirchenstaat gehörigen Gebiete Umbriens bis
nach Rom ausgebreitet. Doch hält die Toskana an *capo* fest.[574]
Völlig losgelöst von seinem galloromanischen Kerngebiet hat sich
testa unter dem Einfluß der oberitalienischen Einwanderer in
den Koloniallandschaften des äußersten Südens festgesetzt: siz.
und südkalabr. *tèsta*.[575] In Spanien ist das einst gebräuchliche
tiesta (belegt im Cidepos, bei Berceo, im Alexanderroman usw.)
durch *cabeza* völlig verdrängt worden.

Andere affektische Kraftausdrücke sind regional beschränkt
geblieben. Wir erwähnen sard. *conca* im gesamten Bereich des
Sardischen (< conca 'Muschel'), abruzz. *coccia* (eigentlich 'Mu-
schelschale'), in Latium *capoccia* (eigentlich 'großer Kopf').[576]

§ *128.* Das lateinische Verbum edere ist schon im älteren Vulgärlatein durch comedere ersetzt worden. Dieses Verbum war

---

[571] Vgl. deutsch *kopf* aus lat. cuppa.

[572] Siehe WARTBURG FEW II, S. 345. – In der Gascogne und Ariège bedeutet *tèsto* 'front de la tête'; ebenso port. *testa*, und tosk. (in einigen Zonen)
testa, s. Jaberg, Aspects 59. Für rum. *ţeastă* gilt die Bedeutung 'Hirnschale'.

[573] Nach Jaberg: *testa* 'tête' est une innovation de la France du Nord (Aspects 59).

[574] In Florenz sind *capo* und *testa* nebeneinander gebräuchlich; letzteres ist
vulgärer. Den Tierkopf pflegt man in der ganzen Toskana mit *testa* zu benennen: *una testa di agnello*. – In der westlichen Toskana (Garfagnana Lunigiana, Versilia, prov. Livorno, Elba) ist *testa* bereits dominierend (AIS, K. 93)
und ALI, K. 'capo'; vulgärtosk. (auch Corsica) gilt *chiocca*.

[575] Siehe AIS Karte 93. – Im nördlichen Kalabrien und im Neapolitanischen bezeichnet *tèsta* den 'Blumentopf'.

[576] Für das Vulgärspanische nennt Alvar (DL 89) u. a. *mollera, crisma,
pelota, cholla, coca, melón*. Über populäre und humoristische Bezeichnungen
in Portugal (72 Typen!), s. LÚCIA M. DOS SANTOS MAGNO, Áreas lexicais em
Portugal e na Italia, Coimbra 1961, S. 58; für Kolumbien s. LUIS FLÓREZ,
Léxico del cuerpo humano en Columbia (Bogotá 1969); für Rumänien s.
PUŞCARIU 240, JORDAN 368 und J. JORDAN, Les dénominations du crâne
d'après l'Atlas linguistique roumain (I, 7), BL 8, 1940, 95–141. Aus dem
hispanischen Amerika bringt K. Baldinger 160 affektive Bezeichnungen in
Anuario de Letras (México), 6, 1964, S. 25–56.

gröber als edere: es entsprach etwa dem deutschen Begriff 'aufessen'.[577] Nur auf der Pyrenäenhalbinsel ist comedere erhalten geblieben: span. *comer*, port. *comer*. Ein noch gröberes Wort wurde ihm anderswo zum Verhängnis: manducare 'kauend fressen' (s. Karte 91). Als Ersatzwort für 'edere' ist es seit dem ersten Jahrh. n. Chr. belegt: für die Sprache des Kaisers Augustus hat uns Sueton den Ausspruch *duas buccas manducavi* überliefert. In den romanischen Sprachen hat es in der vulgären Variante mandicare eine viel weitere Verbreitung gefunden als comedere: franz. *manger*, prov. *manjà* (altprov. *manjar*, *menjar* und *minjar*), katal. *menjar*, sard. *mandicare (manicare*, *manigare)*, rum. *mînca*. Ein Lehnwort aus dem Provenzalischen ist das spanische Substantivum *manjar*.[578] Was Italien betrifft, so kennen die alten Texte *manducare*, *mandicare*, *manucare* und *manicare*, doch sind diese alten einheimischen Formen auf der ganzen Halbinsel so gut wie völlig verdrängt[579] worden durch den Gallizismus *mangiare* (dial. *magnare*) < *manger*.[580] Eine selbständige Entwicklung zeigt das südliche Sardinien, indem es das schon bei Plautus belegte Kinderwort pappare (> *pappai*) zum Ausdruck der allgemeinen Sprache gemacht hat.[581] Endlich hat sich ein anderes grobes Wort, das von spätlatein. magulum (spätgriech. μάγουλον 'Backe') abgeleitet ist, in der Form *magliar* im westlichen Graubünden behauptet.[582] – Siehe dazu § 151.

---

[577] Im Lateinischen stand es ursprünglich in Parallele zu ebibere 'austrinken', vgl. bei Terenz *quid comedent, quid ebibent*! (Heaut. 2, 3, 14).

[578] Corominas, DELC. Auch das auffällige *menjar (minjar)* in Katalonien, *minchar* in Aragon steht in Abhängigkeit von altprov. *menjar (minjar)*; vgl. dazu gask. *minjà*, altpicard. *mengier*, und noch heute in der Pikardie und in Belgien *mengi* (ALF 809): mit unerklärtem Vokalismus.

[579] Die Form *manicare* soll in der Provinz Lucca noch am Leben sein (s. Parducci, in Studi Rom. 2, 114). Für Elba ist mir *manducá* bezeugt worden. In Kalabrien ist *manocá* noch ganz sporadisch erhalten (Verf., DTC).

[580] In den stammbetonten Formen hat sich das lateinische *ū* längere Zeit erhalten: altfranz. *manjue*, altprov. *manjua*, altkatal. *menuga* (AM, VII, 216), altital. *manduca (manuca)* 'il mange'.

[581] In Rumänien *(păpa)* und Italien *(pappare)* ist das Verbum nicht über den Gebrauch in der Kindersprache hinausgelangt. Über *papar* im westlichen Spanien, s. Alvar, DL 65.

[582] In Italien erscheint dies Verbum in den 'dialetti prealpini' (Prov. Brescia, Como, Trento) als *majar, majà*, in den waldensischen Tälern (Piemont) als *maglià* 'mangiare' (riferito alle bestie); s. AIS, K. 1166. – Nach einer neueren Deutung wäre das Verbum als 'Kraftwort' mit altital. *magliare* 'battere con mazzuolo' als Ableitung von malleus 'Hammer', 'Holzschlägel' aufzufassen; s. A. G. Genre, AGI 52, 1967, 55ff. – Nicht absolut überzeugend.

§ 129. Andere Ursachen der lexikalischen Erneuerung hängen zusammen mit dem Phänomen der Homonymie. Seit der Begründung der französischen Sprachgeographie durch den Schweizer Jules Gilliéron wissen wir, daß das Zusammentreffen zweier verschiedener Wörter in der gleichen Lautform als störend für die sprachliche Mitteilung empfunden wird.[583] So wie im Deutschen die etymologisch verschiedenen Wörter *Schnur* 'cordon' und *Schnur* 'Schwiegertochter' , 'belle-fille' auf die Dauer nebeneinander nicht bestehen konnten, so hat im Französischen das mittelalterliche *moudre* 'melken' sich zurückgezogen vor dem gleichlautenden *moudre* 'mahlen' mit der Wirkung, daß ersteres durch *traire* ersetzt wurde. In der Gaskogne ist gallus 'Hahn' durch andere Ausdrücke abgelöst worden, weil es mit dem Worttyp gattus 'Katze' lautlich völlig zusammengefallen war.[584] Im heutigen Französischen wird *il a crû* wegen der Kollision mit *il a cru* meist durch *il a poussé* ersetzt.

Weitere bekannte Fälle sind der Zusammenfall von *pois* 'Erbse' mit *pois* 'Fisch' (ersetzt durch *poisson*), *nouer* 'knoten' mit *nouer* 'schwimmen' (ersetzt durch *nager*), *reine* 'Königin' mit *raine* 'Frosch' (ersetzt durch *grenouille*); in Südfrankreich *clau* 'Schlüssel' mit *clau* 'Nagel' (ersetzt durch *clavel*). In der Normandie hat sich das ältere *musser* (altfranz. *mucier*) gegenüber dem modernen franz. *cacher* behaupten können, weil *cacher* hier dem franz. *chasser* entspricht. In Italien ist assis 'Brett' mit axis 'Achse' in der gemeinsamen Form *asse* zusammengetroffen, so daß die

---

[583] Über die Bedeutung der Homonymie als linguistisches Phänomen, s. besonders ELISE RICHTER, Über Homonymie (in Festschrift für P. Kretschmer, Wien 1926, S. 167–201). – Gegen einseitige und übertreibende Anwendung der Homonymie in der Methode von Gilliéron wendet sich Meyer-Lübke (RLiR I, 1925, S. 24).

[584] Bedingt ist dieser Zusammenfall dadurch, daß auslautendes *-ll* in der Gaskogne zu *t* geworden ist: pellis > *pèt*, bellus > *bèt*, vallis > *bat*. So fand sich gat 'Hahn' neben gat 'Katze'. Als Ersatz für gat 'Hahn' haben sich folgende regionale Neuschöpfungen eingestellt: *pout* (pullus), *hasâ* 'faisan' und *biguè* 'viguier'. – Siehe dazu J. GILLIÉRON et MARIO ROQUES, *Etudes de géographie linguistique* (Paris 1912) S. 121 ff. – In der Gaskogne ist gallus nur dort erhalten geblieben, wo altes *ll* sich anders entwickelt hat, z. B. in dem Pyrenäendialekt der Vallée d'Aspe: gač 'Hahn' neben gat 'Katze'.

Benennungen neu geregelt werden mußten, indem *asse* für einen
der beiden Begriffe verblieb (nordit. für 'Brett', südit.
für 'Achse')
oder in beiden Fällen ersetzt wurde: römisch und toskanisch
tavola und *sala*. In Spanien hat die Kollision von a v i s mit a p i s
zum diminutiven *abeja* geführt; über Rumänien s. Jordan 195. –
Über die Kollision von b e l l u m mit b e l l u s 'beau' *(bellum non
est bellum)*, s. § 79.

§ *130*. Ich gebe im folgenden ein bisher wenig beachtetes Beispiel für das, was man 'détresse sémantique' nennt, aus dem
Italienischen (s. Karte 92). Während in Frankreich und auf der
Pyrenäenhalbinsel das Verbum v i v e r e 'leben' ungemindert sich
erhalten hat, ist es in der Südhälfte von Italien völlig verloren
gegangen. Dieser Verlust erstreckt sich nach Norden bis zur ungefähren Linie Orbetello–Perugia–Ancona.[585] In diesen Gebieten ist *vivere* ersetzt worden durch *campare*. So sagt man in Kalabrien *chi campa vide* 'chi vivrà vedrà', *campa male* 'vive male',
nu campa cchiù 'non vive più'. Das Verbum *campare* ist auch
anderen italienischen Provinzen nicht unbekannt, doch hat es
dort eine engere Verwendung im Sinne 'mühsam leben', 'sich
durchs Leben schlagen' ('vivere alla meglio'): *campa d'elemosina*.
Nur im südlichen Italien ist es völlig an die Stelle von 'vivere'
getreten. Das hat seine besonderen Ursachen. Nur in Süditalien
ist durch lautliche Entwicklung v ī v e r e 'leben', teils völlig, teils
nur in einigen Verbalformen, zusammengefallen mit b ĭ b e r e
'trinken': In Sizilien bedeutet *víviri* 'trinken'; in Kalabrien entspricht *vive* einem toskanischen *beve*. In Neapel versteht man
addovə vivə? als 'wo trinkst du?'[586] Der Zusammenfall von
v i v e r e und b i b e r e gilt auch für Sardinien. Hier mußten (mit
Ausnahme von einigen Zonen) beide Verba das Resultat *biere*
ergeben. Man hat den Zwiespalt in diesem Fall dadurch gelöst,

---

[585] Die Abgrenzung auf der Karte 92 erfolgt nach den unveröffentlicht gebliebenen Materialien des AIS, basierend auf dem Satz *vive sola soletta*, die
mir Karl Jaberg in liebenswürdiger Weise zur Verfügung gestellt hat.

[586] Der Zusammenfall von v i v e r e mit b i b e r e ist dadurch bewirkt, daß in
Süditalien *b* zu *v* geworden ist, vgl. kalabr. *vucca* 'bocca', *vòe* 'bue', *varva* 'barba'. Dazu kommt der lautliche Zusammenfall von ī mit ĭ im äußersten Süden
(kal. *site* 'sete'), während in den nördlichen Zonen des Südens ĭ nur durch Um-
laut zu *i* geworden ist, also neap. *tu vivə* 'tu bevi', aber *issə vevə* 'egli beve'. –
Die in Karte 92 eingetragene Linie zeigt die Nordgrenze der Maximalverbrei-
tung des Wandels von *b* > *v*- nach den Karten des AIS: *bue, bocca, barba,
beverei*.

daß man *biere* 'trinken' weitgehend durch das Wort der Kindersprache *buffai (buffare)* ersetzt hat.[587]

Noch eine andere romanische Sprache hat das lateinische Verbum vivere untergehen lassen. Im Rumänischen wird der Begriff 'leben' ausgedrückt durch das Verbum *trăi*, ein slavisches
Lehnwort.[588] Das hängt, wie Puşcariu erkannt hat, damit zusammen, daß im älteren Rumänischen das einst vorhandene Verbum
vie (vivere) in einigen seiner Flexionsformen mit dem Verbum
venire, zusammengefallen war, z. B. *viu* 'ich lebe' und *viu* 'ich
komme'. Erst in dem Augenblick, als das alte *vie* durch die 'Ab-
nützung seiner Lautgestalt krank geworden ist, hat das neue *trăi*
– ursprünglich ein zaghaftes Synonym von ihm – angefangen
sich durchzusetzen'.[589]

Der Zusammenfall von *b* und *v* in dem süditalienischen Ergebnis *v* ist auch dem Wort basium zum Verhängnis geworden,
das in der Form *vasu* mit *vasu* 'Nachtgeschirr', 'orinale' zusammengetroffen ist. Das hat dazu geführt, daß in Sizilien und Kalabrien *vasu* 'Kuß' durch die affektischen Bezeichnungen *vasuni*
'bacione' und *vasata* ersetzt worden ist (AIS, Karte 68).

Auch im Bereich des Spanischen fehlt es nicht an solchen Konsequenzen. So ist z. B. das altspan. *cama* 'Bein' (Cid) verloren
gegangen, weil es mit *cama* 'Bett' zusammengetroffen ist.[590] Gegenüber der außerordentlichen Lebenskraft von genuculum
'Knie' in allen romanischen Sprachen fällt auf, daß im Kastilischen seit dem 16. Jahrhundert das ältere Wort, mit dem man
einst das Knie bezeichnete *(hinojo)*, ersetzt worden ist durch ein
anderes Wort, das eigentlich die Kniescheibe bezeichnete: *rodilla*
(rotella). Es kann wohl kein Zweifel darüber bestehen, daß daran
schuld ist das lautliche Zusammentreffen mit einem anderen spanischen Wort, das den Fortsetzer von fenuculum 'Fenchel' bildet: kastil. *hinojo*. Tatsächlich ist außerhalb des Kastilischen, wo
andere Lautsetze herrschen, das alte Wort für 'Knie' erhalten
geblieben, z. B. arag. *chenullo* 'Knie' neben *fenullo* 'Fenchel'.[591] –

---

[587] In einigen Zonen in Sardinien ist bibere mit vídere (> *biri*) zusammengefallen. Daraus erklärt M. L. Wagner das Aufkommen von *buffai* im
Campidano (Hist. Lautlehre des Sardischen, 1941, S. 46 Anm. 1).

[588] Die ursprüngliche Bedeutung des slavischen Wortes ist 'dauern' (serbokr.
trajati); bulg. *traja* 'Dauer haben', 'leben'.

[589] Siehe Puşcariu 245.

[590] Dagegen hat sich auf der Pyrenäenhalbinsel *cama* 'Bein' dort erhalten,
wo *cama* 'Bett' nicht bekannt ist, z. B. in Katalonien: *cama* 'Bein' — *llit* 'Bett'.

[591] Die Bedeutung der Homonymie in diesem Fall ist schon von Meyer-
Lübke (WS XII, 1) erkannt worden; ebenso urteilt Corominas (DELC IV,
81). Die Situation einer 'détresse sémantique' wird von Piel (RF 66, 1955, 169)

In den spanisch sprechenden Ländern Amerikas, wie auch im südlichen Spanien hat der sogenannte 'seseo', d. h. der lautliche Zusammenfall des alten *c (cena, cebolla)* mit dem *s*, manche ähnliche Konsequenzen hervorgerufen. So ist z. B. zwischen *cazar* 'jagen' und *casar* 'heiraten', zwischen *cocer* 'kochen' und *coser* 'nähen' kein lautlicher Unterschied. Infolgedessen hat der Deutlichkeitsdrang zu neuen Ausdrucksweisen geführt. So wird *cocer* 'kochen' in Amerika gern durch *cocinar* ersetzt, während für *coser* 'nähen' *costurar* (Mexiko, Honduras) gebraucht wird. Statt zu sagen *me voy a cazar* zieht man vor *me voy a cacería*.[592]

Ein Beispiel, das für mehrere romanische Sprachen gelten kann, betrifft die Entwicklung von lat. oleum 'Öl'. In Spanien, Portugal, Katalonien, Frankreich, Norditalien und Graubünden mußte dieses Wort mit den Vertretern von oclu 'Auge' zusammentreffen. Um die Homonymie zu vermeiden, wurde oleum teils in latinisierender Form vorgezogen (ital. *olio*, franz. *huile*, katal. *oli*), teils durch ein arabisches Wort *(aceite)* ersetzt; s. DELC I, 20.

---

bezweifelt. Natürlich hat es nie ein wirkliches Mißverständnis gegeben in Phrasen wie *me duele el hinojo, ponerse de hinojos*, aber man vermied das Wort, weil es lächerlich wirken konnte, zu gunsten von *rodilla*, das als Synonym von *inojo (hinojo)* bereits vorhanden war (Alvar, DL 106). Auch im Deutschen war ein Satz *heute wird meine Schnur* ('belle-fille') *kommen* nicht absolut mißverständlich, aber ein solcher Ausdruck mußte komisch klingen.

[592] Siehe M. L. WAGNER, *Lingua e dialetti dell'America Spagnola* (Firenze 1949) S. 44.

XX. PHONETISCHER NOTSTAND
(Détresse phonétique)

§ *131.* Ohne daß es zu einer absoluten Homonymie kommt, können zwei Wörter in eine lautliche Situation gelangen, die eine klare Unterscheidung im alltäglichen Sprachgebrauch schwierig macht. In Frankreich sind die beiden Monatsnamen j u n i u s und j u l i u s in eine sehr enge lautliche Nachbarschaft geraten (altfranz. *juing* und *juil*) mit dem einzigen Unterschied, daß das eine Wort mit einem palatalen *n*, das andere mit einem palatalen *l* endete. Die lautliche Undeutlichkeit ist schon in altfranzösischer Zeit dadurch behoben worden, daß man auf den *juing* einen *juignet* 'un juin cadet', 'juin le petit', d. h. den Nachkommen des Juni (altfranz. gelegentlich *juin le grand* genannt, s. Littré) folgen ließ.[593] – Ganz ähnlich ist die Lösung des lautlichen Konfliktes in den spanischen Mundarten von Galizien und Asturien, wo Juni und Juli in folgender Weise mit Suffixen oder durch eine Ordinalzahl unterschieden werden: *xunu* und *xunetu, xunu* und *xunicu, šunidón* und *šunidín, xunu primeru* und *xunu postreru*.[594] – Ebenso erklärt sich die Unterscheidung in neugriechischen Mundarten mit 'erster' und 'zweiter' Juni (Juli), z. B. Kreta *protúlis* und *defterúlis*, Rhodos *protòlis* und *defteròlis*, Zypern *protojúnis* und *defterojúnis*, bei den Griechen in Kalabrien *protojúni* und *storojúni* (LexGr 187).

§ *132.* Aus der Situation eines einstigen Notstandes erklärt sich auch die merkwürdige aus verschiedenen Verben gebildete Flexion von franz. *aller* und ital. *andare.* Das lateinische Verbum i r e hat in den romanischen Sprachen ein ungewöhnliches Schicksal gehabt.[595] Es ist das einzige lateinische Verbum, von dem man

---

[593] Durch lateinische Einflüsse ist *juignet* in Frankreich zu *juillet* umgeformt worden. Die altfranzösische Form ist aus der Zeit der Normannen als *giugnettu* in Sizilien und im südlichen Kalabrien erhalten geblieben. – Ähnlich erklärt sich das diminutive Suffix in katal. *juliol.*

[594] Siehe DÁMASO ALONSO, *Junio* y *julio* entre Galicia y Asturias, RDTP I, 1945, 429–454.

[595] Wir beschränken uns hier auf die Darstellung des Präsens. Zu Italien verweisen wir auf die Arbeit von H. MARKUN, Ital. *ire* und *andare.* Diss. Zürich 1932.

sagen kann, daß es als 'verbum moriturum' doch verstanden hat,
seinen völligen Untergang mit Hilfe eines Adoptivsohnes mehr
oder weniger lange zu verhindern. Seit dem 4.–5. Jahrhundert
ergibt sich aus lateinischen Texten für das Präsens folgende
Flexion: vado, vadis, vadit, imus, itis, vadunt. So flektiert das Verbum z. B. in den Vitae Patrum.[596] Diese Flexion bedeutet, daß die einsilbigen Formen des Präsens (eo, is, it, eunt)
in der Volkssprache früh verlorengegangen sind. Das hängt damit zusammen, daß diese kurzen Formen keinen tragfähigen
Stamm enthielten: sie mußten eher den Eindruck von Endungen
machen, die eines Verbalstammes entbehrten. Infolgedessen
wurden diese wenig lebenskräftigen Formen aushilfsweise ersetzt
durch Formen des Verbums vadere.[597] Es blieben dagegen erhalten die zweisilbigen Formen des Verbums ire, d. h. imus
(heute z. T. durch eamus ersetzt) und itis. Diese Art der Flexion gilt noch heute für ganz Süditalien (Karte 93); sie reicht
nach Norden bis Umbrien und in die Marken.[598] Wir geben
einige Beispiele:

Umbrien (Norcia) *vo, va', va, imo, ite, vuò.*
Marken (Frontone) *vo, vae, va, gimo, gite,*[599] *vanno.*
Latium (Ronciglione) *vo, vai, va, jamo,*[600] *jate,*[600] *vanno.*
Kampanien (Formicola) *vavu, vai, va, jammǝ, jatǝ, vannǝ*
Kalabrien (Briático) *vaju, vai, vaci, jamu, jati, vannu.*
Sizilien (Mistretta) *vai, vai, va, imu, iti, vanu.*[601]

Die gleiche Flexion findet sich im ladinischen Alpengebiet der
Dolomiten, z. B. im Fassa-Tal: *vae, vas, va, gion, gide, van*[602];

---

[596] Siehe J. Wackernagel, Nachr. der Göttinger Gesellschaft der Wissenschaften 1906, S. 181ff.; J. B. Hofmann, IF 43, S. 96ff.
[597] In der Vulgata fehlen die Formen *is* und *it*; sie sind durch *vadis* und *vadit*
ersetzt. Es fehlt auch der Imperativ *i*; an seiner Stelle findet man 181mal *vade*.
Dagegen ist der Imperativ *ite* an 68 Stellen belegt. Siehe dazu E. Löfstedt,
Syntactica, Bd. II S. 38. – Auch in der Peregr. Aetheriae sind die einsilbigen
Formen von *ire* nicht existierend. An dessen Stelle erscheinen Formen von
vadere; siehe Löfstedt, *Phil. Kommentar zur Peregrinatio*, S. 288.
[598] Siehe AIS, Karte 1692.
[599] Der *g*-Anlaut ist bedingt durch die Entwicklung der Konjunktivform
eamus > giamo; s. Verf., HGI, § 545.
[600] Diese Formen beruhen auf den alten Konjunktivformen eamus, eatis.
[601] In Sizilien (Nordosten der Provinz Messina) ist *annari* durch die nord-
italienische Kolonisation bedingt; s. Aebischer, SLI II, 1961, 13. In altsizi-
lianischen Texten 'andari è certo forma letteraria' nach Bonfante (BCSic, VI,
201). – Im südlichen Apulien (Salento) hat das Verbum *annare (andare)* eine
besondere Bedeutung angenommen im Sinne von 'cercare' (VDS).
[602] Siehe Th. Elwert, *Die Mundart des Fassa-Tals* (Heidelberg 1943)
S. 161.

ähnlich im Engadin (AIS, c. 1692). Dies war auch die Flexion im Altspanischen: *voy, vas, va, imos, ides (is), van*; und noch im älteren Portugiesischen. Auf der Pyrenäenhalbinsel hat sich diese gemischte Form der Flexion noch im Galizischen und in einigen kleinen Zonen im äußersten Norden von Portugal (Minho) erhalten, vgl. gal. *vou, vas, vai, imos, is (ides), van*; siehe dazu V. García de Diego, Manual de dialectología española (1946) S. 117; Leite de Vasconcellos, Opúsculos, vol. II, 1928, S. 217 und 325.[603]

In anderen romanischen Sprachen hat das defektiv gewordene Verbum i r e weitere Einbuße erlitten. Dem Untergange verfallen, mußten die bisher erhalten gebliebenen Formen des Verbums ihrerseits ersetzt werden. Und nun rückte an die freigewordenen Stellen jenes neue Verbum ein, das in Frankreich in der Form *aller* (in Friaul *lar*) erscheint, in Italien als *andare* (im Norden z. T. *anar*), in Südfrankreich und Katalonien als *anar*.[604] Und so erklärt es sich, daß dies neue Verbum nur in jenen Personen auftritt, für die wir uns in einer früheren Periode, die literarisch nicht mehr greifbar ist, Formen des Verbums i r e denken müssen.

Nordfrankreich: *je vais, tu vas, il va, nous allons, vous allez, ils vont*

Friaul (z. B. in Forni Avoltri): *voi, vas, va, lin, lais, van*[605]

Südfrankreich: *vau, vas, va, anan, anas, van*

Katalonien: *vaig, vas, va, anam* (moderner *anem*), *anats* (> *anau), van*[606]

Italien: *vado, vai, va, andiamo, andate, vanno.*

Oberitalien (Trentino): *vago, vai, va, nem, nè, va.*

In anderen Teilen der Romania ist durch analogischen Ausgleich die ältere Zweistämmigkeit des Verbums beseitigt worden.[607] So hat Sardinien das neue Verbum *andare* allen Personen

---

[603] Bemerkenswert ist die Erhaltung des alten Verbums im präsentischen Konjunktiv in einem Pyrenäental der Gascogne (Vallée d'Aspe): *que jéy, jés, jé, jam (jém), jats (jéts), jén.*

[604] Dazu kommen im rätoromanischen Rheintal Restformen eines defektiv gebliebenen Verbums *mar*, die in der Präsensflexion genau der Funktion von *aller* und *andare* entsprechen: *mon (von), vas, va, main, mais, van* (AIS, c. 1692); dazu als Imperfektum *mava* = ital. *andava.*

[605] Die friaulischen Formen *lin* und *lais* setzen ein älteres *alin* 'allons' und *alais* voraus. Zu diesen Formen gehört als Infinitiv *lar* (< *alar*).

[606] Nach Guiter (RLaR 72, 1957, 342) wäre für kat. *anar* ein *amnare* nicht denkbar wegen damnare > danyar, seminare > sembrar, femina > fembra. Daß dies keine absolute Regel ist, zeigt *dona* aus domna.

[607] Ganz eigene Wege ist das Rumänische gegangen. Hier ist (außer dem Istrorumänischen) i r e ganz verloren gegangen. Es findet sich hier aber auch keines der Verben, die in den anderen romanischen Ländern an seine Stelle

zugrunde gelegt: *andu, ándasa, ándata, andámus, andáis, ándan-ta.* Ähnlich hat in neuerer Zeit Spanien[608] und Portugal auf der Grundlage von v a d e r e sich eine neue Flexion geschaffen: span. *voy, vas, va, vamos, vais, van.*[609]

Was den etymologischen Ursprung von *aller* und *andare* betrifft, so ist nicht daran zu zweifeln, daß französisch *aller* latein. a m b u l a r e > *allare* (vgl. in den Glossen von Reichenau t r a n s g r e d e r e : u l t r a a l a r e) fortsetzt. – Italienisch *andare* scheint (in norditalienischer Entwicklung) auf einem *a m b i t a r e zu beruhen (s. REW, FEW). Diese Grundlage wurde zuletzt verteidigt von Bonfante (SLI, IV, 1964, S. 160–169). Dagegen spricht, daß in den lateinischen Urkunden des Mittelalters von diesem *a m b i t a r e keine Spur zu entdecken ist. Vielmehr erscheint hier v a d o ersetzt durch a m b u l a r e genau entsprechend dem ital. *vado: andiamo,* franz. *je vais: nous allons* (s. Aebischer, SLI, IV, 1964, 171–185). Noch weniger kann *a m b i t a r e für prov. kat. gask. *anar* in Frage kommen. So spricht die größere Wahrscheinlichkeit für eine monogenetische Grundlage: a m b u-l a r e wie sie zuletzt von Aebischer (SLI, II, 1962, 3–23) und Corominas (DELC) vertreten worden ist. Für *anar* genügt es, ein assimiliertes a m n a r e (aus *a m l a r e) anzunehmen, das tatsächlich als a m n a v i t in einer Inschrift von Karthago bezeugt ist (Diehl, Lat. altchristl. Inschriften, No. 270) und als direkte Grundlage für mazedorum. *imnar* (= rum. *umbla*) und rätoromanische Formen vorausgesetzt werden kann: *main* 'wir gehen' (*a m n e m u s), *mava* = ital. *andava* (s. Anm. 604). Das würde bedeuten, daß ital. *andare* (in Oberitalien z. T. *anar*) und span.

---

getreten sind. Hier ist vielmehr m e r g e r e 'eintauchen' über die Bedeutung 'untertauchen', 'weggehen' zum herrschenden Ausdruck geworden *(merge).* Eine andere Ersatzform wurde aus d u c e r e gewonnen: *mă duc* 'ich gehe' (me d u c o); vgl. schon lateinisch *se duxit foras* (Terentius), *duc te in domum* (Itala).

[608] Für Spanien und Portugal muß bemerkt werden, daß *andar* keineswegs genau dem ital. *andare,* franz. *aller* entspricht. Es hat hier eine semantische Sonderfunktion, z. B. span. *voy andando* 'je vais à pied', port. *vamos andando* = ital. 'tiriamo avanti'. Tatsächlich ist das Verbum *andar* in Spanien und Portugal unabhängig vom Flexionsschema des Verbums v a d o : i r e. Es führt ein isoliertes Leben; s. Bonfante, SLI, IV, 1964, 164. – Das Gleiche gilt für die rumänischen Fortsetzer von a m b u l a r e *(umbla, imnar):* sie haben die alte Geltung des lateinischen Verbums bewahrt, im Sinne von franz. 'marcher', engl. 'to walk'. Sowohl in Spanien-Portugal wie auch im Rumänischen besteht ein normales und komplettes Formensystem: span. port. *ando,* rum. *umblu (imnu)* 'je marche'. – Wegen *andare* (aus *annare*?) s. noch § 151.

[609] Die gleiche Regelung hat sich in der Gaskogne vollzogen: *boy, bas, ba, bam, bat, ban.*

andar sekundär aus *amnar* oder *anar* entstanden sind. Siehe dazu vergleichbare Hinweise durch K. Ahrens (ZRPh, 43, 1923, 600), Corominas (DELC, I, 203) undAebischer (RPF, XI, 1961, 275–304; SLI, IV, 1964, 189); vgl. auch *Garumna* > *Gironde*.

§ *133.* Aus einer ähnlichen 'situation de détresse' erklärt sich der Untergang des Verbums flere. Die Erbschaft des lateinischen Verbums flere ist in der Hauptsache von zwei Konkurrenten übernommen worden (Karte 94). Die Sprachen des Westens haben flere durch plorare ersetzt: franz. *pleurer*, prov. *plourá*, kat. *plorar (plurá)*, span. *llorar*, port. *chorar*. Dagegen haben die östlichen Sprachen dem Verbum plangere den Vorzug gegeben: ital. *piangere*, sard. *pranghere*, in Rumänien *plînge*.[610] Wir wissen, daß der Untergang von flere sich über mehrere Jahrhunderte erstreckt hat und seine ganz besonderen Ursachen hatte. Diese Ursachen liegen in der Einsilbigkeit gewisser Verbalformen von flere. Schon im 5. Jahrhundert (z. B. in den Vitae Patrum) ist im Präsens dieses Verbums folgende Flexion üblich: ploro, ploras, plorat, flemus, fletis, plorant (IF 43, 1926, S. 99). Wir haben also hier die gleiche Zwischenlösung, die sich in der Auflösung des Verbums ire ergeben hat, d. h. es sind im Spätlatein nur noch die zweisilbigen Formen des Verbums flere in lebendigem Gebrauch. In den übrigen Personen bediente man sich bereits als Ersatz des Verbums *plorare*. Dieses Verbum war schon in der klassischen Latinität der Bedeutung des Verbums flere sehr nahe gerückt: es bezeichnete das heftige und laute Weinen, z. B. bei Cicero *plorando fessus sum* (Att. 15, 9). Erst in einer späteren Zeit scheint in Italien neben plorare auch plangere zu einem Ersatzwort für flere gelangt zu sein. In seiner klassischen Bedeutung 'laut wehklagen' war plangere von flere weiter entfernt als plorare. Es ist ein affektischer Kraftausdruck, der seinerseits wieder an die Stelle von plorare getreten ist, aber doch so früh, daß es noch in die Balkan-Latinität eindringen konnte. Andererseits hat diese lexikalische Neuerung in Gallien und Hispanien nicht mehr Fuß fassen können.[611]

---

[610] In Katalonien bedeutet *plànyer* 'plorar fort' (AM); über spanisch *plañir* (rein literarisch), altspan. *llañer*, s. DELC, III, 157. – In Graubünden gilt *plandscher (plaundscher)* im Sinne von 'wehklagen'.

[611] Andere Affektwörter haben sich im Rätoromanischen durchgesetzt: *bargir* (Rheintal) < bragire, *cridar* (Engadin), *vaér* (Dolomiten), *vai* (Friaul) = ital. *guaire* 'weh schreien'.

XXI. SEMANTISCHE DIFFERENZIERUNG
(Polysemie)

§ 134. Bis jetzt haben unsere sprachgeographischen Karten die
Aufgabe gehabt, zu zeigen, wie ein bestimmter Begriff, der in
der klassischen Latinität auf eine einheitliche Weise ausgedrückt
wurde *(edere, caecus, flere, nihil)* in den neulateinischen Sprachen durch verschiedene Umstände eine differenzierende Benennung aus ganz verschiedenen Quellen und Aspekten erfahren
hat. In anderen Fällen ist das lateinische Grundwort in der jeweiligen normalen lautlichen Entwicklung erhalten geblieben,
ist aber semantisch differenziert worden. Durch einen Bedeutungswandel, der in einem bestimmten Milieu nach verschiedenen Seiten sich entwickeln kann, ist auf diese Weise eine weitere
Kraft entstanden, die zu der Auflösung der einstigen lateinischen
Einheit beigetragen hat.[612]

In den folgenden Abschnitten sollen einige solche semantischen Unterschiede aufgezeigt werden. Diese Unterschiede können sehr beträchtlich sein. Man denke an franz. *fermer* 'schließen'
und ital. *fermare* 'anhalten', *plier* 'falten' und span. *llegar* 'ankommen', *biche* 'Hirschkuh' und ital. *biscia* 'Ringelnatter'
(bistia = bestia), *chercher* 'suchen' und span. *cercar* 'umzäu-
nen', *tuer* 'töten' und prov. *tudar* 'auslöschen', *écrou* 'Schraube'
und ital. *scrofa* 'Sau', *traire* 'melken' und span. *traer* 'ziehen',
viande 'Fleisch' und sard. *bianda* 'les pâtes', *potence* 'Galgen'
und ital. *potenza* 'Macht', *femme* 'Frau' und span. *hembra*
'femelle' (s. § 107), ital. *calze* 'Strümpfe' und span. *calzas* 'Hosen',
ital. *capo* 'Kopf' und span. *cabo* 'Ende', ital. *desco* 'Tisch' und
sard. *disku* 'Schüssel', ital. *chiedere* 'fordern' und span. *querer*
'lieben', ital. *lume* 'Licht' und rum. *lume* 'Welt', ital. *salutare*
'grüßen' und rum. *saruta* 'küssen'.

§ 135. Das alte lateinische Verbum m i n a r e 'drohen' (Karte 95)
bewahrt im äußersten Süditalien noch heute seinen bedrohlichen

---

[612] Siehe dazu die sehr anschaulichen Beispiele von H.-W. KLEIN in dem
Aufsatz 'Zur semantischen Differenzierung der romanischen Sprachen' (Fest-
schrift für G. Rohlfs, 1968, S. 17–34). – Zu den 'aires sémantiques' besonders
Jaberg 43.

Akzent, indem es in seiner Anwendung dem franz. 'battre' oder 'frapper' entspricht.[613] Etwas weiter im Norden ist seine semantische Funktion abgemildert zu 'jeter' oder 'tirer', z. B. neap. *menà na pretə* 'jeter une pierre'. In der Hirtenterminologie ist das Verbum früh zu der Bedeutung gelangt 'Tiere unter Zurufen vorwärts treiben'[614], eine Verwendung, die sich in Rumänien, in Zentralitalien und in Nordspanien befestigt hat; vgl. altfranz. *mener* 'treiben', 'jagen', 'verfolgen' (ToLo). Von hier aus hat das Verbum schließlich eine weitere Abschwächung erfahren, die es synonym mit 'conduire' hat werden lassen: *mener les enfants en promenade, on mène une dame au théâtre.* Anderswo hat das Verbum, in besonderem Milieu, noch speziellere Bedeutungen entwickelt: in Sardinien 'mêler' (auch 'corroyer le cuir'), in Genua und Corsica 'remuer les pâtes'.[615]

§ *136.* Ganz neue semantische Nuancen haben sich aus dem ursprünglichen Begriffswert von c a p t i v u s ergeben (Karte 96). Nur in der hispanischen Latinität hat das Wort (span. *cautivo*) seine alte Bedeutung 'prisonnier' bis heute bewahrt.[616] In Süditalien und Sardinien ist es dazu gelangt, den Witwer oder die Witwe zu bezeichnen, was sicher bedingt ist durch eine orientalische Anschauung, nach der eine Witwe nach dem Tode ihres Mannes für eine gewisse Zeit das Haus nicht verlassen durfte.[617] In F r a n k r e i c h und im nördlichen Italien hat sich aus c a p t i v u s die Idee 'faible de corps', 'misérable' entwickelt, z. B. *un enfant chétif, une maison chétive*[618], woraus sekundär, unter Wegfall be-

---

[613] Vgl. in Kalabrien *m'a minatu*, in Corsica *m'a menadu* 'il m'a battu'; in Sizilien *mina u vèntu* 'le vent souffle'.

[614] Im Bibellatein *mina asinam* 'pousse l'ânesse' (IV reges 4, 24), *minavit gregem ad interiora deserti* (Exod. 3,1). – Anderswo erscheint das Verbum bereits synonym mit *ducere*, z. B. *me minavit et adduxit in tenebras* (Lam. Jerem. 3,2).

[615] Auf lat. m i n a r i beruht auch baskisch *miatu* 'éprouver', 'essayer', (Valle de Roncal) 'exciter les chiens'.

[616] Auch altfranz. *chaitif* und altprov. *caitiu* hat noch diese ursprüngliche Bedeutung.

[617] Vgl. in einem Text aus dem 4. Jahrhundert *captiva penatibus uxor* 'quae continetur domo' (TLL III, 373). Das zunächst auf die Witwe angewendete Wort ist erst durch Analogie auf den Witwer übertragen worden.

[618] In Galizien bezieht sich *cativo* auf Kinder im Alter zwischen drei und sechs Jahren. – Die unregelmäßige lautliche Entwicklung von c a p t i v u s zu *chétif* (altfranz. *chaitif*) setzt eine Grundlage *c a c t i v u s voraus, die auf keltischer Aussprache bzw. auf einer Kreuzung des lateinischen Wortes mit gallisch *c a c t o s = c a p t u s beruht; s. EWFS und Brüch, ZRPh 55, 1935, S. 696.

mitleidender Anteilnahme, eine rein objektive Wertung im Sinne
von 'mauvais' und sogar 'méchant' hervorgegangen ist: ital.
una strada cattiva, una donna cattiva.[619] Die neuen Bedeutungen des Wortes in Italien und Frankreich machen den Eindruck
einer aufgelösten etymologischen Familie, die jede Erinnerung
an ihren Stammvater verloren hat.

§ 137. Weniger kompliziert ist die Situation, in der sich heute das
einstige lateinische Verbum salire befindet (Karte 97). Im klassischen Latein bedeutete es 'springen': *saliunt ranae in aquam*.
Diese alte Bedeutung hat sich in den romanischen Sprachen nur
in zwei Randgebieten erhalten: in Rumänien *(sări)* und im Rätoromanischen *(saglir, siglir)*. Im übrigen hat sich eine semantische
Spaltung vollzogen. Aus dem horizontalen Springen leitet sich
ab franz. *saillir*, span. *salir*, port. *sair (sahir)* in der Bedeutung
'hinausgehen', 'hervortreten': span. *salgo de casa*, franz. *l'eau
saillit du rocher*.[620] Aus dem vertikalen Springen ist andererseits
ital. *salire* zu der Bedeutung 'hinaufsteigen' gelangt: ital. *salire
sulla torre*. Das heißt: es ist salire aus seiner ursprünglichen
Bedeutung teils zum Ersatzwort für 'exire', teils zum Ersatzwort
für 'subire' geworden.

In ähnlicher Weise erklärt sich der Ortsname *Sechtem* (Rheinland), 7 römi-
sche Meilen vom Stadtzentrum Köln gelegen, aus dem Namen eines Meilen-
steins (lapis septimus) unter Einwirkung des keltischen (altir.) *secht* =
septem; s. dazu Max Pfister, Die Entwicklung der inlautenden Konsonan-
tengruppe *-ps-* in den romanischen Sprachen (Bern 1960), S. 140.

[619] Auch im älteren Spanischen ist *cautivo (cativo)* zu der Bedeutung 'mise-
rable', 'malvado', 'malo' gelangt (DELC I, 735). Es scheint, daß dieser pejora-
tive Sinn sich aus dem Gebrauch des Wortes bei den alten Kirchenschriftstel-
lern entwickelt hat: apud christianos de eis qui diabolo, peccato, errori subditi
sunt (TLL III, 373), d. h. 'homme à qui manque la grâce divine', ital. *uomo
disgraziato*; s. dazu FEW II, 332 und die umfassende Dokumentation bei
Philipp Haerle, *Captivus – cattivo – chétif* (Bern 1955).

[620] Im Katalanischen gilt *sallir (sàller)* 'sortir' nur für den Roussillon und
die angrenzende Zone von Conflent (AM). Im übrigen schwankt Katalonien
zwischen *sortir* und *eixir* (AM, IV, 671).

§ 138. Als in den ersten Jahrhunderten des sich ausbreitenden Christentums man anfing, Gebäude zu errichten, die der Pflege des neuen christlichen Glaubens dienen sollten, war eine neue Bezeichnung für die besondere christliche Kultstätte unumgänglich. Im Hinblick auf die starken griechischen Impulse, die das Urchristentum bestimmt haben, kann es nicht überraschen, daß der neue Name, der das lateinische *templum* zu ersetzen hatte, der griechischen Terminologie entnommen wurde. Dagegen ist es bemerkenswert, daß drei ganz verschiedene griechische Namen konkurrierend zu dieser Benennung gedient haben (Karte 98). Wir können hier nicht die archäologischen und historischen Umstände diskutieren, die die semantische Entwicklung der drei Wörter ἐκκλησία, βασιλική und κυριακή zu ihrer neuen Funktion bestimmt haben. Es ist hier auch nicht der Ort, um die sehr verwickelte Frage der chronologischen Beziehungen der drei Namen zu behandeln.[621] Es muß hier genügen, ihre endgültige Konstituierung und ihre geographische Verbreitung aufzuzeigen: e c c l e s i a (eclesia) akzeptiert in Italien *(chiesa, ghiesia)*, in Albanien *(kishë)* und im westlichen Europa *(église, iglesia, igreja)*, b a s i l i c a[622] nach einer gewissen Konkurrenz mit e c c l e s i a in Italien und in Frankreich *(basoche)* durchgedrungen nur im ladinischen Graubünden *(baselgia)* und in der dazischen Latinität *(biserică)*, und k y r i a k é 'Haus des Herrn', das vom Balkan her sich einen Platz in den slavischen und germanischen Sprachen errungen hat: serbokr. *crkva*, deutsch *Kirche*, usw. – Was das Verhältnis von e c c l e s i a zu b a s i l i c a in den romanischen Sprachen betrifft, so ergibt sich aus den eindringenden Untersuchungen von Aebischer (s. Anm. 621) 'pour l'ensemble, ou presque, de la Romania, l'antériorité de *basilica* sur *ecclesia*: c'est dire

---

[621] Für alle diese Fragen verweisen wir auf die sehr eingehende kulturgeschichtliche Dokumentation in dem Buch von Carlo Tagliavini, Storia di parole pagane e cristiane attraverso i tempi (Brescia 1963), S. 271 und 535 ff. – Zur Chronologie und historischen Schichtung von *basilica* und *ecclesia*, s. besonders Aebischer, RLiR 27, 1963, 119–164; s. den Nachtrag § 151.

[622] Der Name b a s i l i c a für die Kirche hat auch im Altdalmatischen *(basalka)* bestanden. – In Frankreich findet sich das alte Wort in zahlreichen Ortsnamen: *Bazoque, Bazoches, Baroche, Bazoge, Bazouge, Bazeilles.* Ebenso in Italien: *Baselica, Baselga, Baseglia, Bascapé* < *basilica Petri.*

qu'une fois de plus Rhétie et Roumanie, aires latérales, n'ont fait que conserver une caractéristique lexicale ayant disparu ailleurs' (S. 149).[623]

§ 139. Wie es zu dem doppelten Geschlecht von *le dimanche, el domingo* und *la domenica, duminică* gekommen ist, haben wir bereits gesehen (§ 68). Ein anderer Wochentag wirft eine buntere Reihe von Problemen auf. Die Karte 99 zeigt uns die Verbreitung der verschiedenen Worttypen, die für den 'Freitag' gelten.

1. veneris (unter Wegfall des selbstverständlichen dies) in Spanien, Rumänien, in einer kleinen Enklave am Nordrande des Provenzalischen, im äußersten Norden und Süden von Italien, in Korsika und Sizilien.

2. dies veneris: in Südfrankreich und in den Gebieten der katalanischen Sprache.[624]

3. veneris dies (mit Vorstellung des Genetivs): in Nordfrankreich und fast über ganz Italien.

4. sexta feria: in Portugal *(sexta feira)*.

5. cena pura: heute gesprochen *kenápura* oder *cenábara* in Sardinien.

Auf der Karte ist bemerkenswert die Übereinstimmung zwischen Spanien und dem äußersten Osten. Italien scheint zwischen dem Westen und dem Osten noch im frühen Mittelalter die Brücke gebildet zu haben. Restzonen mit veneris in den peripheren Randzonen legen den Gedanken nahe, daß der Typ veneris dies, d. h. das heutige *venerdí*, in Italien nicht sehr alt ist. Tatsächlich wird in einem bekannten toskanischen Sprichwort nicht *venerdí* gebraucht, sondern *vènere: Nè di vènere, nè di marte non si sposa, nè si parte.* Und noch heute ist in einigen Dörfern der ländlichen Provinzen der Toskana der Name *vènere* für 'Freitag' noch nicht ausgestorben.[625] Das bedeutet: entweder ist *venerdí* mit den französischen Einflüssen im Zeitalter Karls

---

[623] Nach einer älteren Meinung, vertreten durch Jud (1919), Wartburg (1934) und Glättli (1937), wäre basilica einer jüngeren Expansion zuzuschreiben; s. Aebischer 123.

[624] Was Typ 2 und 3 betrifft, so repräsentiert Typ 2 die populäre Wortstellung und eine ältere Namengebung, während der Typ veneris dies *(jovis dies* usw.) als literarisch und einer jüngeren Zeit angehörig betrachtet werden kann; s. R. Baehr in Festschrift Rohlfs (1958), S. 43–56.

[625] Siehe Verf., Zu den toskanischen Wochentagsnamen, AStNSp, Bd. 180, 1942, S. 117ff.

des Großen bzw. der Kreuzzüge in Italien in Aufnahme gekommen oder es hat sich veneris dies durch latinisierende Einflüsse,
die von der Kirche oder der Oberschicht ausgingen (s. Anm.
624), in Italien neu befestigt. Im Gegensatz zu Nordfrankreich herrscht
in Südfrankreich der Typ dies veneris *divendre*.[626] Es ist schwer
zu sagen, ob diese Form mit dem alten Latein zusammenhängt,
oder nicht vielmehr aufzufassen ist als eine Reaktion der Oberschicht gegenüber dem volkstümlichen veneris, das in Südfrankreich ja noch heute nachweisbar ist. Das provenzalische
Wort setzt sich fort durch ganz Katalonien. Wie so oft, erweist
sich das Katalanische als eine 'dépendance' des Provenzalischen.

Auf unserer Karte gibt es zwei Gebiete, die von den bisher be-
sprochenen Typen veneris, dies veneris und veneris dies
radikal abweichen. In Portugal ist jede Erinnerung an die heidnische Bezeichnung geschwunden. Hier gibt es keine Spur von
dies Martis, dies Jovis, dies Veneris. Hier sind es die seit
dem Ende des Altertums von der Kirche empfohlenen Formen,
die über die heidnischen Namen triumphiert haben. Diese neuen
christlichen Benennungen knüpfen sich an das Namensystem der
jüdischen Woche *prima sabbati, secunda s., tertia s.* In christlicher
Umformung entstand daraus griechisch δευτέρα (τρίτη, τετάρτη)
τῆς ἑβδομάδος, lateinisch secunda (tertia, quarta) feria.[627]
Hier in Portugal, und nur in Portugal, haben die ernsten Ermah-
nungen, die im 5. Jahrhundert der Bischof Caesarius von Arles
an die Geistlichkeit seiner Diözese richtete, vollen und dauernden
Erfolg gehabt:[628] *Nos vero, fratres, ipsa sordidissima nomina de-
dignemur... et numquam dicamus* diem Martis, diem Mer-
curii, diem Jovis, sed *primam, et secundam vel tertiam feriam,
secundum quod scriptum est, nominemus.*[629] – Was die anderen

---

[626] Diese Stellung der beiden Glieder war einst auch auf großen Gebieten
Nordfrankreichs nicht unbekannt: *deluns, demars, demerkes, devenres*; s. A.
Henry, Romania 72, 1ff. Reste und Spuren einer solchen Stellung finden sich
auch im mittelalterlichen Spanien (Kastilien, León, Aragón): *dilunes, di-
miércoles, disanto*; s. DELC, II, 163; Alvar DL 50.

[627] Über die Entwicklung von feria Feiertag in christlich-kultischem Milieu zum 'jour férial', 'giorno feriale', d. h. zum beliebigen Wochentag, s.
FEW III, 464; DELC II, 511. Umfassendere historische Begründung bei
H. RHEINFELDER, Kultsprache und Profansprache in den romanischen
Ländern (Firenze 1933), S. 436–440; R. BAEHR, in Festschrift für G. Rohlfs
(1958), S. 35–42; s. auch TAGLIAVINI, Storia di parole (Brescia 1963), S. 67
und 483 (ausführliche bibliographische Hinweise).

[628] Nur isolierte Spuren dieses Systems in Spanien (s. Alvar, DL 51); vgl.
im Fuero de Teruel *en el día lunes o en la segunda feria* (ed. Gorosch) 266,6;
altkat. *en la quarta fèria* (AM V, 807).

[629] Siehe in der Ausgabe von G. Morin, vol. I 744, 6.

romanischen Sprachen betrifft, so ist die Ausrottung der heidnischen Wochentagsnamen sehr unvollkommen geblieben. Nur
noch Sardinien hat die Erinnerung an den 'Venustag' verloren.
Hier ist der heidnische Name abgelöst worden durch cena pura,
d. h. 'Tag an dem jede Fleischspeise verboten war': heute in Sardinien *kenápura, kenábura, cenábara* (DES). Diese Bezeichnung
des Freitags steht in einer gewissen Beziehung zu griech. παρασκευή 'Zurüstung', das bei den Juden früh den Tag vor dem Sab-
bat bezeichnete. Genauer gesehen ist es eine Übersetzung von
griech. δεῖπνον καθαρόν, das von den Juden im gleichen Sinn gebraucht wurde.[630] In der Tat ist cena pura in der Bedeutung
'Freitag' zum erstenmal für die jüdischen Gemeinden in der Nähe
von Karthago überliefert. In einer seiner Predigten (in Evang.
Joh. 102, 5) bezeugt uns Augustin: *parasceuen cenam puram
Judaei latine usitatius apud nos vocant*. Damit ist klar, daß die
Aufnahme des Wortes in die Latinität Sardiniens durch Einflüsse
von Afrika bestimmt ist.[631]

§ 140. Für das Weihnachtsfest hat in den romanischen Sprachen
die altchristliche Bezeichnung dies natalis[632] die weiteste Verbreitung gefunden (Karte 100): ital. *natale*, katal. *nadal*, in Spanien (astur. galiz.) *nadal*, westprov. *nadau*, franz. *noël*.[633] Aus
nativitate ist durch Haplologie das span. *navidad* entstanden.
In Sardinien ist der verbreitetste Name *paskiẓeḍḍa* 'pasquetta',
das kleinere Fest gegenüber *paska* 'das größere Osterfest'.[634]

In einem Gebiet, das heute von der Auvergne über Dauphiné,
Savoyen bis in die Westschweiz reicht, ist das lateinische calen-

---

[630] Siehe M. L. Wagner, in Zeitschr. für roman. Phil. 40, 1920, S. 619ff. und
in *Lingua Sarda* (Bern 1951) S. 32.

[631] Andere Beziehungen zum afrikanischen Latein hat man in sard. *cabi-
danni* 'September' ('capo d'anno') und in sard. *lámpadas* 'Juni' entdeckt; s. G.
Bonfante in Word 5, 1949, S. 171ff. und M. L. Wagner, Italica 29, 1952,
S. 151ff.

[632] Die alte komplette Form lebt fort in nordpiem. *dinadal*, lig. *dená*, tess.
dinadá. – Das alban. *kërshëndella-t* beruht auf Christi natale. Bei den
Griechen in Südapulien heißt das Fest *tu Kristú* 'la festa di Cristo; vgl. neugriech. χριστούγεννα 'la naissance du Christ'.

[633] Die Form beruht auf einem dissimiliertem *notalis, so wie auch das
Verbum natare altfranz. zu *noer*, südfranz. (Lot, Aveyron) zu *nodà* geworden
ist (FEW VII, 38). Auch in Kalabrien findet sich *notale* = *natale* (VTC), in
Friaul *nodal*. In Portugal ist *natale* Latinismus; ebenso *natal* im westlichen
Oberitalien. Im östlichen Provenzalischen ist *nouè* junges Lehnwort aus *noël*
(in der Normandie und wallon. *noué*) als Ersatz für das einstige *calendas*.

[634] Vgl. im heutigen Griechenland μεγάλη ἑβδομάδα 'die große Woche' =
'settimana santa'.

dae zum Namen des Festes geworden: altprov. *calendas*, in den heutigen Mundarten *calendos, chalendas, chalande, chalendes, tsalenda* (FEW II, 81).[635] Der Name erklärt sich aus der Verschmelzung des Festes mit dem 12-Tage-Zyklus, der beginnend mit dem Tage der Santa Lucía (13. Dezember) das Weihnachtsfest und das kommende neue Jahr einleitet.[636] Dazu kommt, daß das Weihnachtsfest in den ersten Jahrhunderten des Christentums ursprünglich mit dem 6. Januar verbunden war: genau 12 Tage nach dem 25. Dezember (calendae januarii).[637] Die völlige Identifizierung dieser *calendae* mit dem *dies natalis* war dadurch gegeben, daß seit dem 8. Jahrhundert im fränkischen Reich der Jahresanfang auf das Weihnachtsfest verlegt wurde.[638] Aus dieser Identifizierung erklärt sich auch bulgar. *kóleda* 'Weihnachten', russ. *koljadá* 'tempo natalizio da Natale all'Epifania', serbokr. *kóleda*, rum. *colindă* 'canzone di Natale'.[639]

Sehr umstritten in seinem Ursprung ist der rumänische Name des Festes: *crăciun, seara crăciunului* 'la soirée de Noël', identisch mit slowak. *kračun* 'Weihnachten', bulg. *kračon* 'ein Tag um Weihnachten', russ. *koročun (karačun)* 'Wintersonnenwende' (meist auf den 12. Dezember bezogen), ukr. *kračun, kerečun* 'Brot, das zum 24. Dezember gebacken wird', ukr. *kerečunj večer* 'la veille de Noël' (Miklosich, Lex. palaeslov. 310). Aus den slavischen Sprachen gibt es keine überzeugende Erklärung des Wortes.[640] Vieles spricht dafür, daß das Wort mit der Verbreitung des christlichen Festes vom Balkan her oder aus dem byzantini-

---

[635] '*Chalendes* est le nom de la fête en ancien lyonnais jusqu'au XVe siècle' (P. Gardette, Mélanges Delbouille, 1964, 236). In älterer Zeit reichte das Wort im östlichen Midi bis an das Mittelmeer; s. die Karte II bei Jud (RLiR 10); es ist in neuerer Zeit durch das aus Nordfrankreich entlehnte *nouè* ersetzt worden.

[636] Diese 12 Tage, in Südapulien (Salento) *calènde*, in Kalabrien *calènne*, in Südfrankreich (Rouergue) *colendos* genannt, spielen im Volksglauben eine große Rolle. In den Cevennen 'les *calendes* désignent les 12 jours avant Noël ou quelquefois 12 jours après' (Atl. ling. Mass. Central, c. 1672). Als Lostage, aus denen man für die 12 Monate des kommenden Jahrs ein 'pronostico' ableitet (s. DTC, VDS), entsprechen sie den germanischen 12 Nächten. – Siehe dazu J. Jud, RLiR 10, 1934, S. 14.

[637] Tagliavini, Storia di parole (1963), S. 184. – In Zypern bezieht sich τὰ κάλανδα auf den 5. Januar.

[638] Hoops, Reallexikon der germanischen Altertumskunde II, 612.

[639] Tagliavini, Storia di parole 184.

[640] Eine Erklärung versucht Vasmer (Russ. etym. Wörterbuch I, 633), indem er das Wort mit serbokr. *kràčati* 'schreiten' verbindet und den Namen des Festes als 'Tag der Wende' ('Sonnenwende') deutet: eine unwahrscheinliche Theorie.

schen Kulturkreis sich ausgebreitet hat.[641] Man hat verschiedene
Deutungen des Wortes aus dem Lateinischen zu geben versucht:
Christi ieiunium (Schuchardt), calationem 'das Rufen des
Volkes durch die Priester, um ihm den Feiertag kund zu geben'
(Papahagi, Puşcariu, Berneker), creationem (zuletzt besonders
von Rosetti vertreten).[642] 'Nessuna convince pienamente' (Tagliavini). Eine neuere Erklärung (angeregt von Matteo Bartoli) wird
von dem Albanologen Çabej vertreten. Danach wäre das Wort
mit alb. *kertsuni* 'Holzklotz', ital. 'ceppo' zu identifizieren.[643]

Die sachliche Erklärung und die fesselnde Bedeutung der
neuen Etymologie liegt in der von Çabej ausführlich begründeten
Tatsache, daß der im offenen Kamin brennende Holzklotz (ital.
ceppo di Natale, franz. *bûche de Noël*) als ein primitiver Vorläufer
des Weihnachtsbaumes angesehen werden darf, der noch bis in
die neueste Zeit bei vielen Völkern den rituellen Ablauf des Weihnachtsfestes entscheidend bestimmt hat.[644] Wir geben dazu folgende Hinweise, die um vieles vermehrt werden können (§ 141).

§ 141. Die um den Weihnachtsklotz konzentrierte Feier ist an
ganz bestimmte zeremonielle Formen gebunden. In Albanien
z. B. erheben sich alle Anwesenden, sobald der Klotz ins Haus
eingebracht wird, indem sie rufen 'lieber Klotz, bemühe dich
ans Feuer'. 'Er erfährt bei dem Zurechtlegen und während des
Schürens die rücksichtsvollste Behandlung'.[645] Auch wird von
allem, was an diesem Abend gegessen und getrunken wird, etwas

---

[641] Die slavischen Namen sind durch das alte Kirchenslavisch verbreitet
worden, jedenfalls nicht durch das Medium des Rumänischen. Der russische
Name ist bereits a. 1143 bezeugt (Vasmer I, 633). Aus slav. *koročun* stammt
ungar. *karácsony* 'Weihnachten'. – Siehe noch den Nachtrag in § 151.

[642] In BL 11, 56ff. und 'Melanges de linguistique et de philologie' (1947),
324ff. – Siehe dazu die genauen bibliographischen Hinweise bei Tagliavini,
Storia di parole (1963), S. 186 und 512. – Die Ableitung aus creatione im
Sinne von 'el niño Jesús' wird auch in dem neuen etymologischen Wörterbuch der rumänischen Sprache von Cioranescu (Madrid 1966) acceptiert.

[643] In SCL 12, 1961, S. 313–317; s. auch ZB, Band 2, 12 und RRLi 10,
1965, S. 109. – In Rumänien wird der Weihnachtsklotz heute *butuc* 'bûche'
genannt. Nur bei den Mazedorumänen hat *crăčium (cărtšun, cĭrciun)* die
doppelte Bedeutung 'Noël' und 'bûche de Noël'; s. T. Papahagi, Diction.
dialectului aromân etimologic (1963), S. 308.

[644] Der älteste Hinweis auf die Existenz des Weihnachtsklotzes findet sich
in den Predigten des Martin von Braga († 580), wo der bäuerlich-heidnische
Brauch zum Weihnachtsfeste 'super truncum in foco frugem et vinum effun-
dere' als teuflische Sitte verurteilt wird; s. F. Schneider, Arch. für Religions-
wissenschaft, 20, 1921, S. 119.

[645] Siehe J. G. von Hahn, Albanesische Studien (Jena 1854), S. 161.

auf ihn gelegt oder über ihn gegossen. Auch bei den Südslaven wird der Block feierlich begrüßt, mit Wein, Öl, Körnern und Speisen überschüttet und mit Gesang und mit Pistolenschüssen empfangen. In Bulgarien muß der Klotz die ganze Nacht brennen. Mädchen singen Lieder, in denen der Klotz erzählt, daß er ausersehen sei, als Baum bis zum Himmel zu wachsen, um dem Christkind als Treppe zur Erde zu dienen. Aus der Zahl der sprühenden Funken weissagt man in Bulgarien und in Jugoslavien auf die Fruchtbarkeit der nächsten Ernte.[646] – In Rumänien ist der Weihnachtsklotz *butucul Crăciunului* bezeugt für Siebenbürgen und den Banat; in sehr lebendiger Tradition bei den Mazedorumänen.[647]

Auch in Italien hat bis in den Anfang unseres Jahrhunderts der Ritus des 'ceppo di Natale' eine große Rolle gespielt. In den Abruzzen und in Kalabrien ist es wünschenswert, daß der 'ceppo' die ganze Nacht hindurch brennt. An manchen Orten bleibt die ganze Familie am Kamin sitzend wach.[648] Für Friaul zitieren wir: 'Il ceppo *(zoc o nadalin)* si porta, in certe case, in forma solenne, e lo accompagnano i fanciulli con lumi accesi. In qualche sito il padrone lo benedice coll'acqua santa . . . Alcune famiglie versano il vino sul ceppo.'[649]

In Südfrankreich erscheint der Weihnachtsklotz als *calendoun* (dim. von *calenda* 'Weihnachten').[650] Auch hier wird er mit Wein und Speisen überschüttet, 'lorsqu'on va le poser solennement dans l'âtre au chant de ces paroles *Calendoun vèn! Dieu nous mande proun de* bèn (Mistral, Trésor I, 426). Ihm entsprechen in den germanischen Ländern (Deutschland, Skandinavien) der Christblock oder Julblock: an die Art seiner Verbrennung knüpfen sich abergläubische Prognosen für Glück, Unglück und gute Ernte.[651]

---

[646] Chr. Vakarelski, Bulgarische Volkskunde (Berlin 1969) 314; E. Schneeweis, Die Weihnachtsbräuche der Serbokroaten (1925) 16 ff.

[647] Siehe dazu (dank freundlicher Hinweise von I. Mării in Klausenburg) Tache Papahagi, Din folklorul romanic şi cel latin (Bucureşti, 1923), S. 29 ff.; Alexiu Viciu, Colinde din Ardeal. Datini de crăciun şi credinţe poporane (Bucureşti 1914) S. 15 ff.; Th. Capidan, Meglenoromânii, t. I: Istoria şi graiul lor (Bucureşti 1925), S. 37 ff.

[648] Siehe die vielen Hinweise in der Legende zu der Atlaskarte 781 des AIS; dazu die besondere Karte 782 'il ceppo di Natale'.

[649] V. Ostermann, La vita in Friuli, vol. I (1940), S. 81; s. dazu Anm. 644.

[650] In den Cevennen 'on faisait brûler la bûche de Noël pendant 8 jours' (Atl. ling. Mass. Central, c. 1672), 'on gardait les tisons toute l'année' (ib.). In der Gascogne 'on fait durer le feu jusqu'au premier de l'an ou jusqu'à l'Epiphanie' (ALG, c. 207).

[651] J. Grimm, Deutsche Mythologie (1875), S. 522; E. H. Meyer, Mythologie der Germanen (1903), S. 328.

Durch die Bedeutung, die der Weihnachtsklotz (ceppo di Natale) einst in dem Ritus des Weihnachtsfestes gespielt hat, erhält
die von Çabej gegebene Erklärung größte sachliche Wahrscheinlichkeit. Bleibt die Frage, ob der Begriff 'Klotz', 'Holzblock' (ital.
ceppo) wirklich zur Benennung des ganzen Festes hat führen können. Diese Gewißheit ist durch eine italienische Parallele gegeben,
wie man aus der Karte 781 'Il Natale' des italienischen Sprachatlas (AIS) erkennen kann.[652] In der Toskana ist in vielen Zonen
der Provinzen Arezzo, Florenz, Grosseto, Pisa und Siena (ebenso
auf der Insel Elba) *il ceppo* geradezu zum volkstümlichen Namen
für das Weihnachtsfest geworden: *oggi è Ceppo* 'oggi è Natale',
ci vediamo per Ceppo 'ci vediamo per Natale'. Das Wörterbuch
von Tommaseo-Bellini zitiert die Redensarten *fare il ceppo* 'festeg-
giare il Natale', *augurare un buon ceppo* 'augurare un buon Natale'; dazu das Sprichwort *chi fa il Ceppo al sole fa la Pasqua
al fuoco.* Aus dem Wörterbuch von Petrocchi (1887ff.) nennen
wir noch folgende Beispiele: *le vacanze di Ceppo, per Ceppo si
starà insieme*; aus dem großen neuen Wörterbuch von Battaglia
non ci vai a far Ceppo coi tuoi?[653]

Die durch Çabej vertretene Verknüpfung von rumän. *crăciun*
mit alb. *kertsuni* 'ceppo' muß nicht bedeuten, daß die letzte Quelle
für den Namen des christlichen Festes im Albanischen selbst zu
suchen ist.[654] Es kann sich sehr wohl um ein Wort handeln, das in
seiner primären Bedeutung einer ausgestorbenen Balkansprache
(thrazisch, dakisch, illyrisch) angehört hat, von wo es in verschiedene moderne Sprachen sich fortsetzen konnte, teils in seiner
alten primären Bedeutung, teils in populärer Anwendung auf das
christliche Fest.

Sehr merkwürdig ist, daß russ. *koročun* auch 'Tod', 'Vernich-
tung' bedeutet, weißruss. 'plötzlicher Tod in jugendlichem Alter',
'böser Geist, der das Leben verkürzt'. Diese kontrastierende Be-

---

[652] Die Bedeutung dieser Karte ist seltsamer Weise von Çabej übersehen
worden, der nur die Karte 782 'il ceppo di Natale', konsultiert hat.

[653] Die Benennung des Weihnachtsfestes nach dem Holzblock läßt sich auch
aus anderen Sprachen wahrscheinlich machen. Ein volkstümlicher Name für
den Weihnachtsabend in Albanien ist *nata e buzmit* 'la notte del ceppo'
(Çabej 314), während das Weihnachtsfest offiziell alb. *kërshendella* <Christi
natale genannt wird. Im Lettischen ist bezeugt *bluckvakar* 'Blockabend' für
den Weihnachtsabend. – Siehe dazu den Nachtrag in § 151.

[654] Die lautliche Beziehung von rum. *crăciun* zu alb. *kertsuni* (offiz. Orthographie *kercuni*) ist dadurch gegeben, daß alb. *ts* aus einem älteren *č* hervorgegangen ist; vgl. alb. *tsergë* 'Zigeunerzelt' = serbokr. *čerga*, alb. *tsung* =
ital. *cionco*.

deutung hat bisher keine überzeugende Erklärung gefunden.[655] Vielleicht darf man auf eine alte christliche Anschauung verweisen, die darin bestand, daß der *dies natalis*, auf den Tod der Märtyrer bezogen, als eine Geburt für das wahre und ewige Leben betrachtet wurde; vgl. TAGLIAVINI, Storia di parole 179).[656]

---

[655] Nach Miklosich (Etym. Wörterb. 130) wäre russ. *koročun* ursprünglich vielleicht eine Totenfeier gewesen, was nicht überzeugt. Berneker (Etym. Wörterb I, 604) sieht die semantische Verbindung in 'Ende des Jahres'.

[656] Eine sehr realistische Deutung gibt CIORANESCU (Dicc. etim.): 'parece explicarse por la costumbre de matar el cerdo en visperas de Navidad', mit Hinweis auf eine rumänische Redensart *ţi-a venit Crăciunul* 'ha llegado tu última hora'. – Diese Redensart ist offenbar aus einer slavischen Sprache übernommen (was der Autor nicht erwähnt), vgl. russ. *prišel emu koročun* 'ihm kam sein letztes Stündchen'. – In diesen Zusammenhang gehört auch, wie schon Çabej gesehen hat (S. 316), alb. *kërcunë* 'unglücklich', 'schwer geprüft', gebraucht von einer Mutter, der ein Sohn gestorben ist, oder von einer Schwester, der ein Bruder gestorben ist, alb. *kërcunat* 'junge Witwen' (so bei Lambertz, Lehrgang des Albanischen I, 89).

XXIII. ZUSAMMENFASSUNG

§ *142*. Wir versuchen eine Ausdeutung unserer Ausführungen in der Form einer Zusammenfassung. Unser Kommentar hat sich auf die Deutung von 100 Sprachkarten erstreckt. In unserer Schau war die gesamte Romania eingeschlossen. Nur in sechs Fällen (Karte 1, 2, 7, 8, 56, 57), bedingt durch regional begrenzte Phänomene, blieb unser Blick auf kleinere Gebiete beschränkt. Die ausgewählten Wortprobleme wurden aus allen Begriffskreisen gewählt: Verwandtschaftsnamen, Körperteile, Tiere, Bäume und Früchte, häusliche Gegenstände, Hausbau, Landwirtschaft, Zeitbestimmungen, viele Verba, einige Adjektiva, Präpositionen und Adverbia, je ein Pronomen ('rien') und eine Konjunktion '(que').

Wir versuchen zu erkennen, wie weit die alte (relative) lateinische Einheit durch Sonderentwicklung der einzelnen Sprachen gestört worden ist. Wir beschränken unseren Vergleich auf die Wörter der Schriftsprachen, ohne die Mundarten zu berücksichtigen. Ganz unabhängig von der allgemeinen Romania zeigt das Rumänische in 46 Fällen einen eigenen lexikalischen Typ: *mâine* 'morgen', *tată vítreg* (neben *maşteh*) 'Stiefvater', *da* 'ja', *la* 'bei', *pe Ion*, *nimic* 'nichts', *arde* 'verbrennen', *chior* 'blind', *ficát* 'Leber' (neben *maiu*), *picior* 'Bein', *gorun* und *stejar* 'Eiche', *leagăn* 'Wiege', *pădure* 'Wald', *gradină* 'Garten', *război* 'Krieg', *rece* 'frisch', *furcă* 'Spinnrocken', *lingură* 'Löffel', *pinten* 'Sporn', *scară* 'Steigbügel', *pungă* 'Tasche', *zidar* 'Maurer', *croitor* 'Schneider', *vindeca* 'heilen (neben *lecui* und *tămădui*), *sosi* 'ankommen', *strugure* 'Weintraube', *femeie* 'Frau', *iubi* 'lieben', *însura* 'heiraten', *mic* 'klein', *cocoş* 'Hahn', *broască* 'Frosch', *rău* 'schlecht', *stîng* 'link', *ţap* 'Ziegenbock', *ied* 'Zicklein', *măgar* 'Esel', *trăi* 'leben', *merge* 'gehen', *biserică* 'Kirche', *crăciun* 'Weihnachten'. Dazu kommt die Unterscheidung zweier Konjunktionen *(să, că)* an Stelle des westromanischen *que*. – Von diesen Wörtern stammen zwölf aus dem Slavischen, zwei aus dem Ungarischen *(maiu, tămădui)*, eines aus dem Türkischen: *chior*.[657] – Über die Beziehungen zur hispanischen Romania, s. § 151.

---

[657] Der Prozentsatz slavischer Wörter ist ein viel größerer im Bereich der abstrakten Begriffswelt; s. Puşcariu 196 ff. – Rein quantitativ muß man sogar sagen, daß sich das Rumänische mehr als alle anderen romanischen Sprachen den 'éléments allogènes' geöffnet hat.

§ 143. Es folgt in der Menge selbständiger Elemente das Spanisch-Portugiesische mit 28 Wörtern: *mañana, becerro, cordero, tener* 'haben', *esquecer, nada, quemar, entonces, manzana, pierna, brezo, carvalho, bordo, espuela, albañil, querer* 'lieben', *casarse, pequeño, izquierdo, bode, chivo, burro, sien, fonte, zorra, raposa, cabeza, comer, sexta feira.*[658] Es sind also die Sprachen der äußersten Peripherie (im Osten und im Westen) besonders reich an individuellem Sprachgut: Wirkung zentrifugaler Kräfte. Schon frühere Forscher (insbesondere Bartoli) haben eine gewisse Verwandtschaft bemerkt, die in der Bewahrung altertümlicher Sprachelemente zwischen dem Rumänischen und dem Iberoromanischen besteht – gegenüber einem Zusammengehen der 'inneren Romania' in der Weiterführung von Wörtern jüngerer Sprachphasen.[659] Als Beispiele für diese Beziehungen (s. auch § 57) nennen wir m e l f., f e l f., s a l f., p a s s e r, a b e l - l a n a, r o g a r e, h u m e r u s, e q u a, t u n c, s u b u l a, a l b u s.

§ 144. Nach Rumänien und der iberischen Romania folgt, was die selbständige Sprachentwicklung betrifft, mit einigem Abstand Frankreich, für dessen Schriftsprache 22 eigene Wörter genannt werden können: *beau-père, sureau, oui, avec, chez, brûler, aveugle, jument, chêne, berceau, poche, maçon, combien, jouer de la flûte, tailleur, acheter, belle-mère, coq, mauvais, gauche, renard, aller.* Daran schließt sich Italien mit 18 selbständigen Elementen: *sambuco, patrigno, da, dimenticare, niente, nulla, bruciare, quercia, culla, zolla, staffa, tasca, muratore, voler bene, ammogliarsi, cattivo, becco, salire* 'hinaufsteigen'. Es erweist sich also die innere Romania in ihrem verwandtschaftlichen Verhältnis weniger differenziert. Dies ist zu einem großen Teil dadurch bedingt, daß seit dem Zeitalter der Karolinger Frankreichs Sprache viele Lehnwörter nach Italien geliefert hat. Allein in die Schriftsprache: *pregare, spalla, trovare, bosco, guerra, lesina, bianco, fresco, sperone, guarire, arrivare, formaggio, mangiare.* Es kommt hinzu die alte Verwandtschaft zwischen der Gallia Transalpina und der Gallia Cisalpina: *la sal, la fiur, aguglia,*

---

[658] Der Unterschied zwischen dem Spanischen und dem Portugiesischen ist minimal: port. *esquecer* statt *olvidar* (altspan. *escaecer*), *alfaiate* statt span. *sastre* (altspan. *alfayate*), *fonte* statt *sien, bordo* statt *arce.* – Siehe dazu J. Jordan in Rev. de filol. roman. și german. I, 1957, S. 104.

[659] Wir verweisen dazu besonders auf die Aufsätze von MATTEO BARTOLI, enthalten in Saggi di linguistica spaziale (Torino 1945); s. auch hier Anm. 42.

avogol, orbo, poma (pom), rovere, brük, verna, puls, anar = prov. *anar* 'aller'.

Was Frankreich betrifft, so ist die heutige Sonderstellung des Französischen, das sich am weitesten von der gemeinsamen lateinischen Basis entfernt hat, zum großen Teil erst das Resultat einer späteren innerfranzösischen Entwicklung seit der mittelfranzösischen Periode im Rahmen der Schriftsprache; s. A. Stefenelli in der Zeitschrift 'Moderne Sprachen', Bd. 9, 1965, S. 162–171.

§ 145. Besonders eindringlich ergibt sich aus unseren Karten eine Penetranz septentrionaler Elemente in die zum Teil neuromanisierten Gebiete im äußersten Süditalien: in Sizilien im Zeitalter der normannischen 'reconquista', im südlichen Kalabrien im Verlaufe der fortschreitenden Entgräzisierung.[660] Diese jüngere Latinität wird aus mehreren Strömungen gespeist. Ihre Vermittler sind teils die französischen Normannen: *vugghjiri* (Anm. 215), *jumenta, custureri, accattari, racina, ciarveḍḍu (chevrel), quattru-vintini.* Zum anderen Teil sind es die aus Norditalien (Piemont) in großer Masse einströmenden Kolonisten. Auf ihrer Vermischung mit der eingeborenen Bevölkerung beruhen: *orbu, pumu, rúvulu, cássanu, tuma (tumazzu), sòggira, piccittu* 'piccolo' (§ 114), *dònna* 'belle-mère' (in Kalabrien), *bèccu.* In anderen Fällen können beide Strömungen zusammengewirkt haben: *dumani, aviri* statt südital. *tenire, agneḍḍu, agugghia, truvari, lèsina, guariri, maritari* (v. § 113), *tèsta.* – Viele dieser typischen Sizilianismen sind von Sizilien in das südliche Kalabrien gelangt, als nach dem Zusammenbruch des Griechischen die italienische Sprache hier definitiv Fuß faßte: *dumani, agneḍḍu, agugghia, orbu, puma, rúvulu, lèsina, custureri, racina, sòggira, ciarveḍḍu, tèsta.* So möchte ich den merkwürdigen Kontrast erklären, der zwischen dem sehr altertümlichen Wortschatz des nördlichen Kalabriens (nördlich der

---

[660] 'Après la chute de la domination arabe, (la Sicile) a subi une nouvelle romanisation. Que celle-ci soit l'effet d'une véritable colonisation italienne, comme le veulent Amari et Hartwig, ou d'une affluence de commerçants venus de la Péninsule et de la préférance des Normands et des Hohenstaufen pour les magistrats italiens, comme le prétend Maccarone, le fait est qu'il en est sorti pour la Sicile une physionomie dialectale unitaire et quelque peu terne' (Jaberg, Aspects 34). – Siehe dazu unsere Scavi linguistici nella Magna Grecia (Roma 1933) und Neue Beiträge zur Kenntnis der unteritalienischen Gräzität. In: SBAW, 1962, Heft 5.

Landenge Nicastro-Catanzaro) und der Sprache des südlichen Kalabrien besteht: diese außerordentlich reich an griechischen Reliktwörtern und sichtlich unter dem Einfluß des griechischen Sprachgeistes stehend, aber sehr arm an alten lexikalischen Elementen – genau wie die Insel Sizilien selbst.[661]

§ *146.* Schwer ist die Stellung des Rätoromanischen zu bestimmen. Die Gebiete, in denen es gesprochen wird, haben keine einheitliche Schriftsprache entwickelt. Einflüsse, die von Venetien, aus der Lombardei und aus dem deutschen Sprachgebiet wirken, haben den alten Sprachtyp stark zersetzt. Zahlreich sind daher die Gemeinsamkeiten mit Italien bzw. den oberitalienischen Mundarten: *schi* 'oui', *il daint, cun* 'avec', *tschiec, chattar* (ven. *catar*), *chavalla, fió* (ven. *figá*), *dumengia, chüna, rocca, staffa, mürader, skrua* 'truie'. Anderes verbindet das Rätoromanische mit Frankreich: *savü* 'Holunder', *ils lufs, sulegl, emblidar* (altprov. *emblidar*), *aug* Onkel, *chamma* 'Bein' (altprov. *camba*), *kot (chöd)* 'Hahn', *buk*. Bemerkenswert sind gewisse Übereinstimmungen mit dem Rumänischen: a r d e r e, r o g a r e, m e l u m, f i c á t u m, s u b u l a, a l b u s, s a l i r e 'springen', b a s i l i c a. Dazu kommen ganz selbständige Elemente: a m n a r e 'gehen', m a g u l a r e 'essen', m e d i c a r e, i n f l a r e 'finden', c a s e o l u s, h a e d i o l u s, s c e t o n e; vgl. noch *nauš* 'mauvais', *bargir* 'pleurer'. Und schließlich die deutschen Einflüsse: *schneder, aver bugen = gern haben.*

Die relative Einheit der rätormoanischen Mundarten als individueller Sprachtyp wird verteidigt von H. Kuen, Einheit und Mannigfaltigkeit des Rätoromanischen, in Festschrift Wartburg (1968), Bd. I, S. 47–69. Ähnlich urteilt M. A. Borodina: 'Le rhétoroman ... est une langue littéraire indépendante. ... Il présente quantité de traits partieuliers qui caractérisent sa structure et le différencient nettement des autres langues romanes. ... Le rhétoroman occupe une position transitoire entre la Romania de l'Est et la Romania de l'Ouest' (Petopomansk. Язык, Leningrad 1969, S. 177). Siehe dazu die Gegenargumente von G. B. Pellegrini, Criteri per una classificazione del lessico ladino, in

---

[661] Siehe Seavi linguistici S. 55 ff ; G. Bonfante, *Il problema del siciliano,* in Boll. del Centro di Studi Filologici Siciliani, anno I, 1953; G. Rohlfs, Correnti e strati di romanità in Sicilia, in BCSic, 9, 1965, S. 74–105 und *Der sprachliche Einfluß der Normannen in Süditalien,* Mélanges Delbouille, I, 1964, pp. 565–574; Urs Jost, *Die galloromanischen Lehnwörter in Süditalien* (Diss. Basel 1967). – Siehe dazu den Nachtrag in § 151.

'Studi linguistici friulani', vol. I, 1969, S. 7–39 und in ALPR, S. 302 ff. – Über ältere Urteile und Deutungen in dieser Streitfrage, s. Tagliavini (1964), S. 319–328.

§ 147. Auch Sardinien hat keine Schriftsprache entwickelt. Die Insel ist außerordentlich reich an mundartlicher Sonderentwicklung. In ihrer insulären Isoliertheit birgt sie eine große Masse archaischer Elemente. Der Maßstab unserer Karten erlaubte nur die Auswahl der verbreitetsten Worttypen. Wörter, die nur in Sardinien sich erhalten haben, sind: vitulus, agnione, *zurpu* 'blind', *pala* 'Schulter', accaptare 'finden, sus, matrix 'truie', caper, *margiani* 'Fuchs', *mazzone* 'Fuchs', conca 'Kopf', cena pura 'vendredi'. Anderes sehr altes Wortgut teilt Sardinien mit altertümlichen Mundarten in Süditalien: förnus, nŭra, cras, vitricus, acina 'Weintraube', tando 'allora'. Dazu kommt die Bewahrung des alten weiblichen Geschlechtes von acus. Bemerkenswert sind auch die zahlreichen Einbrüche aus der spanisch-katalanischen Latinität: *arribbare* (kat. *arribar*), *scaresciri* (altspan. *escaecer*), *olvidare, brassolu* (kat. *bressol*), *cugliera* (kat. *cullera*), *istimare* (kat. *estimar*), *piccapedreri* 'muratore'.

§ 148. Aufschlußreich ist das Studium unserer Karten für die Stellung des Katalanischen. Die vielumstrittene Frage, ob das Katalanische zum Galloromanischen zu rechnen ist (entsprechend der Ansicht von Diez, Meyer-Lübke, Bourciez, Griera) oder ob es eine Abart des Iberoromanischen darstellt (entsprechend der Ansicht von Menéndez-Pidal, Amado Alonso, Fritz Krüger, Harri Meier), erhält eine klare Antwort durch das Bild unserer Karten.

Wenn wir aus den hier in gesamtromanischer Betrachtung behandelten 100 Karten alle diejenigen Wörter weglassen, die dem Spanischen (Kastilischen), dem Katalanischen und dem Provenzalisch-Französischen gemeinsam sind *(sahuc, mes alt, padrastre, la sal, la flor, que, avellana, agulla, oblidar, egua, bosc, guerra, alena, blanc, fresc, guaixar, culler(a), estrep, quant, sastre, comprar, sogra, gall, esquerra, boc, cabrit, viure, menar, esglesia)*, und anderes ausklammern, was für einen solchen Vergleich nicht oder wenig in Frage kommt, so ergeben sich folgende absolute Übereinstimmungen des Katalanischen mit dem Provenzalischen (im Gegensatz zur kastilischen Schriftsprache):

	PROVENZALISCH	KATALANISCH	SPANISCH
1. *demain*	*deman*	*demá*	*mañana*
2. *oui*	*oc (o)*	*oc (o)*	*sí*
3. *la dent*	*la dent*	*la dent*	*el diente*
4. *poirier*	*periero*	*perera*	*peral*
5. *avec*	*ab(emé)*	*ab(amb)*	*con*
6. *veau*	*vedèu*	*vedell*	*becerro*[662]
7. *agneau*	*agnèu*	*anyell*	*cordero*
8. *oiseau*	*aucèu*	*ocell*	*pájaro*
9. *rien*	*rèn (res)*	*res*	*nada*[663]
10. *brûler*	*cremà*	*cremar*	*quemar*[664]
11. *bouillir*	*boulì*	*bullir*	*hervir*
12. *prier*	*pregà*	*pregar*	*rogar*
13. *épaule*	*espallo*	*espatlla*	*hombro*[665]
14. *trouver*	*trobà*	*trobar*	*hallar*[666]
15. *alors*	*loras*	*llavors*	*entonces*
16. *pomme*	*poum(a)*	*poma*	*manzana*
17. *oncle*	*ouncle*	*oncle*	*tío*
18. *foie*	*fege*	*fetge*	*hígado*[667]
19. *jambe*	*cambo*	*cama*	*pierna*
20. *ventre*	*vèntre*	*ventre*	*vientre*
21. *dimanche*	*dimenche*	*diumenge*	*domingo*
22. *chêne*	*roure*	*roure*	*roble*
23. *érable*	*auseró* (gasc.)	*auró*	*arce*[668]
24. *bruyère*	*bruc*	*bruc*	*brezo*
25. *berceau*	*bres*	*bres*	*cuna*
26. *quenouille*	*fielouso*	*filosa*	*rueca*
27. *éperon*	*esperoun*	*esperó*	*espuela*

---

[662] Im aragonesischen Pyrenäengebiet *betiello* mit Erhaltung des *t*, wie in der Gaskogne (*betèt, betètch*); s. dazu ROHLFS, *Le Gascon* § 445, KUHN a. a. O. S. 196 und W.-D. ELCOCK, *De quelques affinités . . .* (Paris 1938), carte 9.

[663] Im Sinne von *nada* ist *res* häufig in altaragonesischen Texten (Alvar, DL 146).

[664] Auch noch in einigen Pyrenäendörfern des Alto Aragón (Hecho, Fanlo, Bielsa) *cremar*.

[665] In Aragonien hat man dafür die Form *güembro*; vgl. span. *conde* neben altspan. *cuende, hombre* neben altspan. *uemne* und *huembre, puente* neben *monte*; s. dazu Corominas, DELC II, 934.

[666] An der nördlichen Peripherie von Aragonien (z. B. Hecho) sagt man *trobar*. Über die Verbreitung dieses Verbums in altspanischen Texten, s. Alvar, DL 148.

[667] In Aragonien *fígado*.

[668] Im nördlichen Aragón *acerón*, entsprechend dem katal. *aurá*.

28. *guérir*	*garì*	*guarir*	*curar*
29. *arriver*	*arribà*	*arribar*	*llegar*[669]
30. *fromage*	*froumage*	*formatge*	*queso*
31. *raisin*	*rasin*	*rahim*	*uva*[670]
32. *femme*	*dona*	*dona*	*mujer*
33. *se marier*	*moulherà-s*	*mullerar-se*	*casarse*
(homme)			
34. *petit*	*petit (pichot)*	*petit*	*pequeño*
35. *grenouille*	*granouio*	*granota*	*rana*
36. *truie*	*trueio*	*truja*	*puerca*
37. *tempe*	*pous*	*pols*	*sien*[671]
38. *tête*	*cap*	*cap*	*cabeza*[672]
39. *manger*	*manjà*	*menjar*	*comer*[673]
40. *nous allons*	*anam*	*anam*	*vamos*
41. *pleurer*	*plourà*	*plorar*	*llorar*[674]
42. *vendredi*	*divendre*	*divendres*	*viernes*
43. *Noël*	*nadal (nouè)*	*nadal*	*navidad*

Ganz anders ist das Verhältnis, wenn wir dem Provenzalischen die Fälle gegenüberstellen, wo das Katalanische sich mit der inneren Hispania verbunden zeigt (in Abweichung vom Provenzalischen). Es sind nur ganz vereinzelte Fälle: *sol, cec (ciego), tenir* 'avoir', *tocar, rabosa* 'Fuchs' (arag. *rabosa*, kast. *raposa*). Und selbst diese Fälle lassen sich noch einschränken: *solell* ist balearisch, *tener* 'avoir' ist in Südfrankreich nicht ganz unbekannt (§ 18), *cec* und *tocar* sind altprovenzalisch. Dazu kommen einige wenige Fälle, wo das Katalanische individuelle Sondertypen entwickelt hat: *paleta (picapedrer), estimar* 'aimer', *dolent* 'mauvais', *ruc* 'âne', dazu als regionale Namen für den Fuchs *guilla* und *guineu*.[675]

---

[669] Erscheint in einigen Dörfern des Alto Aragón (Ansó, Hecho) in der Form *plegar* 'ankommen'; außerhalb dieser kleinen Zone hat *plegar* in Aragonien die Bedeutung 'nehmen', 'fassen', 'coger'.

[670] In Kastilien und Aragonien versteht man unter *racimo* das, was man franz. 'une grappe de raisin' nennt.

[671] In Aragonien meist *pulso*; s. Alvar, DL 149.

[672] In einigen Dörfern des Alto Aragón *capeza* (Fanlo, Torla, Bielsa, Panticosa).

[673] In einigen Dörfern des Alto Aragón *chentar* (Ansó), *chintar* (Hecho) < jentare; s. Kuhn, RLiR XI, S. 35.

[674] Die Form *plorar* gilt auch weithin in Aragonien; s. Alvar, DL 147).

[675] Die aus dem Vergleich der drei Sprachtypen gezogenen Rückschlüsse sind 'cum grano salis' zu nehmen. So wie das Katalanische in seinen regionalen Zonen mancherlei Abweichungen zeigt (castellanismos, ältere und jüngere Formen, im Westen stärkere Berührung mit dem hispanischen Innern), so

Wenn wir diese Situation zusammenfassen, so ergibt sich aus den 82 vergleichbaren Beispielen folgendes proporzionale Verhältnis:

1. Kastilisch, Katalanisch u. Provenzalisch gehen zusammen: 29
2. Kastilisch und Katalanisch gehen zusammen: 5
3. Katalanisch ist eng mit dem Provenzalischen verbunden: 43
4. Selbständige Elemente des Katalanischen: 5

Das ist eine eindrucksvolle Dokumentation für die engere sprachliche Verwandtschaft des Katalanischen mit der Galloromania: Das Katalanische ist in seiner alten Substanz 'essentiellement' eine 'dépendance' des Provenzalischen.[676] Was das Katalanische mit der inneren Hispania verbindet (abgesehen von der gemeinsamen vulgärlateinischen Grundlage) gehört meist einer jüngeren Zeit an.[677]

§ 149. Wir versuchen gleich hier dem Einwand zu begegnen, daß die Vergleichung des Katalanischen mit dem Kastilischen das zwischen dem Katalanischen und dem Kastilischen gelegene Aragonien ignoriert. Dieser Einwand ist gegen Meyer-Lübkes Buch *Das Katalanische* (Heidelberg 1925) von mehreren Kritikern (Amado Alonso, Fritz Krüger und anderen) erhoben worden. Dieser Einwand hat eine gewisse Berechtigung. In seiner

---

ist auch das Kastilische keine absolute Einheit; s. dazu die daraus resultierenden Einschränkungen, die von GERMÁN COLÓN (ZRPh 74, S. 292 ff.) gemacht worden sind.

[676] Zu ganz ähnlichen Ergebnissen ist mein Schüler HEINRICH BIHLER in seiner (noch ungedruckten) Dissertation, *Die Stellung des Katalanischen zum Provenzalischen und Kastilischen* (München 1950), in der Prüfung katalanischer Texte aus älterer und neuerer Zeit gekommen. Mit Hilfe der statistischen Methode kommt er in gewissenhaft durchgeführtem Vergleich zu folgendem Ergebnis: Im 13. Jh. betragen die den drei Sprachen gemeinsamen Elemente 35%, die Übereinstimmungen mit dem Provenzalischen 45%, die Berührungen mit dem Kastilischen 10%, die eigenständigen Elemente 10%. In den folgenden Jahrhunderten verstärken sich die kastilischen Elemente bis zu 30%, die eigenständigen Elemente bis zu 22%, während das provenzalische Element auf 35%, das den drei Sprachen gemeinsame Element auf 10% sich reduziert.

[677] Die Stellung des Katalanischen scheint mir am richtigsten von HEINRICH KUEN beurteilt zu sein. Nach ihm hätte das Katalanische bis zum 9. Jh. eine sprachliche Gemeinschaft mit dem Provenzalischen gebildet. In den folgenden Jahrhunderten hätten sich im Katalanischen eigenständige Entwicklungen durchgesetzt, bis schließlich der Einfluß des Kastilischen sich mehr und mehr geltend machte (ZRPh 66, 1950, S. 108 ff.). – Siehe dazu die Stellungnahme mit weiterführenden Überlegungen von Alvar, DL 151.

lautlichen Entwicklung zeigt das Aragonesische in Teilen seines Gebietes einige Merkmale, die es mit dem Katalanischen verbinden. Besonders die nördlichste Zone, d. h. der gesamte Pyrenäenabschnitt, ist reich an sprachlichen Phänomenen, die vom Kastilischen abweichen: es sind Elemente und Entwicklungen, die teils mit dem Gaskognischen, teils mit dem Katalanischen übereinstimmen. Man vergleiche dazu G. ROHLFS, *Le Gascon: Etudes de philologie pyrénéenne* (Halle-Pau 1970). Die Mundarten des 'Alto Aragón' sind daher aufzufassen als eine sprachliche Zwischenschicht zwischen dem galloromanischen und dem kastilisch-hispanischen Sprachtyp. – Doch in seiner Gesamtheit zeigt Aragonien seit dem Mittelalter sprachliche Verhältnisse, die es nur noch wenig vom kastilischen Typ unterscheiden.[678] In unserer oben abgedruckten Wortliste gelten die gegebenen kastilischen Wörter mit ganz wenigen Ausnahmen zugleich auch für Aragonien. Alle Abweichungen vom Kastilischen sind in den Anmerkungen 662ff. hervorgehoben worden. Aus ihnen ist zu erkennen, daß der katalanische Worttyp nur in 5 Fällen sich in das aragonische Gebiet fortsetzt: *betiello, cremar, trobar, acerón, pulso, plorar.*[679]

§ 150. Im übrigen hat die Besprechung der hier ausgewählten Probleme uns gezeigt, daß die Ursachen, die zur lexikalischen Differenzierung der romanischen Sprachen geführt haben, außerordentlich mannigfaltig sind.

Schon in den ersten Jahrhunderten unserer Zeitrechnung beobachtet man in der gesprochenen Alltagssprache des Römers ein Schwanken zwischen mehreren Möglichkeiten des Ausdrucks. Neben einem älteren Ausdruck war eine jüngere Sprachform getreten. In mehreren Fällen konnten gewisse Schichten zeitlich genauer bestimmt werden:

---

[678] Man vergleiche dazu den Aufsatz von B. POTTIER, *L'évolution de la langue aragonaise à la fin du moyen âge* (Bull. Hisp. 54, 1952, S. 184–199): 'A partir du XVe siècle le castillan a conquis le domaine aragonais si bien que, dès le début du XVIe, on ne pouvait plus parler d'une langue aragonaise' (S.184). Vgl. jetzt auch M. ALVAR, *El dialecto aragonés* (Madrid 1953), S. 321.

[679] Die übrigen Abweichungen beruhen auf lautlicher Sonderentwicklung des kastilischen Worttyps *(fígado, plegar, güembro, capeza)*. In einem Fall zeigt Aragonien einen eigenen Worttyp *(chentar)*; in einem anderen Fall hat das aragonische Wort *(racimo)*, in Übereinstimmung mit Kastilien, einen anderen semantischen Wert entwickelt.

1. Schicht	2. Schicht	3. Schicht
förnus	*fŭrnus*	
nŭrus	*nŭra*	*nŏra*
sabucus	*sambucus*	
magis altus	*plus altus*	
cras	*mane*	*demane*
vitricus	*patraster*	
vitulus	*vitellus*	
agnus	*agnellus*	
acus f.	*acus m.*	*acucula*
caecus	*orbus*	*aboculis*
fervere	*bullire*	
rogare	*precare*	
humerus	*spatula*	
invenire	*afflare*	*tropare, captare*
tunc	*tando*	*ad illa hora*
malum	*melum*	*pomum*
avunculus	*thius*	
lingula	*cochleare*	
advenire	*plicare*	*adripare*
emere	*comparare*	*adcaptare*
edere	*comedere*	*manducare*
ire	*vadere*	*ambulare*
flere	*plorare*	*plangere*

Die Gründe für Wortverlust und Worterneuerung lassen sich nach gewissen Triebkräften in bestimmte Kategorien ordnen. Doch ist es nicht möglich, für die Wortgeschichte solche genauen Regeln aufzustellen, wie sie für die Entwicklung der Laute ihre Gültigkeit haben. Es bewahrheitet sich die schon von früheren Forschern ausgesprochene Erkenntnis: J e d e s   W o r t   h a t s e i n e   e i g e n e   G e s c h i c h t e .

§ 151. Nachträge (letzte Korrekturnotizen), s. S. 233.

WORTREGISTER[1]

LATEINISCH[2]

abellana 51, 143, 175 n
aboculis 56, 150, 210 n
accaptare 104, 147
acina 105, 147
acucula 52, 150, 177 n, 178 n
acus 52, 150
advenire 102, 150
adtunc 62
afflare 60, 150, 228 n, 230 n
agnellus 49
agnione 49, 147
agnus 49, 150
albus 81, 143, 146
alnus 72
amare 109
ambitare 132
ambulare 132, 150
amnare 132, 146, 606 n
anucla 46
applicare 102, 437 n
apud 39, 40
arbor 38
ardere 55, 146, 195 n
barbane 245 n
basilica 138, 146, 151, 623 n
basium 130
bellum 79
bibere 130
brucus 72
brusiare 55
bullire 57
caballus 61

caecatus 56
caecus 56, 150
calendae 140
camba 66
caper 147
capitium 127
capra 121
capreolus 532 n
captare 60, 104, 150, 449 n
captivus 136
caput 127
carum habere 112
casale 340 n
caseolus 146
caseus 103
catalanus 419 n
catecra 22, 48 n
catellus 46
cavitare 233 n
cella 355 n
cena pura 139, 147
cercea 289 n
christianus 104 n
cochleare 88
cochlearium 88
colucula 85, 356 n
colus 358, 544 n
comedere 128
comparare 104
conca 127, 147
conjugare 488 n
conucula 85, 356 n

---

[1] Mit den Zahlen verweisen wir auf die Paragraphen. Ein hinzugefügtes n (note) bezieht sich auf die Anmerkungen.
[2] Es wird im Register kein Unterschied gemacht zwischen belegten und erschlossenen (rekonstruierten) Formen.

FRANZÖSISCH

courtil 340 n
couturier 100
croasser 117
cuiller
demain 27
dent 36, 101 n
devenres 626 n
dimanche 68
donc 62
drapier 42
échine 91
écrou 134, 505 n
église 138
épaule 59, 222 n
éperon 89
érable 71
espit 125
estrief 90, 380 n
estriu 90
étincelle 125
étrier 90, 91
étrieu 90
faîte 91
femelle 107
femme 107, 134
fermer 134
fleur 37
foie 65
forfaire 327 n
fromage 103
front 36
gaif 371
gaisser 83
gart 78
gatte 521 n
gauche 120, 144
gauchir 516 n
gaugue 175 n
gay 118
guenchir 516 n
guérir 101
goret 509 n
gouche 118
goupil 551 n
grenouille 117
gualt 151, 333 n
guerre 79

guille 126
guinaud 555 n
hanche 91
hardi 326 n
héberger 75
hêtre 77
houx 77
huile 130
ive 61
jardin 78, 91
jarrie 295 n
jart 78
jauge 175 n
jouencle 46
jouer 95, 144
juignet 131
juil 131
juillet 593 n
juin 131
jument 61, 144
maçon 93, 144
main 27
malade 208 n
manger 128, 580 n
marier 113
mauvais 119, 144
méchant 119
mener 135
mengier 578 n
mie 194 n
moillier 461 n
moisson 50
moudre 129
mousse 72
musser 129
néant 54
nient 54
noël 140
nouer 129
od 39
oeil 124
oïl 32, 82 n
oncle 64
oublier 53
ouche 340 n
oui 42, 82 n
paisse 174 n

parastre 28
parmentier 100
pautonnier 386 n
pêche 174 n
pelletier 100
petit 114
pleurer 133
plus 26
poche 92, 144
poire 38, 107 n
poirier 38
pois 129
poisson 129
pomme 63
potence 134
prier 58
quatre-vingts 96, 402 n, 409 n, 410 n
quenouille 85
raine 117, 129
raisin 105
renard 126, 144
rien 54
roisin 455 n
rover 216 n
saillir 137
samedi 79 n
sartre 100

saule 77, 222 n
soleil 47
suc 25
suire 108
sur 25, 62 n
sureau 25, 144, 62 n
taiche 384 n
tailleur 100, 144
taisse 384 n
tempe 124
tenir 41
tête 127
tiche 151 n
tiois 75, 151 n
traire 134
tres vints 410 n
trouver 60
truie 118
tuer 134
uller 55
usler 55
veau 48
verne 72
viande 134
voupil 551 n
yeuse 288 n

ITALIENISCH

accasare 488 n
accattare 104, 145, 412 n
acchiare 60, 230 n
ácina 105
addò 40
afflare 231 n
agghjicari 102
agio 454 n
agnello 49, 145, 165 n
agocchia 178 n
agugghia 145
ai 32
aino 49
aχχare 60
albergo 75
allitare 438 n, 151

allora 62
allotta 62
amare 109
ammogliare 113, 144
ampruntari 451 n
anar 132, 151
anca 66, 91
andare 132, 151
annari 601 n
apröf 40
árburu 70
ardito 326 n
arrivare 102, 144
asciari 60, 230 n
asse 129
attrufo 31

aunu 49
aver caro 112
aviri 145
avlèna 175 n
avógol 56
azzáru 71
baleno 102 n
barba 64
beca 120
becco 121, 122, 144, 145, 531 n
bianco 144
biavo 81
bioss 86
biott 86
biscia 134
bollire 57
bosco 76, 144
brea 87
brek 543 n
bricco 543 n
brük 72
bruciare 55, 144
bruno 349 n
brüsar 55
buccèri 451 n
bugghjiri 215 n
ca 43, 144 n
cacio 103
cagna 126
calende 636 n
calze 134
camicia 92
campare 130
canimma 99 n
capo 127, 134, 568 n, 574 n
capoccia 127
capra 121
capretto 122
cariola 125
carrigliu 295 n
cássanu 145, 292 n
catà 104
catar 60
catello 46
cattiva 513 n
cattivo 119, 136, 144
cavalla 61

cavallo 61, 123
cavezza 127
cavron 121
cca 115 n
cecato 56
ceppo 141
cerqua 70
cerza 70
che 43
chezzu 122
chiascione 87
chiazzu 122
chicari 102
chiedere 134
chiefa 31
chiesa 138
chiocca 574 n
chiofa 31
ciampo 120
ciarveḍḍu 145, 526 n
cico 114
cieco 56
cino 114
cit 114
ciuccio, ciuco 123, 541 n
ciuri 103 n
clura 51
cò 127
coccia 127
comprare 104
cona 118
conocchia 85
cordesco 168 n
còssa 66
crai 27, 67 n
crassera 67 n
crina 118
crusca 87
cu 43
cucchiaio 88
culla 73, 144, 312 n
cüna 73
cúnnola 73
curdašcu 168 n
cusetore 100
custureri 100, 145, 451 n
da 40, 144

lòjola 125
lovia 118
logia 118
luci 549 n
luja 118, 125
lume 134, 98 n
lumera 549 n
luogo 88 n
lúpiga 125
luta 125
madòna 108, 76 n
magione 454 n
magiostra 72
magliare 582 n, 151
majar 582 n
majúrsula 307 n
mamma-cara 126
maneino 120
manco 120
mandicare 128, 580 n
manducare 128, 580 n
manghiazzona 126
mangiare 128, 144
manicare 128, 579 n
manucare 128, 580 n
maritare 113, 145
matría 75 n
mela 63
menare 135
menti 544 n, 546 n
messere 108
mezzédima 94
mi 43, 143 n
miccio 123
micio 541 n
miga 194 n
milza 91
miuccu 114
mu 43, 143 n
muratore 93, 144
musso 123
naca 74
natale 140
negota 193 n
nicu 114
niente 54, 144, 193 n
ninnu 114

nni 40
nogara 38
nona 108
nonno 512 n
nora 58 n
nota 193 n
notale 633 n
nucara 108 n
nuja 189 n
nulla 54, 144, 189 n
nura 58 n
obliare 186 n
occhio 124
olio 130
ora 62
orbo 56, 145, 207 n
otta 62, 252 n, 253 n
oy 32
padrigno 28
pagare 58, 87 n
pala 225 n
palpalá 116
palta 92
paltone 386 n
paltoniere 386 n
pampalèk 116
pariende 125
patrastu 28
patrigno 28, 144
patríu 28
pauta 92
pcit 114
per 133 n
pera 38, 107 n
peraro 38
pero 38
piangere 133
picciccu 114
piccino 114
piccinnu 114
piccittu 114, 145, 491 n
piccolo 114
picciolo 66
picio 114
pinin 114
pirara 108 n
pitino 114

KATALANISCH

PORTUGIESISCH

achar 60
achegar 437 n
agora 62
alfaiate 100, 658 n
alvanel 93, 390 n
alvo 81
amanhã 27
amar 109
anho 49, 166 n
anojo 48
arvore 38
ave 171 n
avelã 51
avó 512 n
azinheira 288 n
berço 73
bezerro 48
bode 121, 143
bolir 214 n
bordo 71, 143, 658 n
burro 123
cabeça 127
cabra 121
cabrito 122
canho 120, 518 n
carvalho 70, 143
casar 113
catar 60
cavalo 61, 123
cego 56
cerqual 290 n
cerquinho 290 n
chegar 102
chibo 122, 527 n
chorar 133
churdo 518 n
churro 518 n
chus 65 n
colhar 88
colher 88
comer 128
comprar 104
cordeiro 49
cras 67 n

curar 427 n
direito 120
domingo 68
égoa 61
então 62
esgocho 120, 518 n
espora 89
esquecer 658 n
esquerdo 120
estribo 90
fagulha 125
falisca 125
fémea 107
ferver 57
figado 65
flor 37
fona 125
fonte 124, 143, 658 n
galo 115
gostar 112
grasnar 117
guilha 126
igreja 138
ir 132
jalne 349 n
maçã 63
mais 26
mulher 107
nada 54
natale 633 n
novilho 48
olho 124
ombro 59
padrasto 28
pardal 173 n
paspalhão 116
pássaro 50, 171 n
pedreiro 93
pereira 38
perna 66
porca 118
queijo 102
queimar 55
querer 110

PROVENZALISCH (OCCITAN) UND GASKOGNISCH

RÄTOROMANISCH (Rumantsch, Ladin)

paira 38, 107 n
pairer 38
pign 114
pitschen 114
pittin 114
plandscher 610 n
plü 26
pro 40, 116 n
quacra 116
rocca 146
rovar 58
sachbedach 496 n
saglir 137
savü 25, 146
schi 32, 146
schneder 100
sciabla 59
scrua 118, 146
sdun 88

serraglia 124
söra 108
soredl 47
spadla 59
staffa 146
sulegl 47, 146
tar 40
tempra 124
tier 40
tiers 116 n
truar 237 n
tschanca 120
tschiec 56, 146
tschuja 118
üa 105
usöl 122
vaér 611 n
vuolp 126
zieba 527 n

RUMÄNISCH

ac 52
afla 60
ajunge 102
alb 81
alună 51
arde 55, 142
arţár 71
aşa 32
atunci 62
auşel 173 n
aúa 105
biserică 138, 142
bolnav 208 n
brînză 103
broască 142
burtă 275 n
cal 61, 123
cap 127
capră 121
caş 103
că 43, 142
căta 233 n
căuta 233 n
chior 56, 142

chircit 114
ciutură 127
cocoş 115, 142
colindă 140
crăciun 140, 142, 151
croitor 100, 142
cumpăra 104
cună 309 n
da 32, 142
diblă 127
drag ‖ avea - 112
duce 607 n
femeie 107, 142, 464 n
ficat 142
fierbe 57
fierea 35
floare 37
foale 267 n
furcă 85, 142
gard 340 n
găsi 60, 238 n
ghibirdic 114
gorun 70, 142, 296 n
gradină 78, 142

SARDISCH

SPANISCH

GERMANISCHE SPRACHEN

SLAVISCHE SPRACHEN

BASKISCH

ALBANISCH

fik 106 n
furkë 85
gare 540 n
garth 340 n
kambë 273 n
kats 122
kërcuni 140, 654 n
kërshëndella 632 n, 653 n
ketsh 122
kishë 138
kokosh 492 n
luftë 342
magjar 540 n
mëngjër 120
palnje 301 n
pikë 114

pyllë 76
qarr 295 n
që 43
se 43
shpatullë 219 n
shtenk 520 n
skjap 122
të 43
tëmbla 124
tshikë 114
unq 64
verbët 207 n
vitkur 28
xixa v. dzidza
zap 122

VERSCHIEDENE SPRACHEN

aflar (dalm.) 232 n
al-bannâ (arab.) 93
al-xajjât (arab.) 100
aplicare (dalm.) 437 n
basalka (dalm.) 622 n
berciu (kelt.) 73
bertcu (kelt.) 73
chirqua (mozar.) 290 n
ešek (türk.) 123
garriku (vorröm.) 70
kamba (kelt.) 273 n
karácsony (ung.) 140
kassanos (kelt.) 70, 292 n
kaxiku (vorröm.) 70
kečka (ung.) 122

kipina (finn.) 125
kör (türk.) 56
krottiare (kelt.) 74
majosta (vorröm.) 72
olka (kelt.) 340 n
szabó (ung.) 425 n
szikra (ung.) 125
támadni (ung.) 101
tata (dalm.) 45 n
tuma (vorröm.) 445 n
vaclo (dalm.) 124
vernu (kelt.) 72
vrvikos (kelt.) 72
zapo (dalm.) 532 n

GEOGRAPHISCHE NAMEN

Albeuve 45
Andalucía 325 n
Anglesqueville 45
Auberive 45, 81
Auberoche 81
Audun-la-Tiche 151 n
Ayguablava 81
Baroche 622 n

Bascapé 622 n
Baselga 622 n
Bazeilles 622 n
Bazoque 622 n
Bazouge 622 n
Blancherupt 45
Blanruz 45
Bourgogne 75

GRIECHISCH

ἐκκλησία 138
ζυγία 299 n
θεῖος 64
θέλω 110
καβάλλης 239 n
κάγκελλον 63 n
κάλανδα 637 n
καμπή 66
κάρρος 295 n
κίκιρρος 115
κλονοῦκα 357 n
κοκκύζω 492 n
κοῦκλις 115
κούνια 310 n
κουνούκλα 357 n
κόκορας 492 n
κυριακή 68, 138, 281 n
λῖκνον 74
μαδόνα 76 n
μάκελλον 63 n
μᾶλον 63
μῆλον 63
μητρυιά 75 n
μπάρμπας 265 n

νά 43, 142 n
νάκη 74, 313 n
ὅτι 43, 142 n
παρασκευή 139
πούγγα 92
πουγγί 92
πρέντζα 446 n
πρωτούλης 131
πρωτογιούνι 131
πῶς 43
ρόκα 357 n
σάβουκος 63 n
σάμβουκος 63 n
συκωτόν 65
σφένδαμνος 299 n
σώζω 440 n
τσάπος 122
τσίμαρος 534 n
τσοῦρος 122
φοῦρνος 54 n
χίμαρος 122
χριστούγεννα 632 n
χριστοῦ 632 n

§ 151: Nachträge (Korrekturnotizen)

§ 8: Auf eine kleine Zone im Norden der Vendée (im Umkreis von Beauvoir) bezieht sich ein Sprachatlas (410 Karten), der enthalten ist in Band II von LARS-OWE SVENSON 'Les parlers du Marais Vendéen' (Göteborg 1959): er ist von eintöniger Gleichförmigkeit mit unwesentlichen Unterschieden, die eine geographisch-kartographische Darstellung nicht rechtfertigen; s. H. E. Keller, RF, 73, 1961, S. 428.

§ 13 (S. 20): Über 'encuestas preliminares' für einen baskischen Sprachatlas, durchgeführt von A. M. Echaide in Navarra, s. Actes du Xe Congrès intern. des Linguistes (Bucarest 1967), vol. II, S. 101–105.

§ 38: Noch im Altfranzösischen gilt *olive* auch für den Baum, vgl. im Rolandslied *suz un' olive* 'sous un olivier' (v. 2571).

§ 42 (Anm. 133): in der östlichen Gascogne (Ariège pyrén.) wird statt *enda* die Form *ena* 'pour' verwendet, vgl. *ena cassà* 'pour chasser'. Und so auch für den präpositionalen Akkusativ: *que fèren bèngue ena soun pay* 'ils firent venir son père' (Rohlfs, Gascon § 496). – Zur ganzen Frage des präpositionalen Akkusativs, s. jetzt unsere umfassendere Behandlung in der Studie 'Autour de l'accusatif prépositionnel dans les langues romanes' (RLiR, tome 35, 1971).

§ 76 (Anm. 333): Dem italienischen Ortsnamen *Gualdo* entspricht altfranz. *gualt, gaut* und in der französischen Toponomastik *Le Gault* (Loir-et-Cher), *Le Gault-Saint-Denis* (Eure-et-Loir), *Le Gault-la-Forêt* (Marne).

§ 102 (Anm. 438): vgl. noch altröm. *adlitare* 'arrivare'.

§ 125: Das serbokroat. *varnica* (durch die südslavischen Kolonisten verbreitet) findet sich in ziemlicher Ausdehnung in den südlichen Abruzzen (Molise) bis in die Provinzen Benevento und Caserta: *vernico* 'scintilla' (AIS, c. 926).

§ 128: Das Verbum *magliare* 'essen' ist enthalten in den Personennamen *Maliagallo, Maliapisce, Maliabovis*, die für das 12. Jahrh. aus Modena bezeugt sind (Regesto della Chiesa Cattedrale di Modena).

§ 132: Wegen *amnare* > *annare* > *andare*, vgl. tosk. (Lucca) *scranda* = *scranna* 'Stuhl'.

§ 138: Über das zeitliche Verhältnis von *basilica* zu *ecclesia*, s. noch Aebischer in Rivista di Cultura Classica e Medievale, anno VII, 1965 (Studi in onore di Alfredo Schiaffini) S. 6–12.

§ 141: Die von Çabej gegebene Deutung 'Weihnachtsklotz' > 'Weihnachtsfest' (rum. *crǎciun*) ist schon vor einigen Jahren aus der Perspektive der slavischen Sprachen auch von dem Slavisten JOSEPH SCHÜTZ akzeptiert und mit klaren Beispielen aus den slavischen Sprachen gestützt worden; s. die 'Beiträge zur Südosteuropa-Forschung' (Intern. Balkanologenkongreß, Sofia 1966), München 1966, S. 35–40.

§ 142: Über die Beziehungen der Dakoromania zur hispanischen Romania im Sinne der 'áreas laterales', s. die neueren Studien von JORGU JORDAN, BF, tomo X, 1964 (enthalten auch in J. Jordan, Dos estudios de lingüística románica, Montevideo 1964, S. 21–31) und FR. SCHÜRR, in 'Acta Philologica de la Societas Academica Dacoromana', t. 5, Roma 1966, S. 129–140.

§ 145: zu den 'innovazioni dell' epoca normanna' in Sizilien und zur 'Calabria (meridionale) neoromanizzata', s. noch Bonfante, Atti dell' VIII Congresso di Studi Romanzi (Firenze 1956), vol. II, S. 85–88.

KARTEN

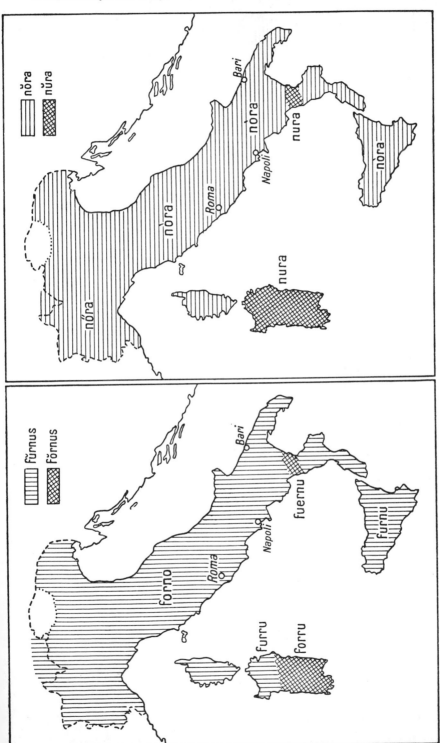

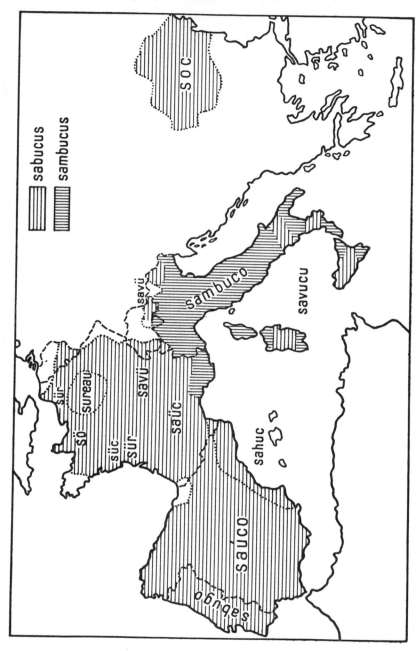

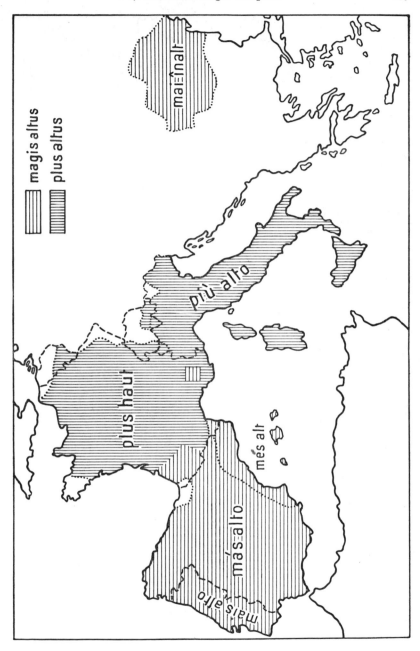

5. Lateinisch *cras* und *mane (demane)*.

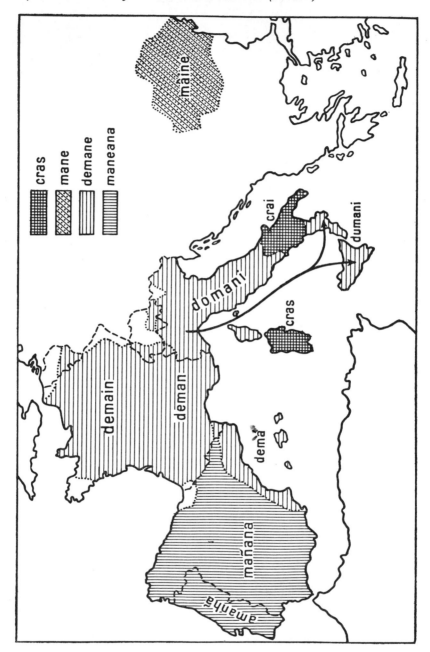

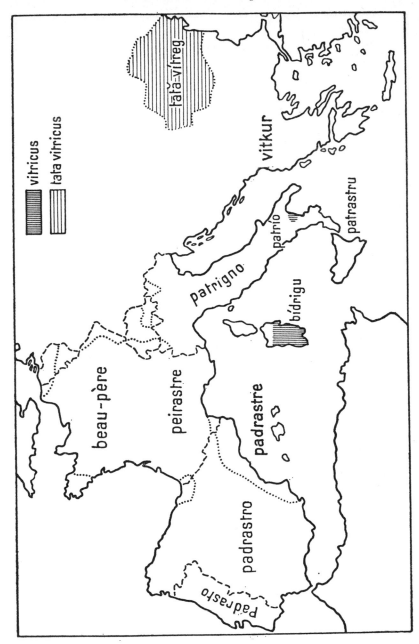

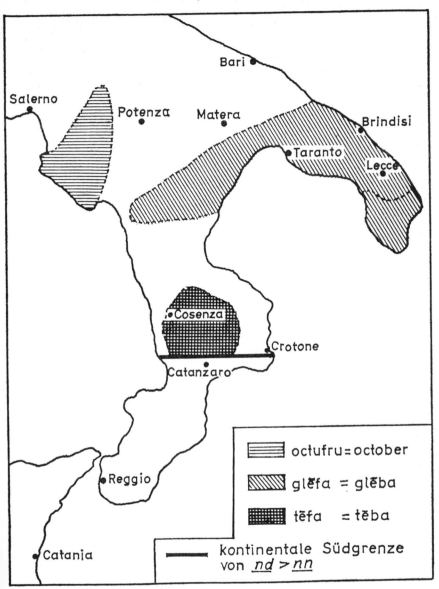

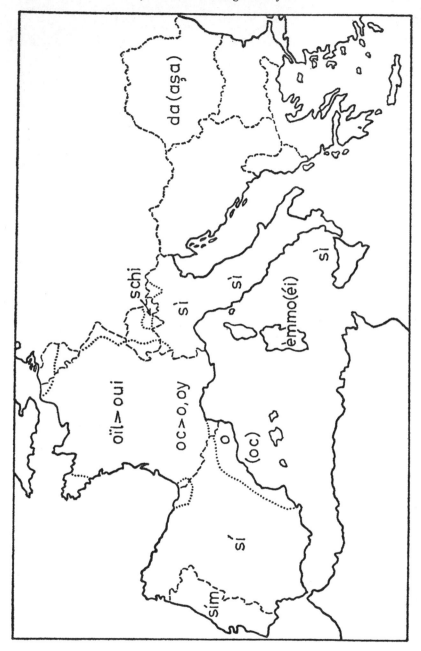

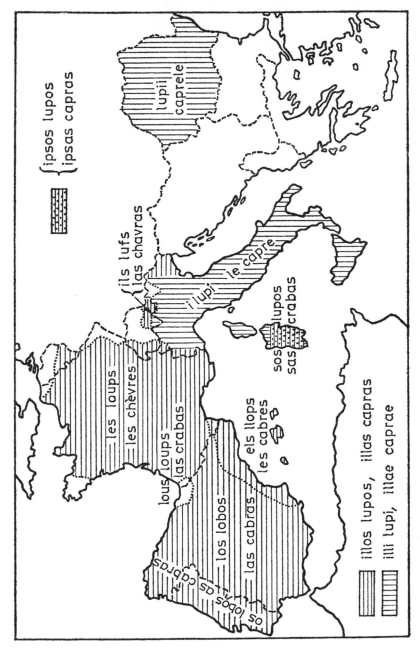

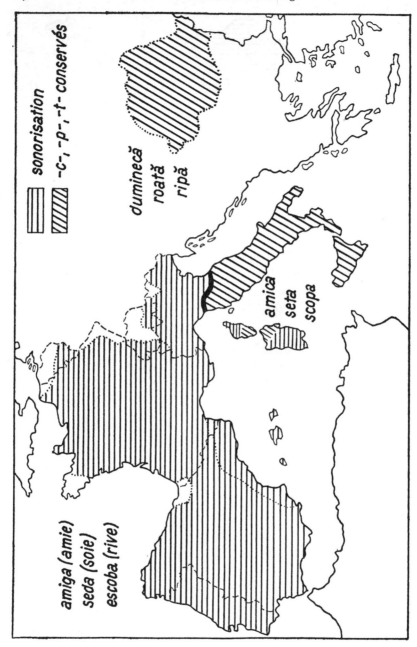

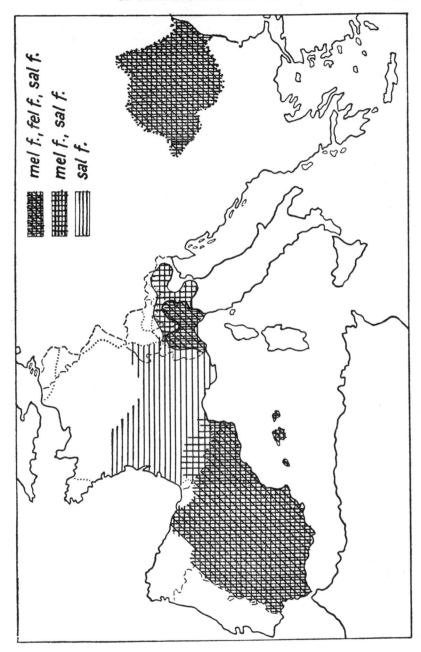

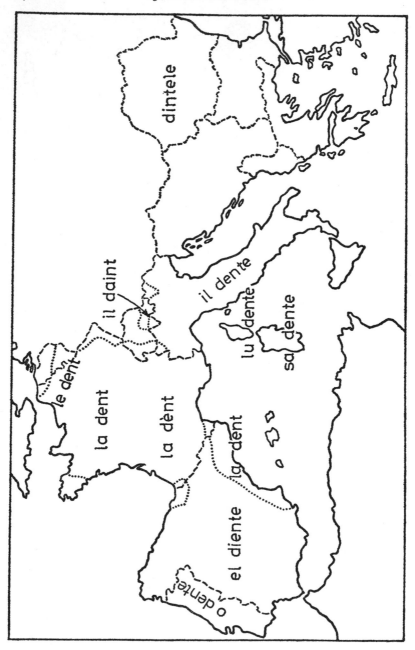

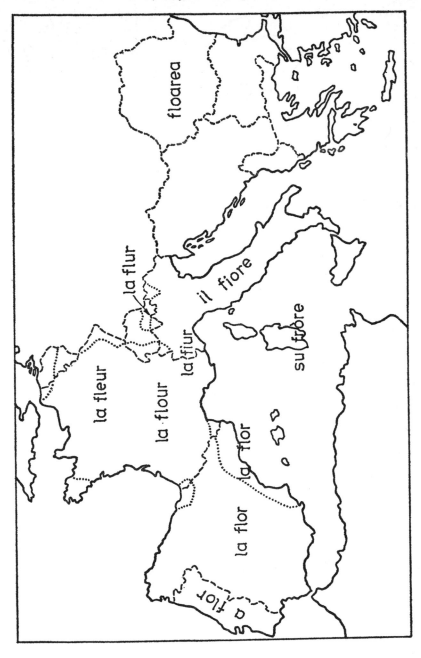

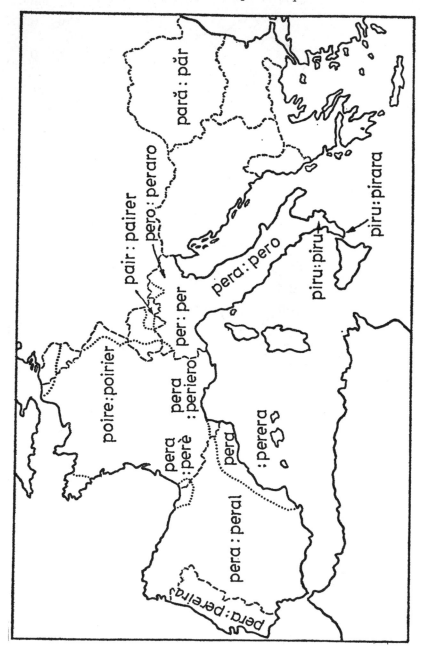

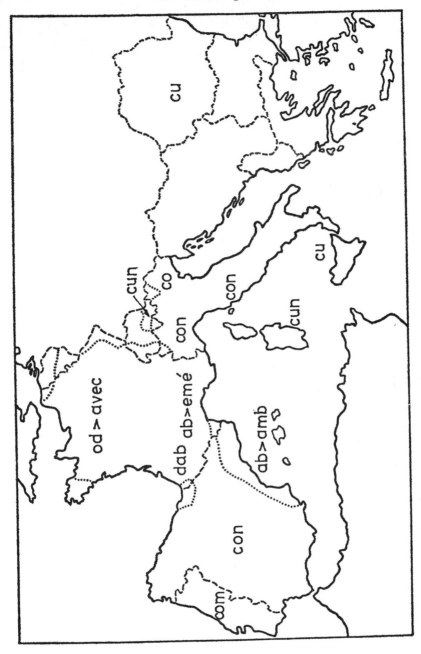

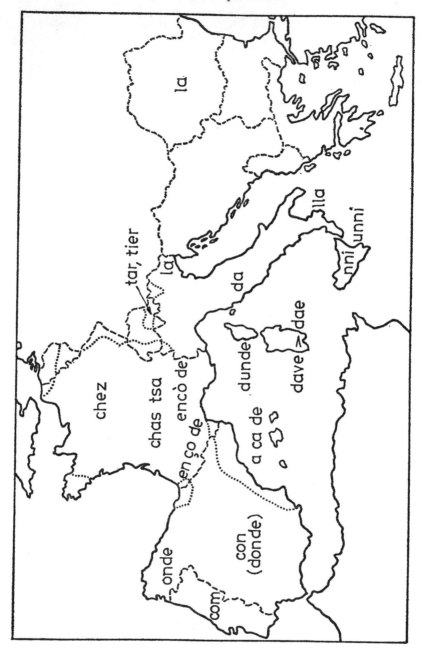

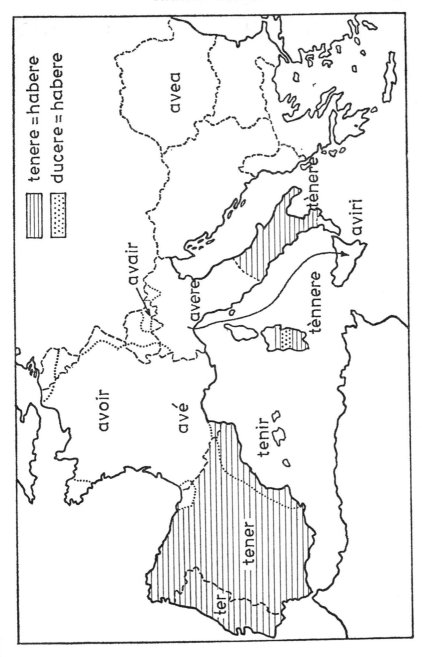

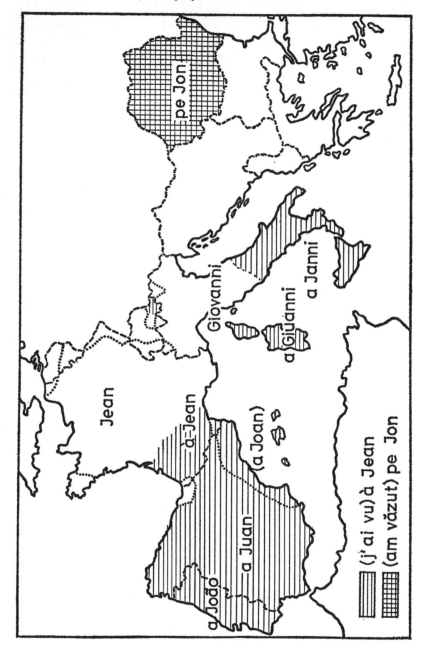

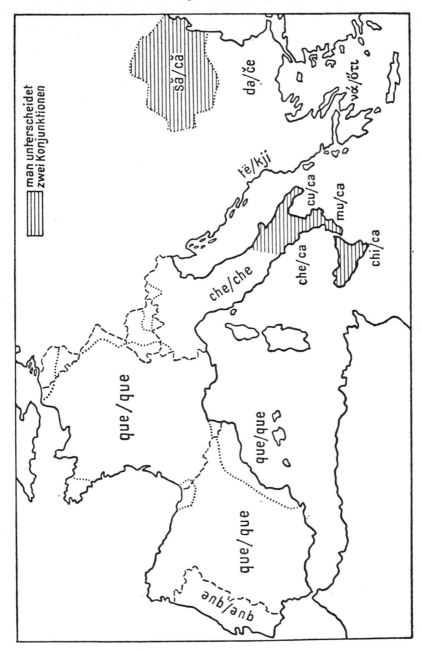

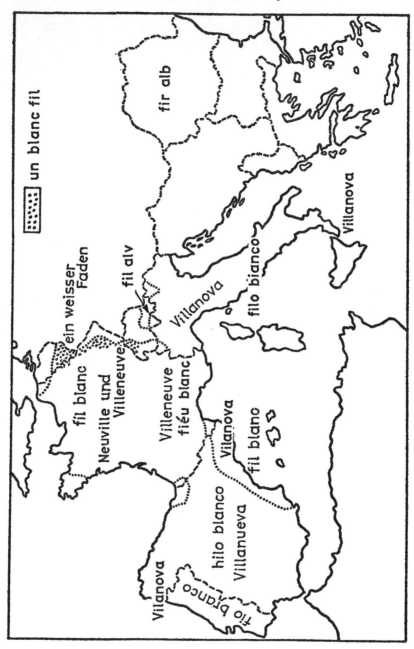

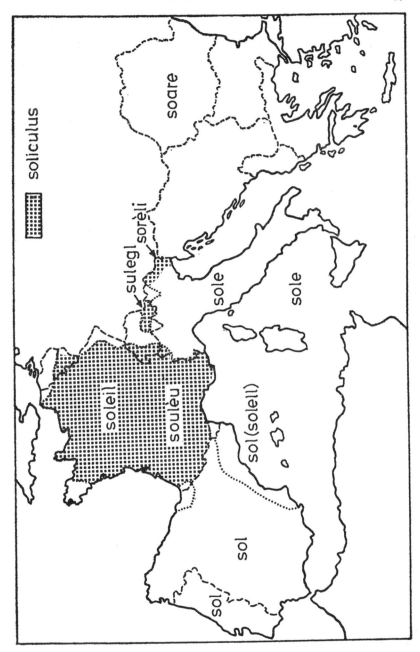

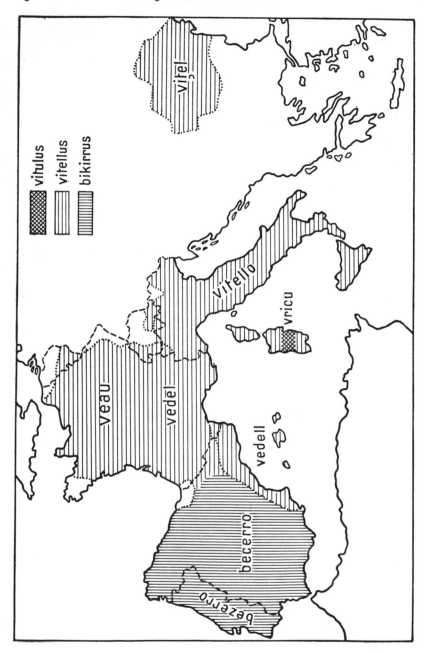

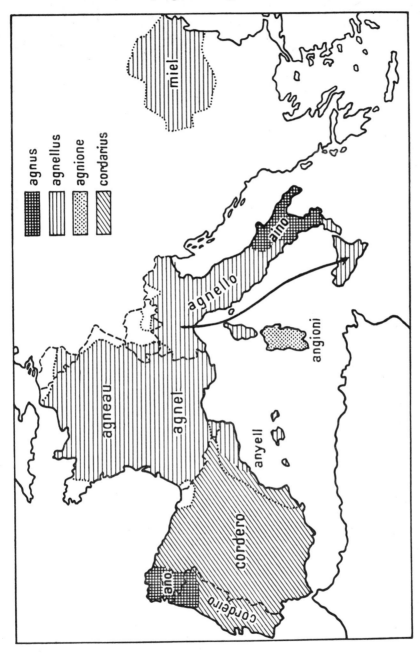

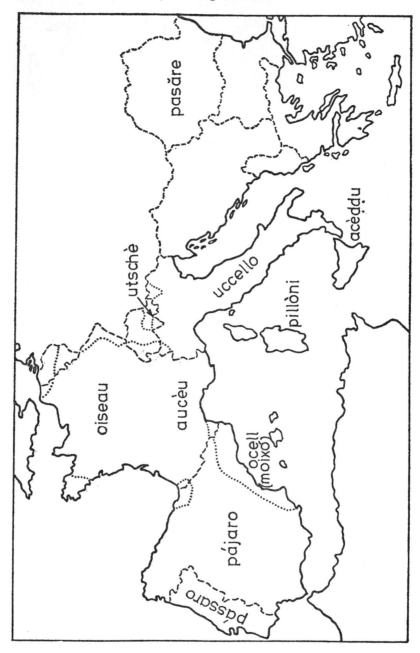

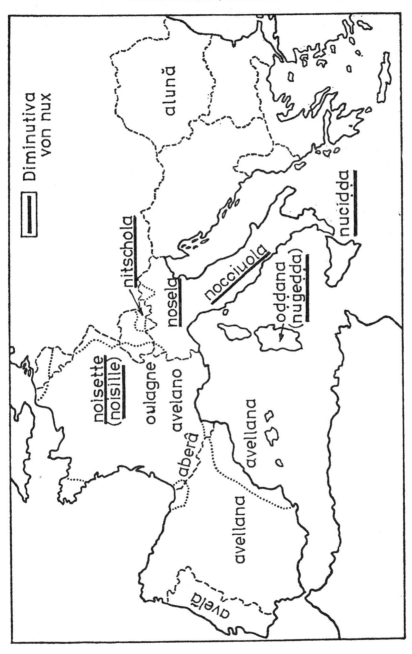

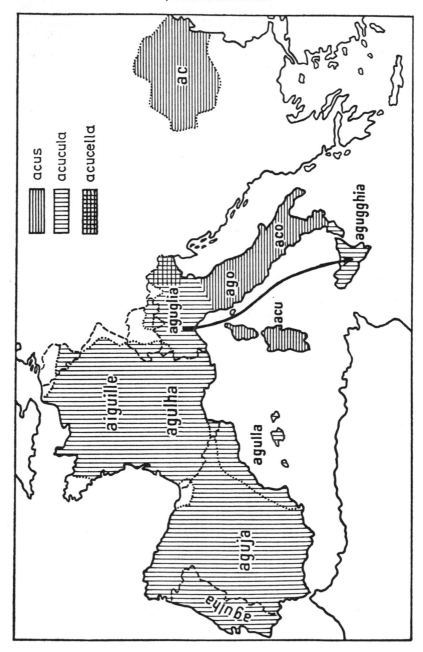

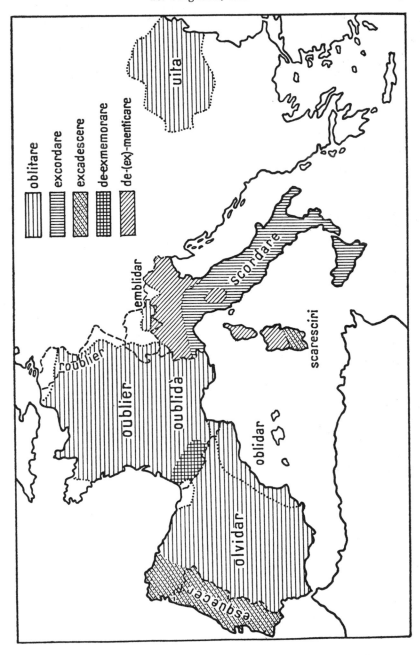

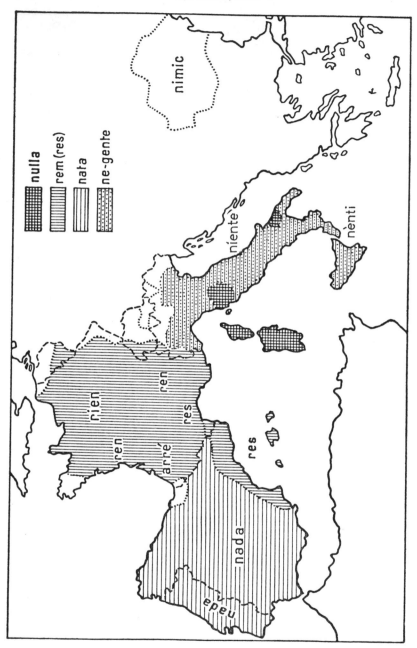

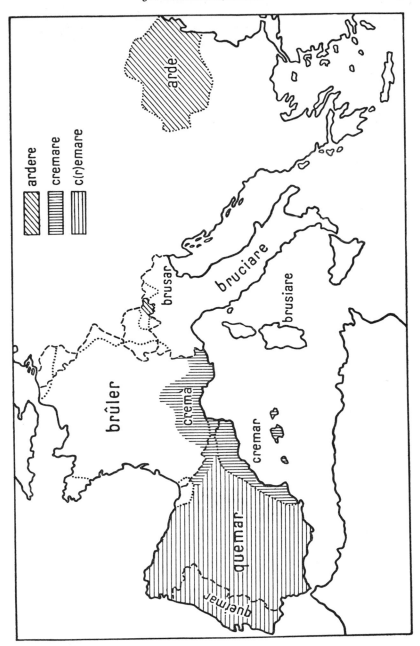

31. Blind, aveugle.

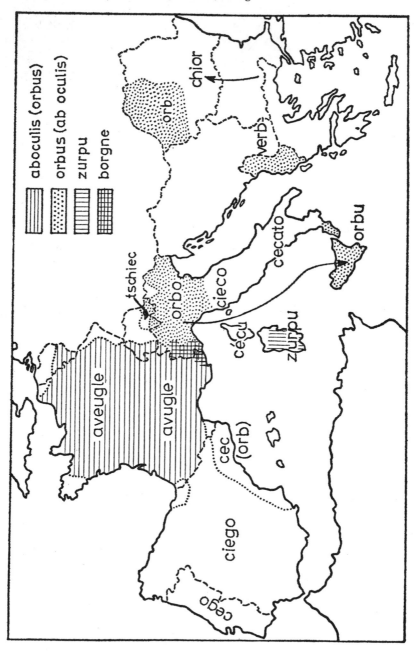

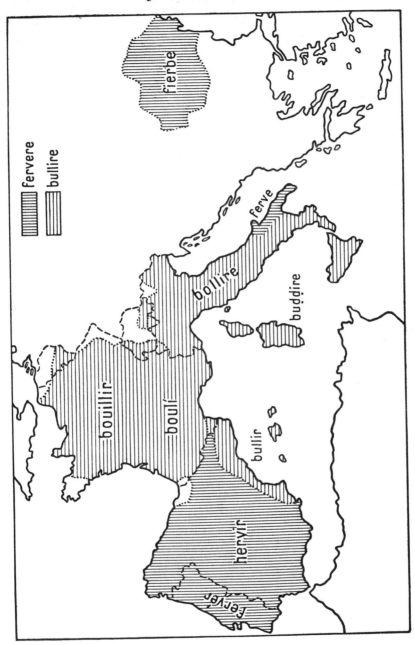

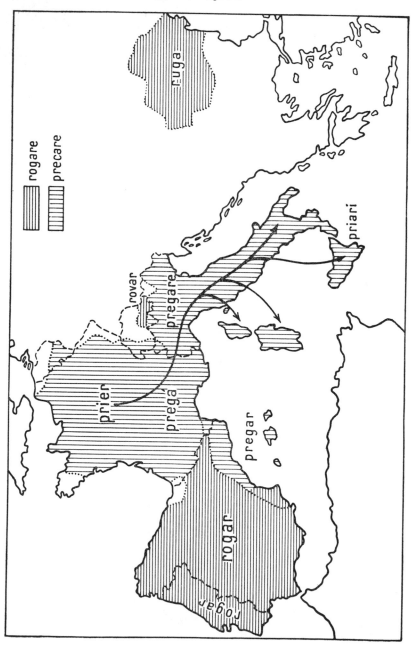

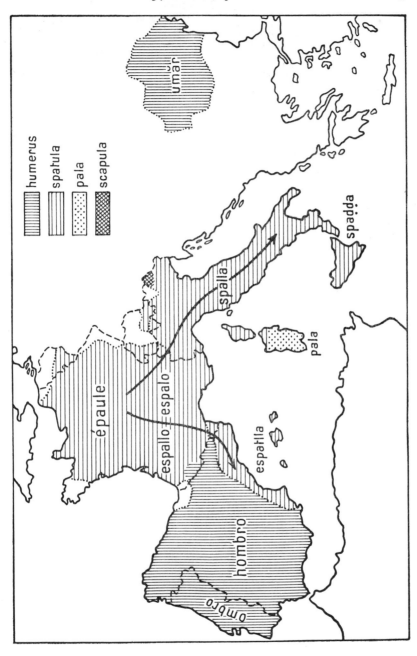

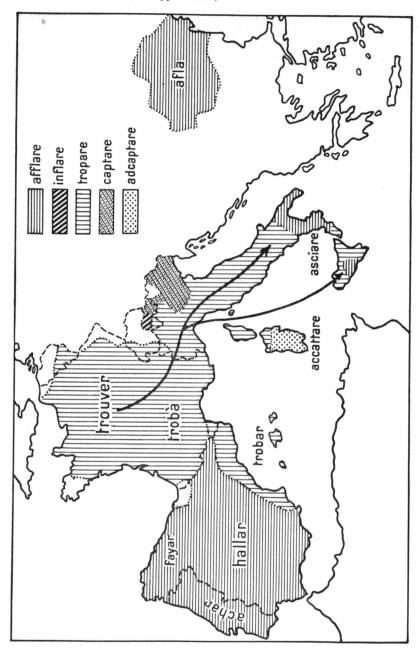

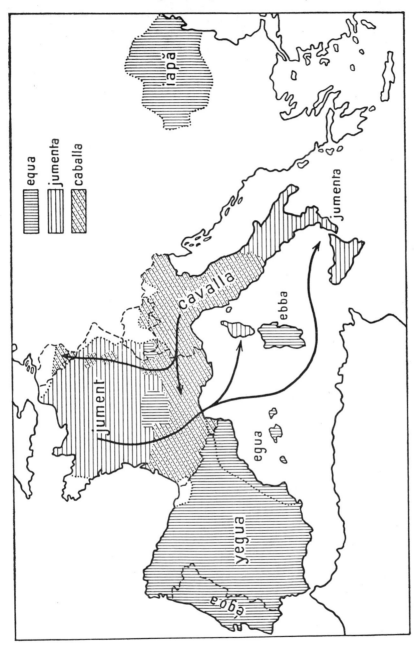

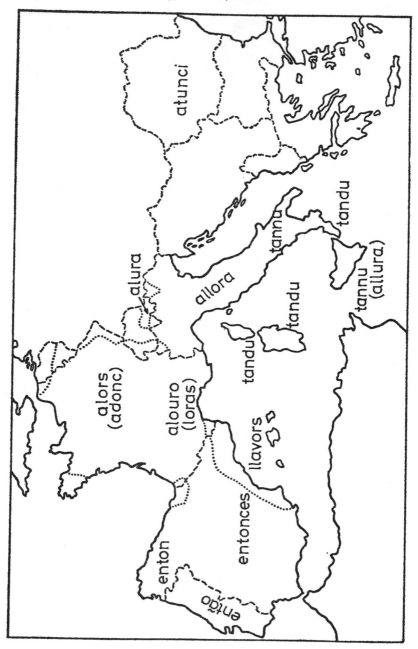

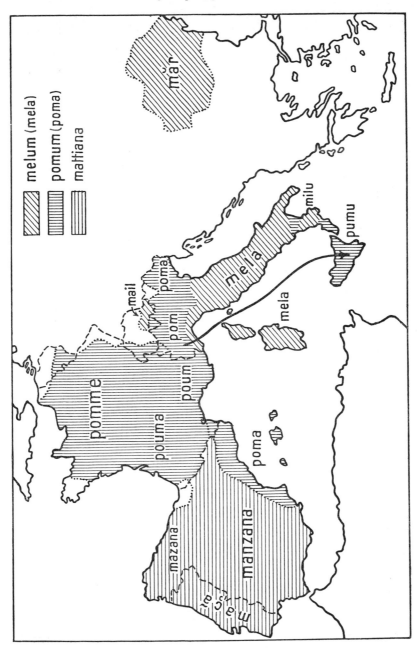

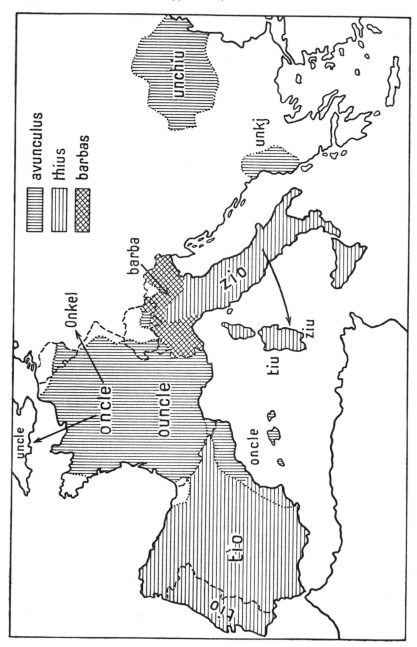

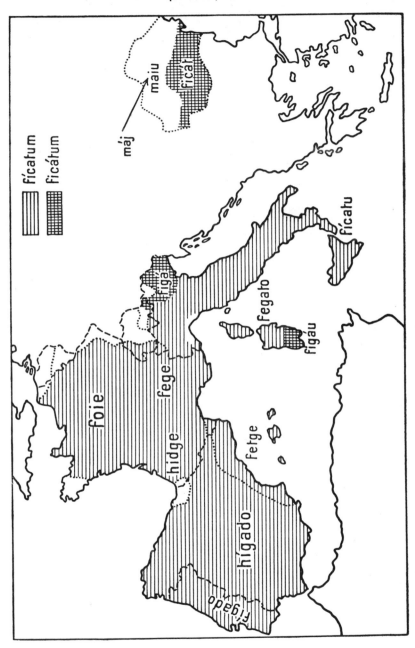

41. Bein, jambe

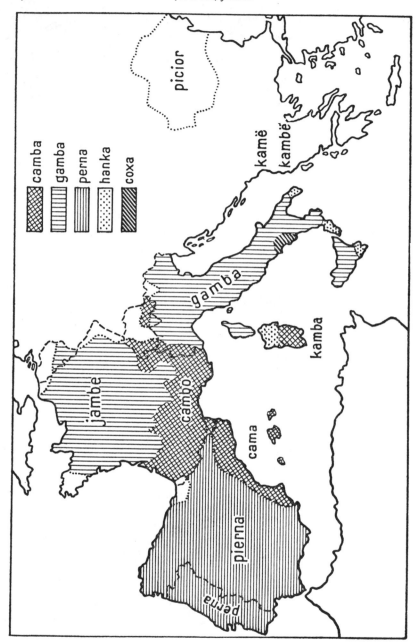

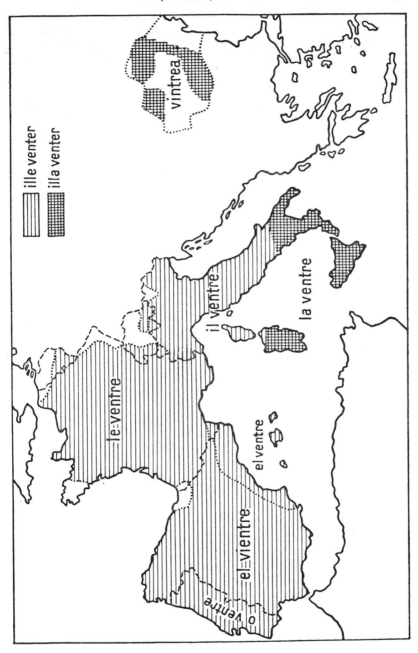

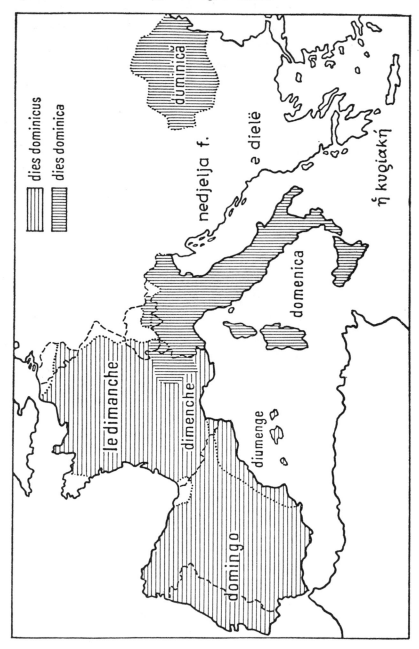

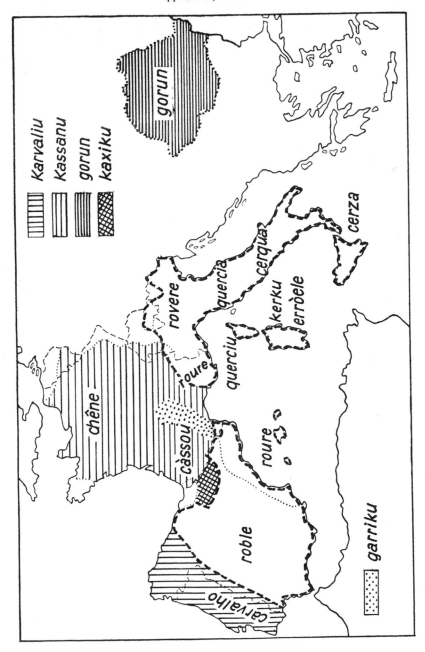

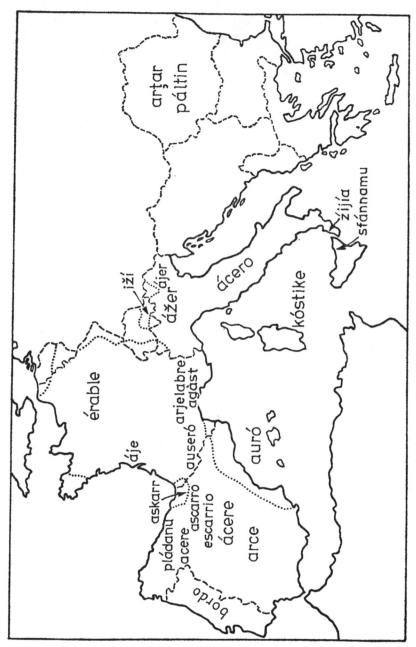

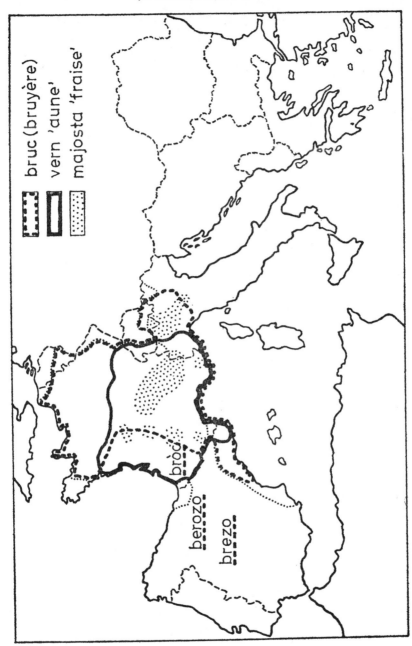

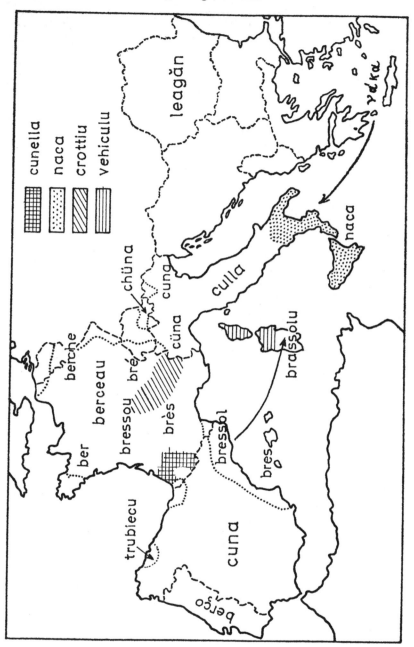

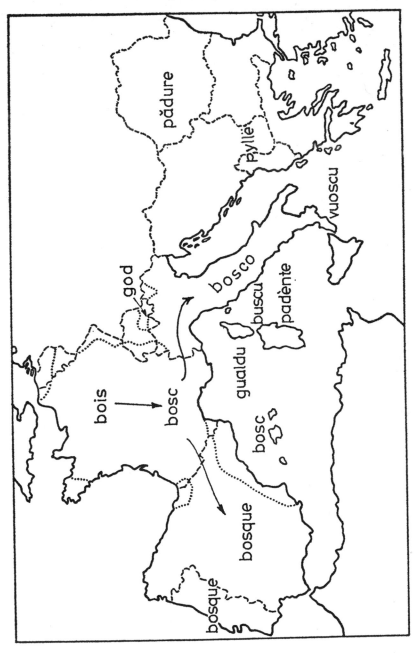

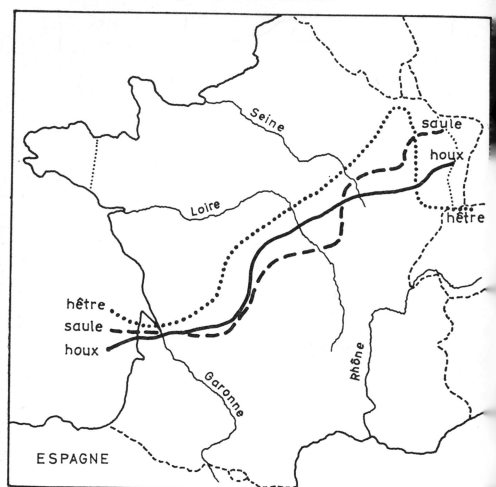

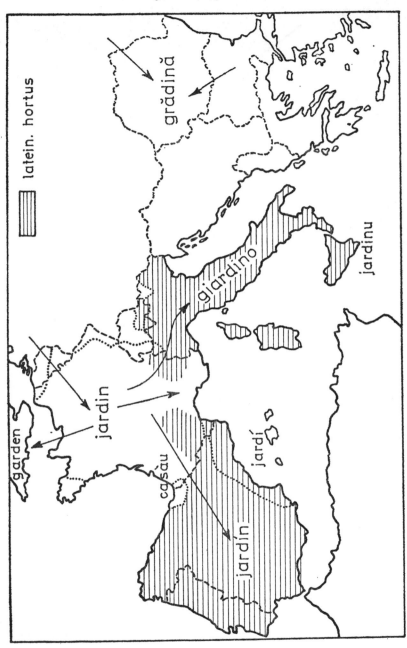

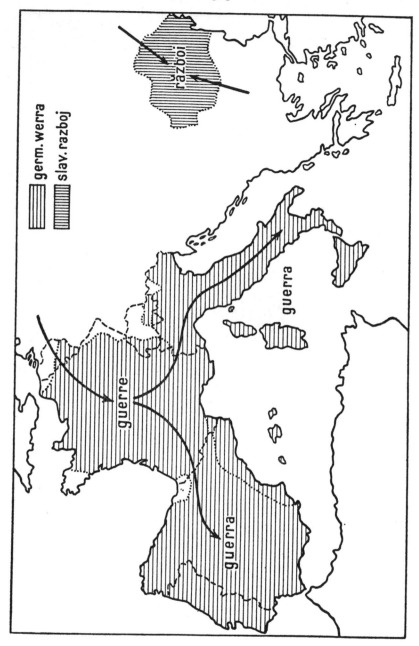

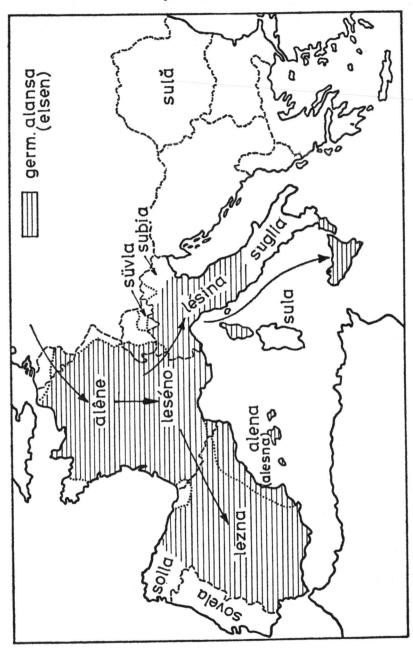

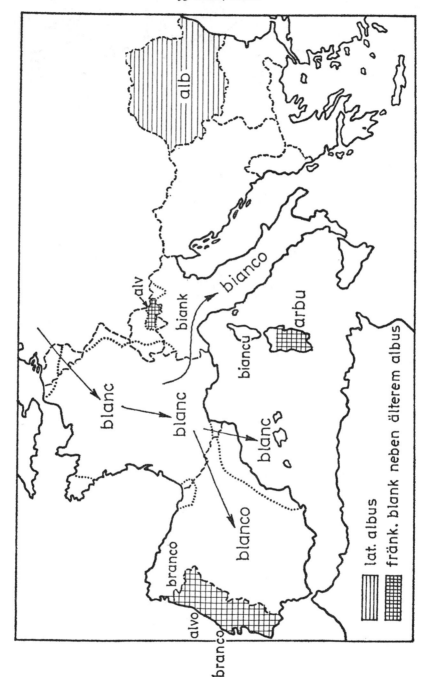

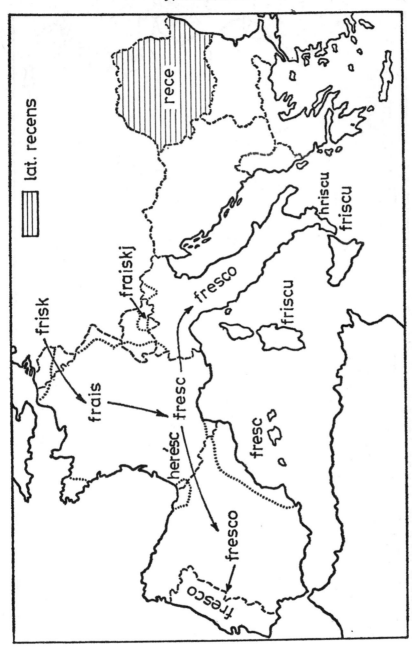

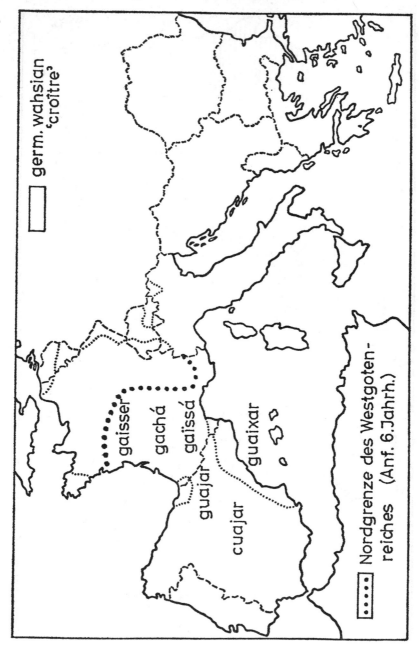

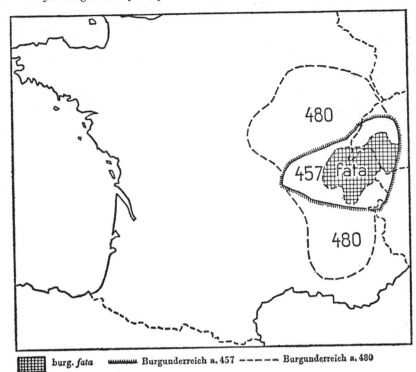

burg. *fata*   ⎈⎈⎈⎈⎈. Burgunderreich a. 457   – – – – – Burgunderreich a. 480

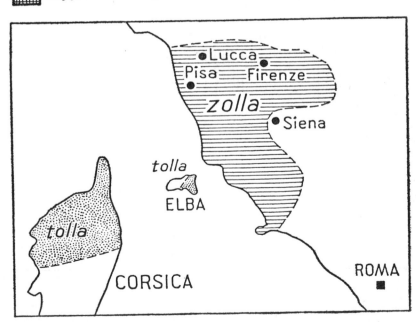

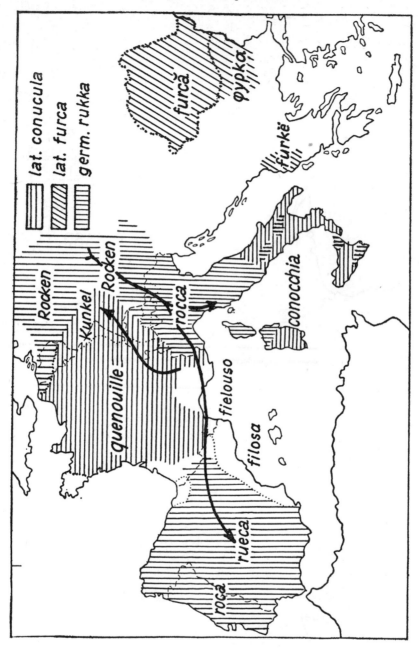

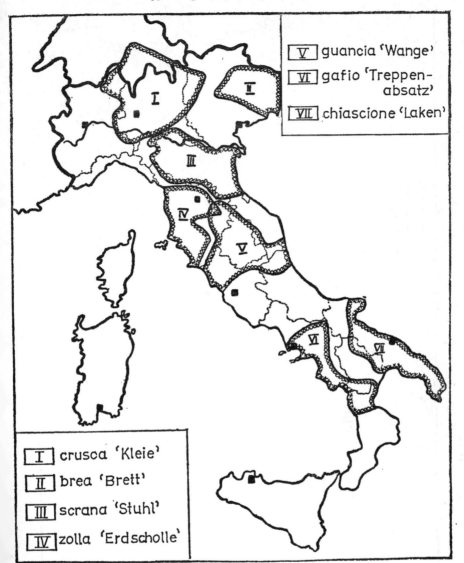

V guancia 'Wange'
VI gafio 'Treppen-
absatz'
VII chiascione 'Laken'

I crusca 'Kleie'
II brea 'Brett'
III scrana 'Stuhl'
IV zolla 'Erdscholle'

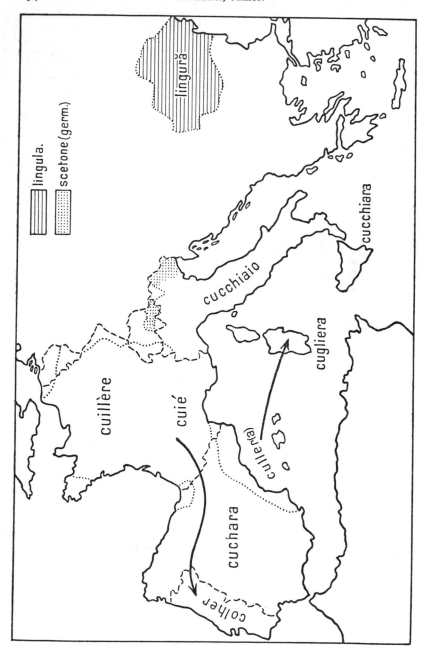

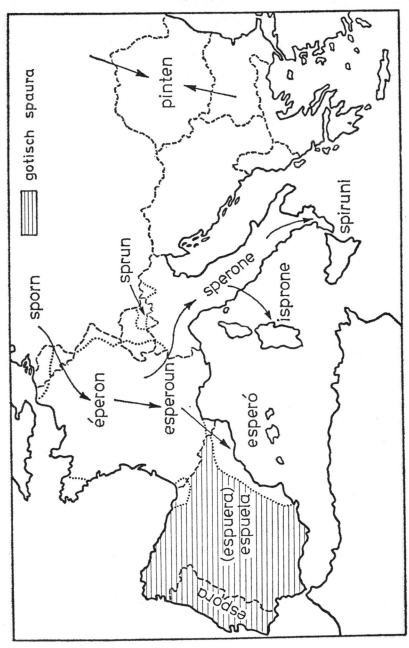

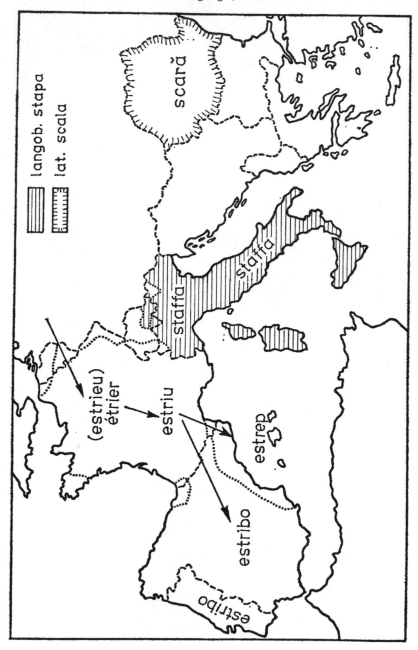

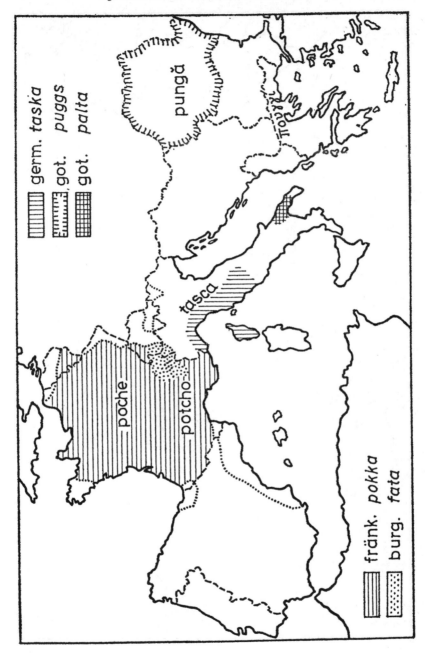

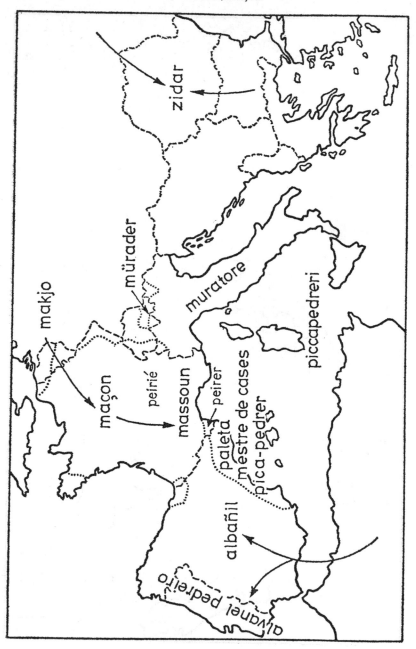

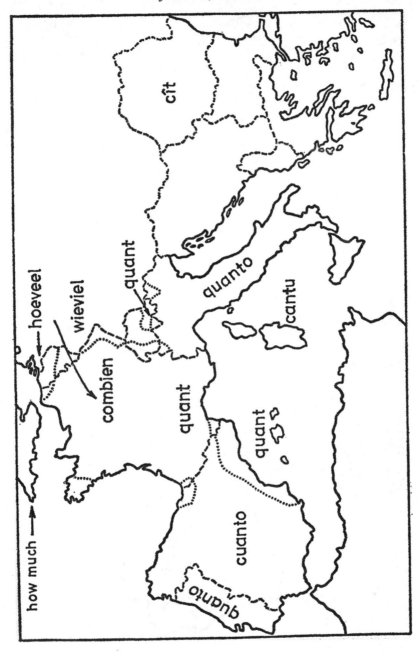

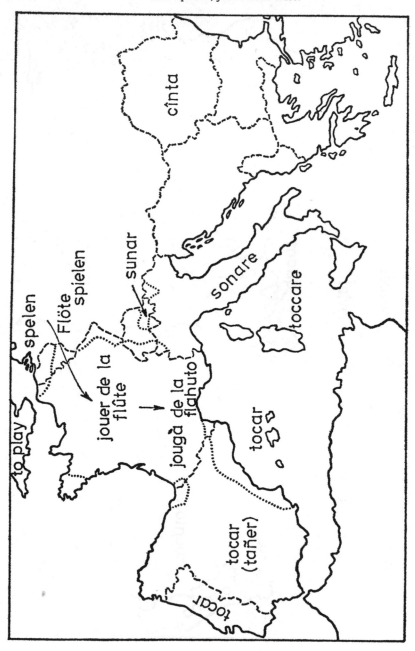

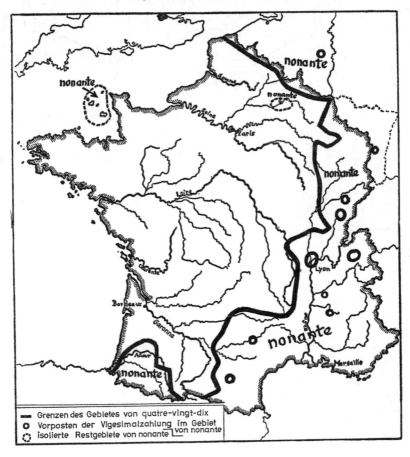

Grenzen des Gebietes von quatre-vingt-dix
Vorposten der Vigesimalzählung im Gebiet
isolierte Restgebiete von nonante }von nonante

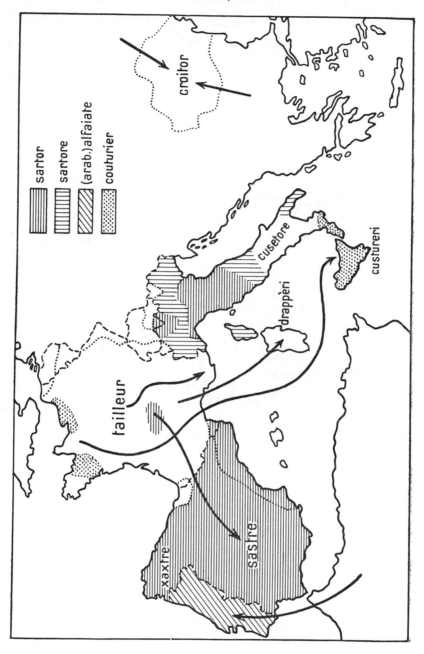

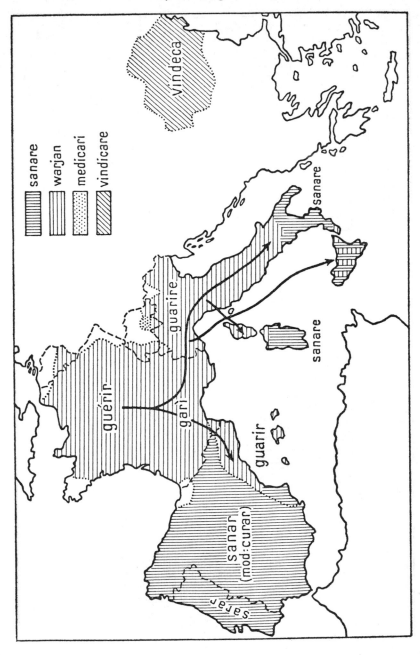

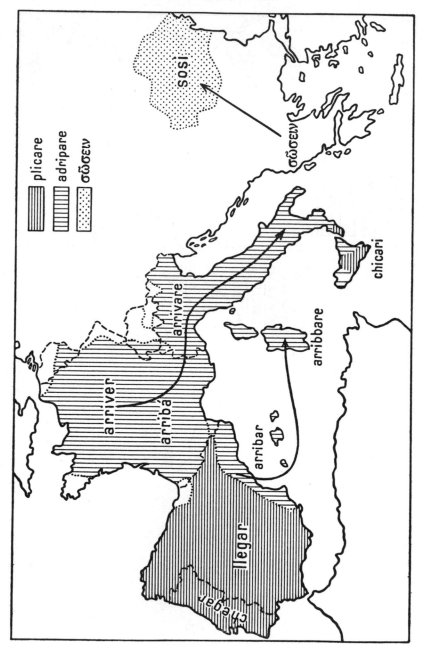

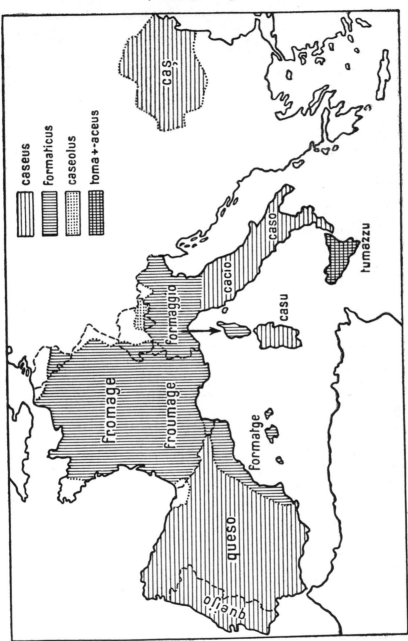

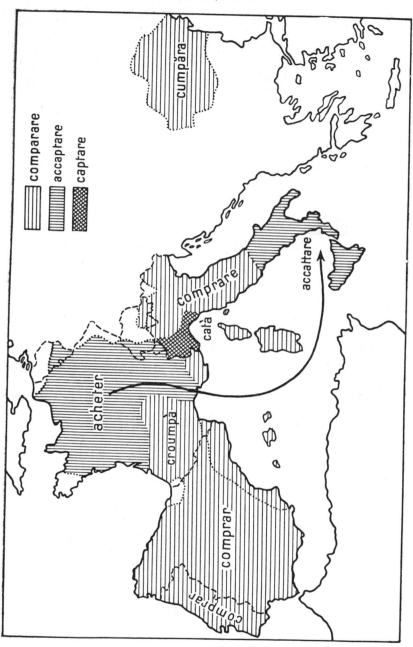

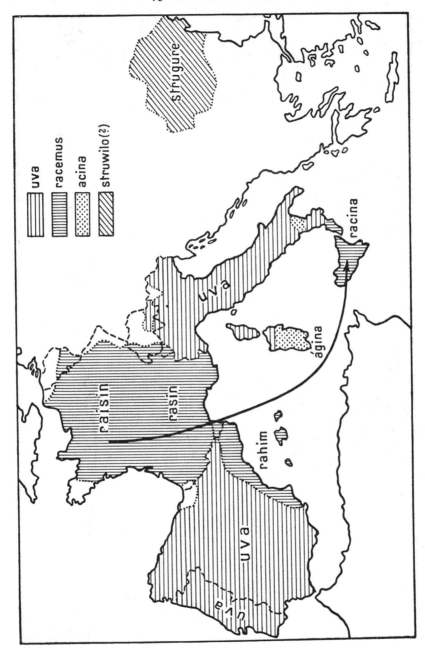

74. Frau, femme.

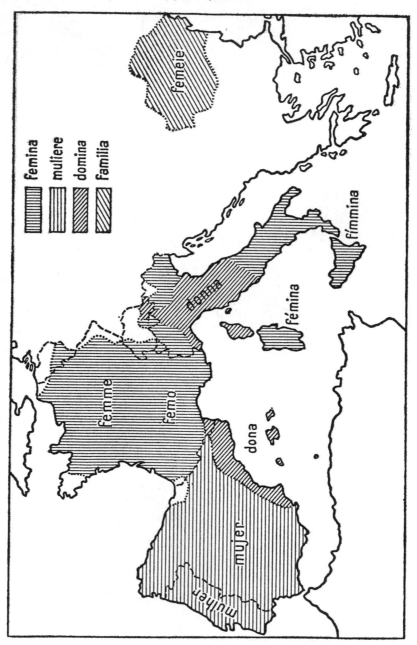

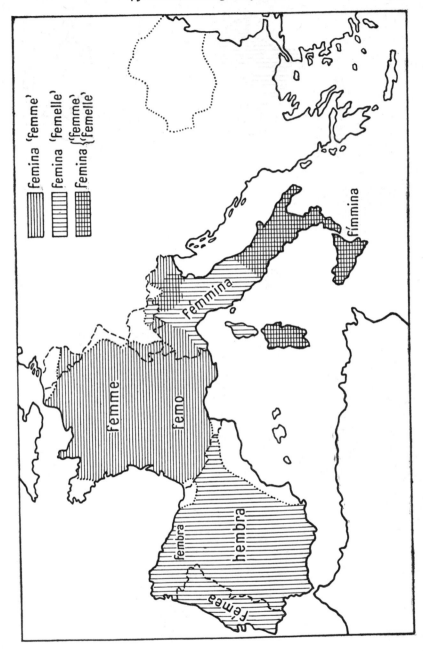

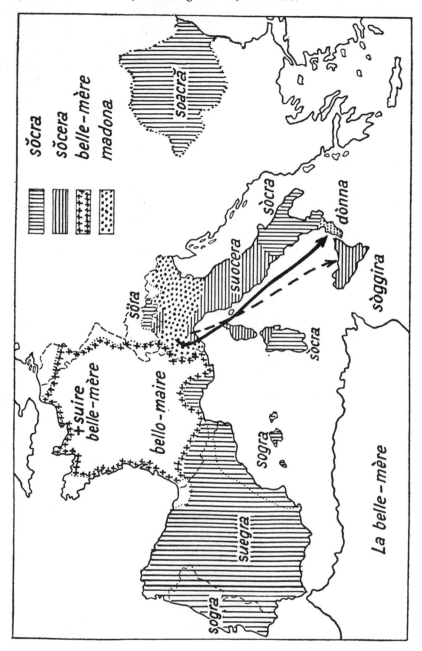

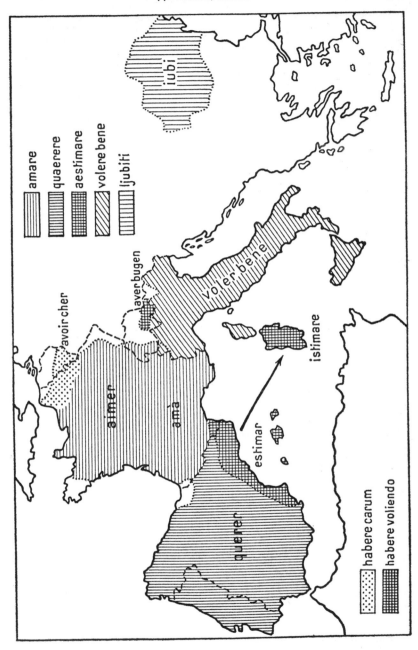

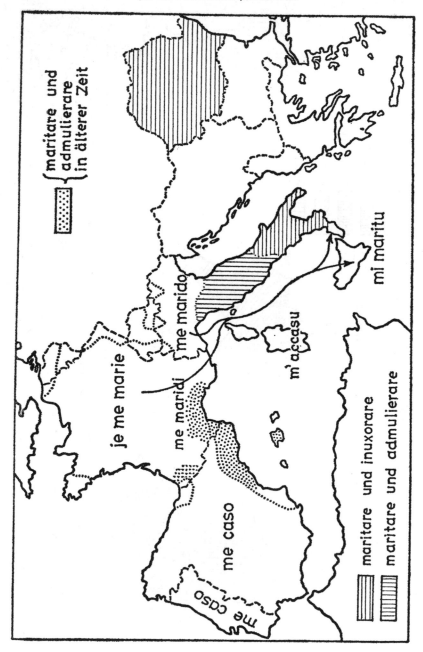

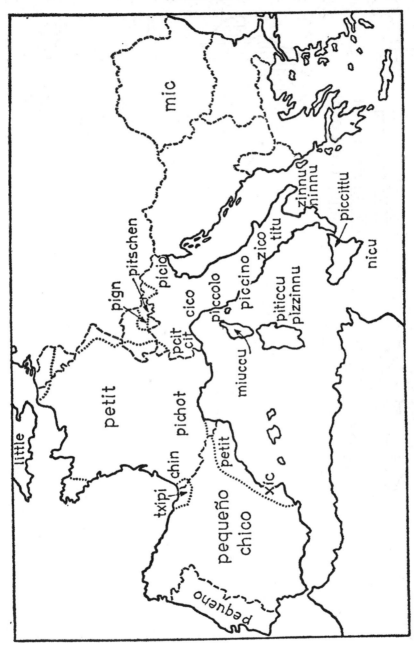

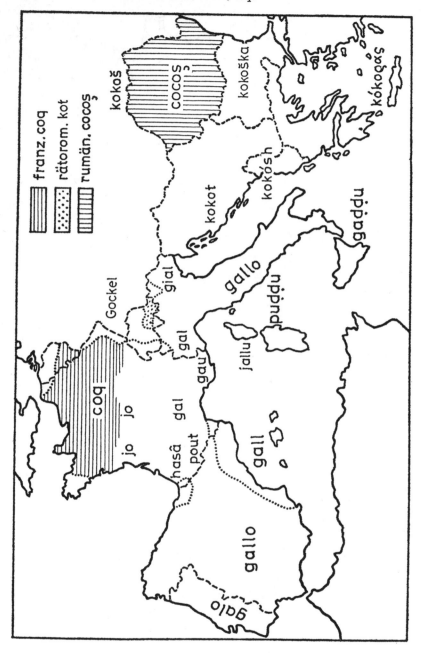

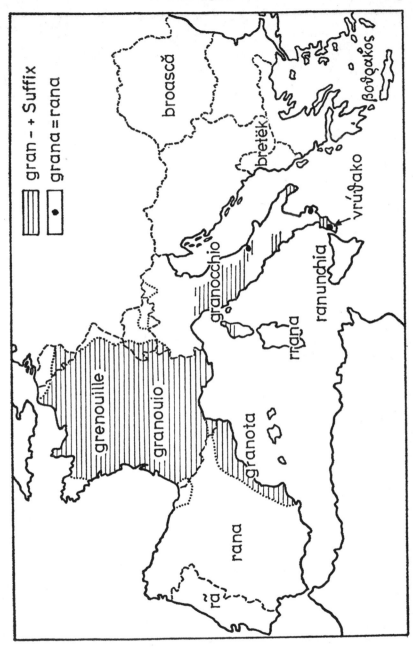

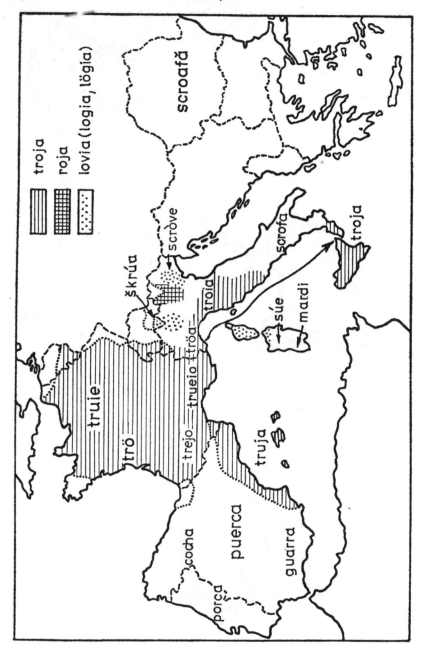

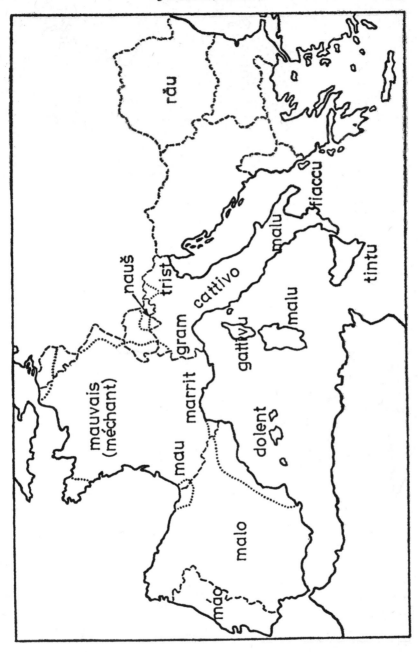

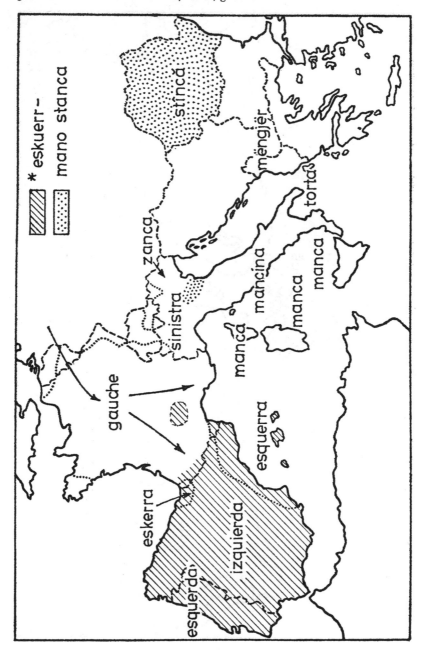

84. Link, gauche.

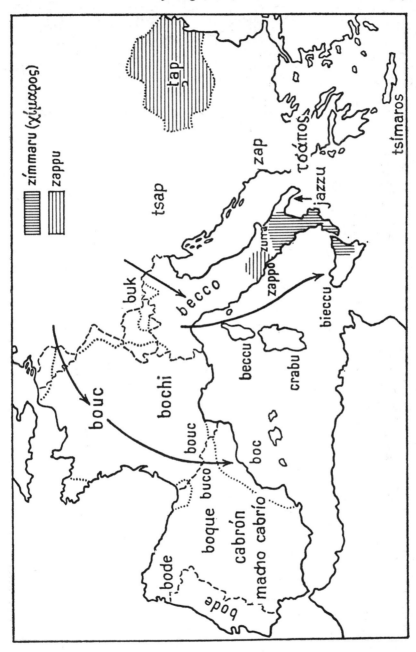

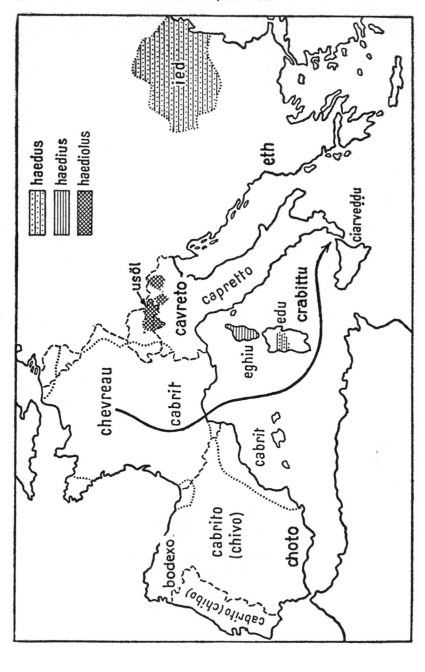

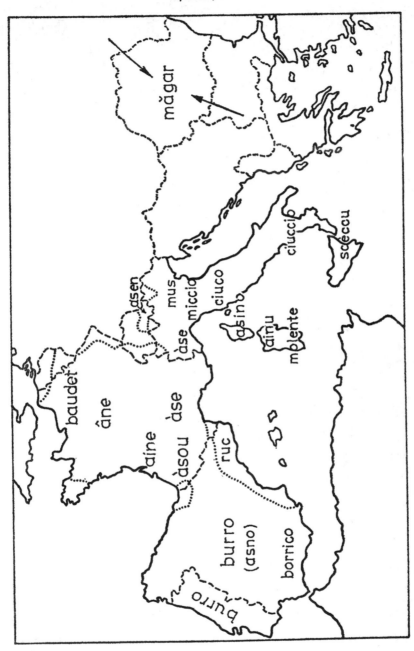

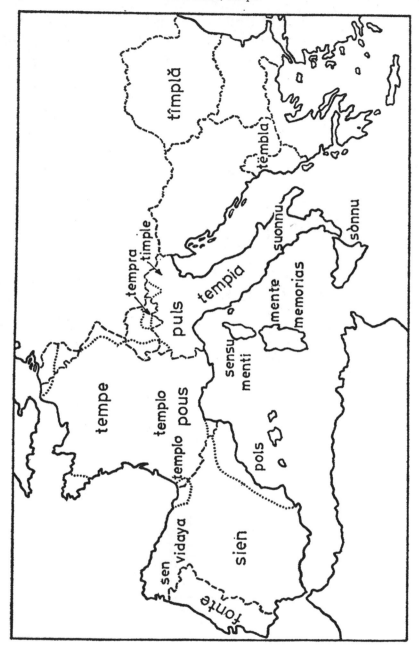

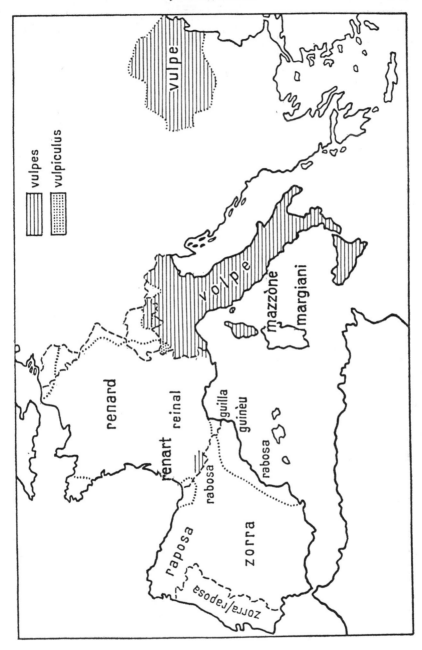

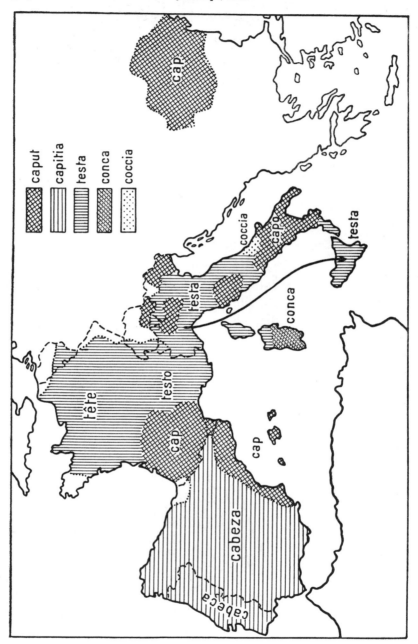

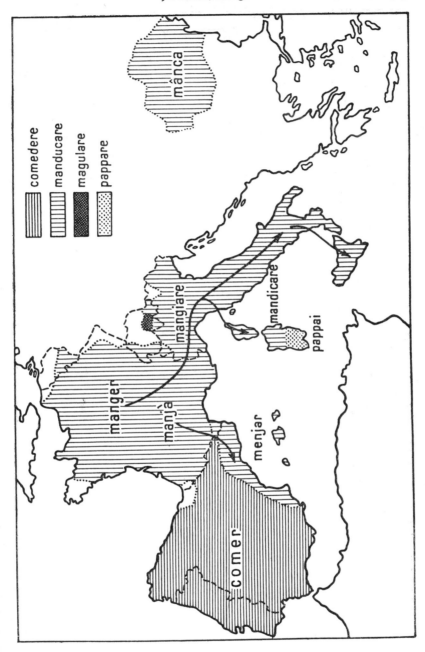

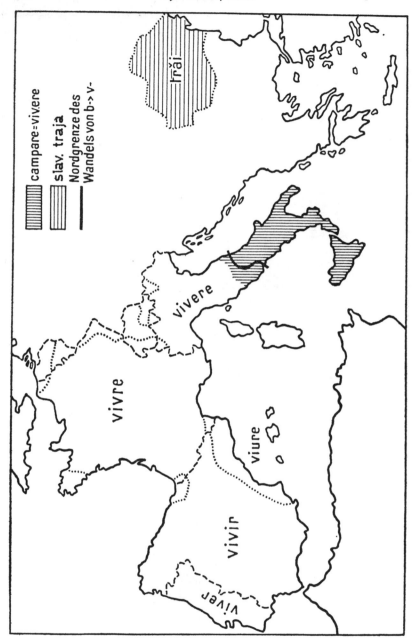

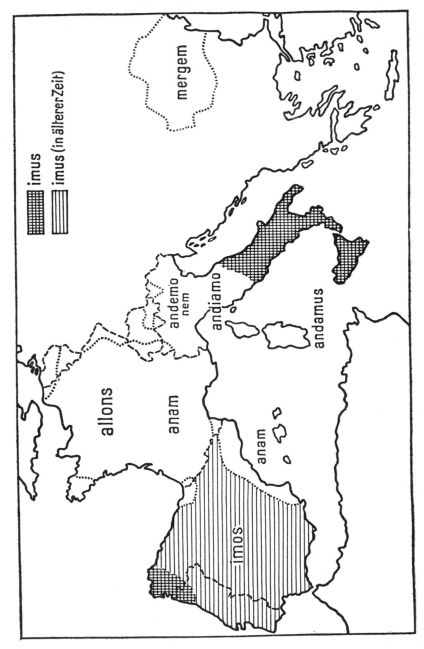

94. Weinen, pleurer.

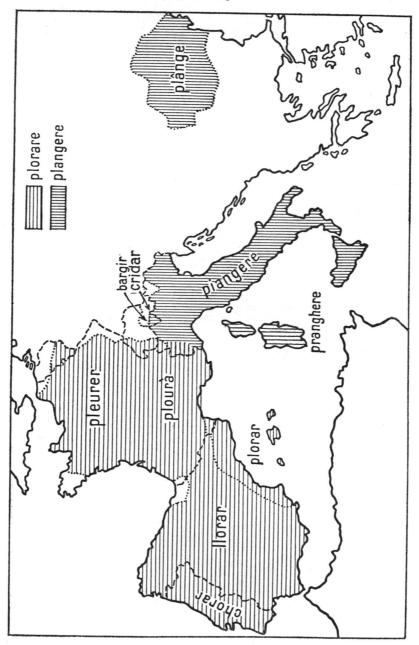

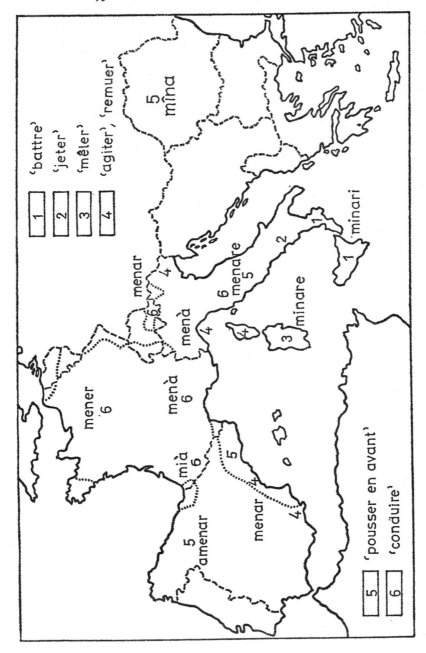

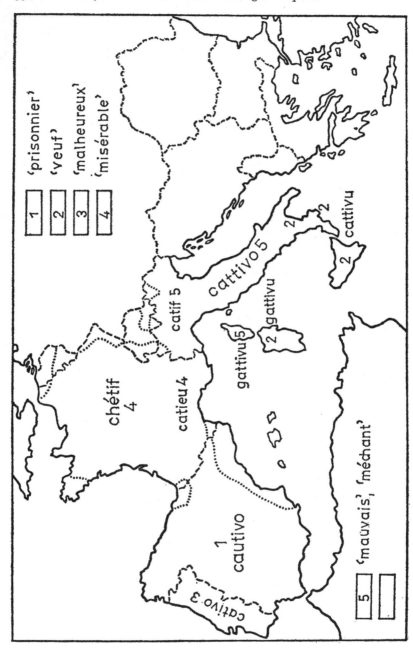

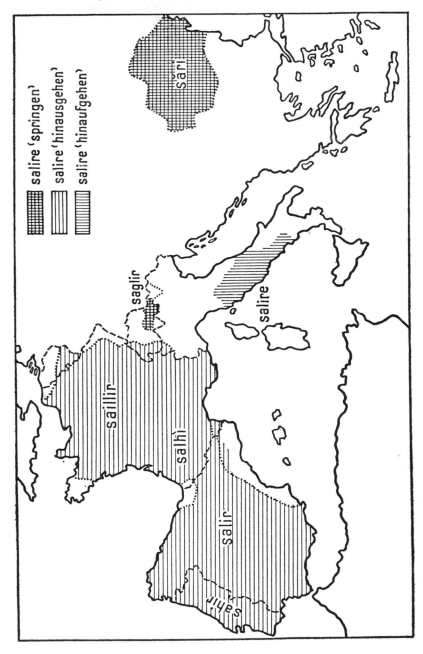

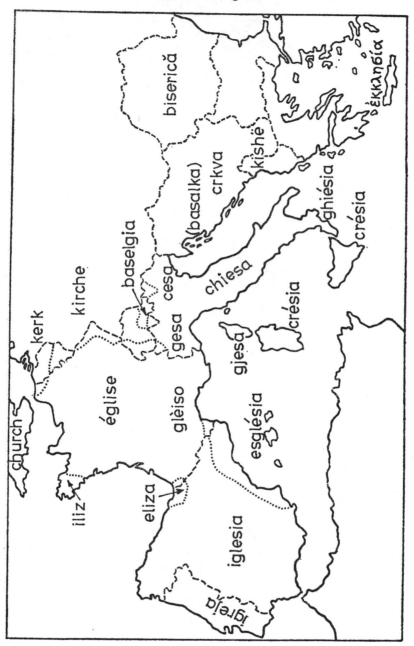

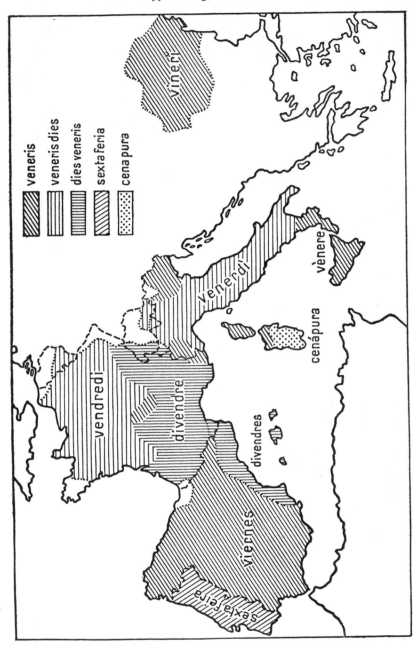

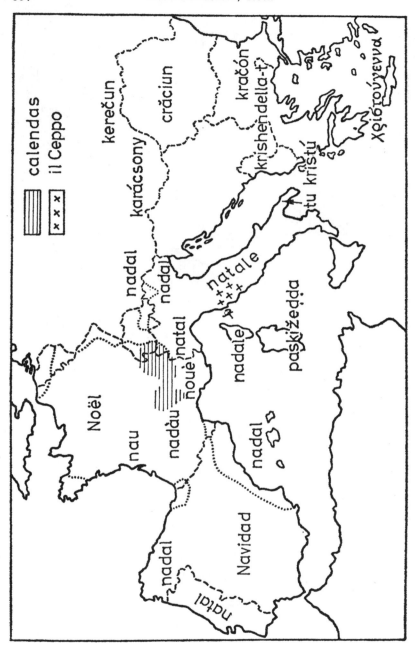

calendas

il Ceppo

kerečun

karácsony

crăciun

kračón

krishendella-t

tu kristú

Χριστούγεννα

nadal

nadal

natale

paskiżedda

natal

noue

nadale

Noël

nau

naddu

nadal

natal

Navidad